이것이 자바다

3판 1권

이것이 자바다(3판)

교육 현장에서 가장 많이 쓰이는 JAVA 프로그래밍 기본서

초판 1쇄 발행 2015년 1월 5일
3판 1쇄 발행 2024년 4월 1일
3판 2쇄 발행 2024년 8월 1일

지은이 신용권, 임경균 / **펴낸이** 전태호
펴낸곳 한빛미디어(주) / **주소** 서울시 서대문구 연희로2길 62 한빛미디어(주) IT출판1부
전화 02-325-5544 / **팩스** 02-336-7124
등록 1999년 6월 24일 제25100-2017-000058호
ISBN 979-11-6921-227-4 94000 / 979-11-6921-229-8(세트)

총괄 배윤미 / **책임편집** 이미향 / **기획 · 편집** 박새미
디자인 박정화, 최연희 / **전산편집** 김현미
영업 김형진, 장경환, 조유미 / **마케팅** 박상용, 한종진, 이행은, 김선아, 고광일, 성화정, 김한솔 / **제작** 박성우, 김정우

이 책에 대한 의견이나 오탈자 및 잘못된 내용은 출판사 홈페이지나 아래 이메일로 알려주십시오.
파본은 구매처에서 교환하실 수 있습니다. 책값은 뒤표지에 표시되어 있습니다.

한빛미디어 홈페이지 www.hanbit.co.kr / 이메일 ask@hanbit.co.kr
독자 Q&A cafe.naver.com/thisisjava
동영상 강의 youtube.com/user/HanbitMedia93
예제 소스 www.hanbit.co.kr/src/11229

Published by HANBIT Media, Inc. Printed in Korea

이것이 자바다

This is JAVA

3판 **1권**

기초부터 활용까지,
탄탄한 이론과 실전 예제로
자바를 정복한다

교육 현장에서 가장 많이 쓰이는 JAVA 프로그래밍 기본서

신용권, 임경균 지음

한빛미디어
Hanbit Media, Inc.

자바 언어에 입문하는 모든 분들에게

2015년에 출간된 『이것이 자바다』 초판을 통해 많은 분들이 자바 언어를 접했고, 지금은 훌륭한 개발자로서 다방면에서 활약하고 계실 것입니다. 『이것이 자바다』 3판은 최신 자바 언어의 특징을 추가했으며, 필수로 알아야 할 내용은 책 본문으로, 선택적으로 알아야 할 내용은 부록 PDF로 도움을 드리고자 합니다.

자바는 객체지향 언어이기 때문에 이 책은 여러분이 객체지향 프로그래밍 기법을 빠르게 익히는 데 중점을 두고 있습니다. 객체지향 프로그래밍을 확실히 이해하면, 무료로 제공되는 방대한 라이브러리를 이용해서 원하는 프로그램을 얼마든지 쉽게 개발할 수 있습니다.

필자는 강의를 할 때 많은 그림을 활용합니다. 어려운 개념을 서술식으로 설명하는 것보다는 간략한 그림으로 설명하는 것이 더 효과적이기 때문입니다. 그래서 이 책에서도 객체지향 프로그래밍 요소와 기능들을 쉽게 이해할 수 있도록 많은 그림을 통해 보여주고자 노력했습니다.

샘플 코드를 수없이 반복 코딩하면서 언어의 코딩 패턴을 익히는 것이 프로그래밍 언어를 학습하는 가장 좋은 방법입니다. 처음에는 100% 이해가 되지 않아도 샘플 코드를 작성하고 실행하면서 결과를 분석하는 과정을 반복하다 보면 이해가 되지 않았던 부분이 나중에는 저절로 이해가 되곤 합니다. 따라서 이 책에서는 여러분이 직접 실습할 수 있도록 수많은 샘플 코드를 주석과 함께 제공합니다.

책으로 학습하다 보면 잘 이해가 되지 않는 부분도 있기 마련입니다. 그래서 동영상 강의를 제작해서 여러분께 제공하려고 합니다. 또한 필자가 운영하는 카페에 여러분의 질문을 올려 주시면 성심껏 답변해 드리도록 하겠습니다.

이 책으로 학습하시는 여러분의 노력이 헛됨 없이 실력 향상으로 이어지길 바랍니다. 지속적으로 사랑받는 책으로 남을 수 있도록 부족한 부분을 보완하고 새로운 자바 기술을 포함시켜 나가도록 노력하겠습니다.

자바 개발자는 충분히 도전해 볼 만한 직업이라고 생각합니다. 문득 최초로 자바를 개발한 제임스 고슬링이 한 말이 가슴에 와닿는군요. "미래는 그냥 일어나는 것이 아니라 선택하는 것입니다." 여러분의 미래는 여러분이 선택해야 합니다. 개발자를 꿈꾸고 계시다면 처음 시작하는 프로그래밍 언어로 자바를 선택해 보시는 것은 어떨까요? 자바와 함께 무한한 개발 분야에서 성공하시길 바랍니다.

신용권 교수
한국소프트웨어산업협회

지은이의 말

소프트웨어는 항상 변화한다
변화에 대응하는 자바 프로그래밍의 명저

『이것이 자바다』 3판은 객체지향 언어인 자바를 입문자도 쉽게 이해할 수 있도록 개념적인 설명을 통해 접근한 책입니다. 체계적인 학습 순서를 바탕으로 단계적인 학습이 가능하도록 구성되어 있으며, 배운 내용을 실습하는 다양한 샘플 코드를 제공함으로써 객체지향 프로그래밍의 초석을 쌓는 데 도움이 되고자 했습니다.

또한 다양한 코드 문법을 그림으로 보다 명확하게 설명하였습니다. 코드를 기반으로 하는 이해와 관련 이미지 학습을 통한 2차원적인 접근 방법을 통해 단편적인 지식 습득보다는 프로그래밍 전반의 절차를 머릿속으로 그리면서 이해할 수 있도록 구성하였습니다.

샘플 코드는 기본적인 자바 문법뿐만 아니라 SW 산업체에서 프로그램을 개발할 때 사용하는 코딩 패턴을 적용하여 만들었습니다. 따라서 자바 문법의 다양한 패턴을 이 한 권으로 익힐 수 있습니다. 여기에서 학습한 코드 패턴은 실무 프로젝트에서도 자주 사용되므로 현업 개발자들에게도 좋은 참고 서적이 될 것입니다.

소프트웨어 아키텍처 설계에 기반하는 프로그래밍을 구현한다는 것은 쉬운 일이 아닙니다. 처음 시작은 어려울 수 있지만, 포기하지 않고 끝까지 나아가다 보면 어느 순간 프로그래밍의 즐거움과 재미를 느끼고, 내 손을 통해 작은 초가집이 99평짜리 기와집으로 구현되어 가는 모습을 보게 되실 겁니다.

어떤 분야든 전문가가 되기 위해서는 오랜 시간과 많은 노력이 필요합니다. 함께 갈 동반자가 있으면 더욱 좋습니다. 자바 프로그래밍의 시작과 끝을 함께 할 동반자로 『이것이 자바다』는 어떨까요? IT 전문가가 되기 위한 항해에서 태풍과 비바람으로부터 지켜 줄 든든한 동반자가 되도록 노력하겠습니다.

이제 여러분의 꿈을 향한 항해를 시작하세요. 그리고 그 꿈을 이루시길 바랍니다. 당신의 상상을 현실로 만들 『이것이 자바다』 3판으로 그 시작을 함께해 볼까요?

임경균 교수
한국소프트웨어산업협회

이 책의 내용

『이것이 자바다』 3판은 필수 학습 내용인 본문과 선택적 학습 내용인 부록으로 구성되어 있습니다. 본문은 5개의 파트로 구성되어 있으며, 자바 프로그래밍에서 필수로 알아야 할 내용을 다루고 있기 때문에 반복적으로 학습하면서 개념 및 코드 작성 패턴을 익혀 두어야 합니다. 본문을 1회 독파했다면 3회 정도 반복하여 학습하는 것을 추천합니다. 반복할 때마다 몰랐던 부분이 저절로 이해되는 경험을 할 수 있을 것입니다.

■ **본문**

- Part 01 (01장~04장): 자바 언어의 기본 문법을 다룹니다.
- Part 02 (05장~11장): 객체지향 프로그래밍 기법을 다룹니다.
- Part 03 (12장~17장): 표준 라이브러리를 사용하는 방법을 다룹니다.
- Part 04 (18장~20장): 데이터를 읽고 저장하는 방법을 다룹니다.
- Part 05 (21장): 최신 자바에서 강화된 언어 및 라이브러리를 다룹니다.

자바는 웹 프로그래밍에 필요한 주요 언어이기 때문에 책의 본문만 학습하더라도 웹 프로그래밍 개발에는 전혀 문제가 없습니다. 그러나 필수 지식 외에도 특별히 관심 있는 분야가 있거나 과제 및 프로젝트를 진행할 때 필요한 영역이 있다면 부록을 참고해서 학습하실 수 있도록 별도 PDF를 제공합니다.

■ **부록**

- 01: MySQL을 이용한 데이터베이스 입출력(본문 20장의 Oracle 대체용)
- 02: Java UI – Swing
- 03: Java UI – JavaFX
- 04: NIO

* 부록 PDF는 한빛미디어 홈페이지 자료실(https://www.hanbit.co.kr/src/11229)과 온라인 서점에서 [무료 특별판]으로 제공합니다.

다음 사진은 국내 드론 산업체의 요청으로 드론 임무 계획을 설정하고, 5G 환경에서 원격 제어할 수 있도록 필자와 개발자들이 공동 개발한 지상제어시스템(Ground Control System) 화면입니다. 여기에서 사용한 기술이 바로 JavaFX와 NIO입니다. 부록을 잘 활용하면 이처럼 다양한 분야의 자바 개발도 가능합니다.

▲ JavaFX와 NIO를 활용해 개발한 지상제어시스템 실행 화면

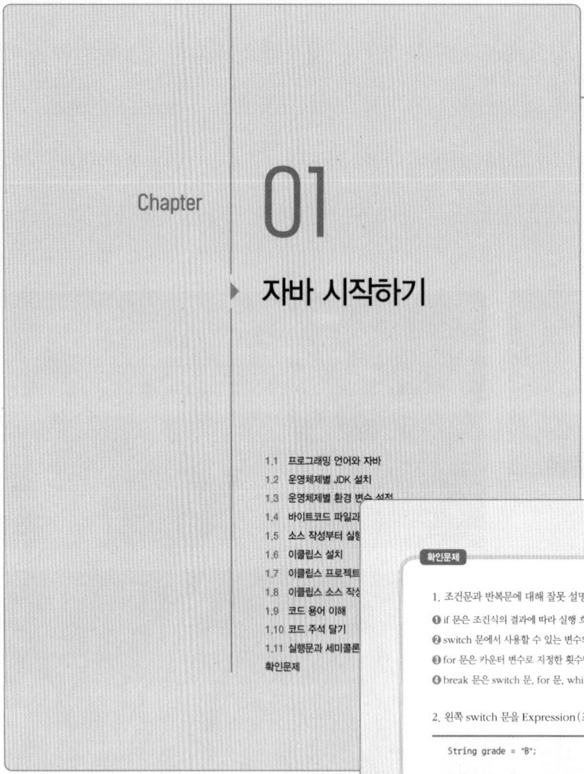
Chapter 01

자바 시작하기

1.1 프로그래밍 언어와 자바
1.2 운영체제별 JDK 설치
1.3 운영체제별 환경 변수 설정
1.4 바이트코드 파일과
1.5 소스 작성부터 실행
1.6 이클립스 설치
1.7 이클립스 프로젝트
1.8 이클립스 소스 작성
1.9 코드 용어 이해
1.10 코드 주석 달기
1.11 실행문과 세미콜론
확인문제

이 장에서 배울 내용

해당 장에서 배울 내용을 한눈에 살펴봅니다.

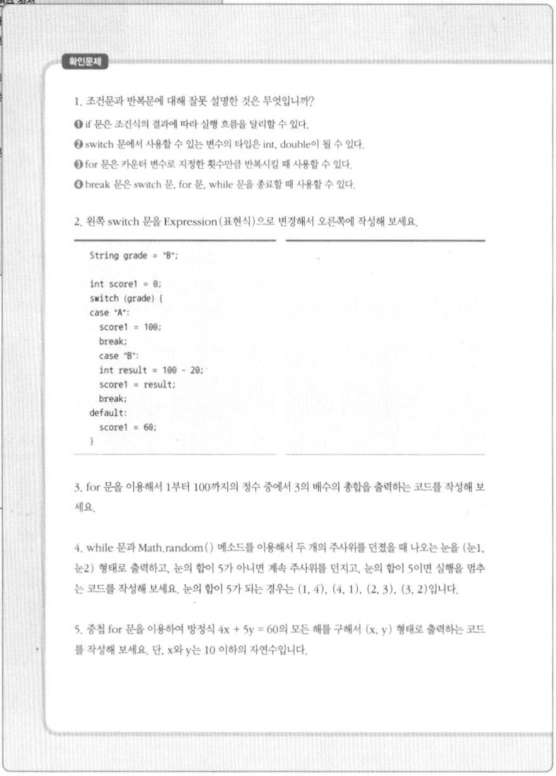
확인문제

1. 조건문과 반복문에 대해 잘못 설명한 것은 무엇입니까?

❶ if 문은 조건식의 결과에 따라 실행 흐름을 달리할 수 있다.
❷ switch 문에서 사용할 수 있는 변수의 타입은 int, double이 될 수 있다.
❸ for 문은 카운터 변수로 지정한 횟수만큼 반복시킬 때 사용할 수 있다.
❹ break 문은 switch 문, for 문, while 문을 종료할 때 사용할 수 있다.

2. 왼쪽 switch 문을 Expression(표현식)으로 변경해서 오른쪽에 작성해 보세요.

```
String grade = "B";

int score1 = 0;
switch (grade) {
case "A":
  score1 = 100;
  break;
  case "B":
  int result = 100 - 20;
  score1 = result;
  break;
default:
  score1 = 60;
}
```

3. for 문을 이용해서 1부터 100까지의 정수 중에서 3의 배수의 총합을 출력하는 코드를 작성해 보세요.

4. while 문과 Math.random() 메소드를 이용해서 두 개의 주사위를 던졌을 때 나오는 눈을 (눈1, 눈2) 형태로 출력하고, 눈의 합이 5가 아니면 계속 주사위를 던지고, 눈의 합이 5이면 실행을 멈추는 코드를 작성해 보세요. 눈의 합이 5가 되는 경우는 (1, 4), (4, 1), (2, 3), (3, 2)입니다.

5. 중첩 for 문을 이용하여 방정식 4x + 5y = 60의 모든 해를 구해서 (x, y) 형태로 출력하는 코드를 작성해 보세요. 단, x와 y는 10 이하의 자연수입니다.

확인문제

본문에서 다뤘던 내용을 잘 이해했는지 문제로 확인합니다. 확인문제의 정답은 별도 PDF로 제공합니다.

>>> **Hello.java**

```
package ch01.sec06;                          //바이트코드 파일이 위치할 패키지 선언

public class Hello {                         //Hello 클래스 선언
  public static void main(String[] args) {  //main() 메소드 선언
    System.out.println("Hello, Java");       //콘솔에 출력하는 코드
  }
}
```

실행 결과

```
Hello, Java
```

예제 코드와 실행 결과

이론을 실습하기 위한 예제 코드와 실행 결과를 확인할 수 있습니다.

NOTE VSCode(Visual Studio Code, https://code.visualstudio.com)와 같은 개발 전문 텍스트 에디터를 설치해서 작성하는 것이 편리하다.

NOTE

학습을 진행하면서 알아 두면 좋은 팁이나 혼동하기 쉬운 내용을 짚어 줍니다.

여기서 잠깐

이클립스의 버전

JDK 21을 지원하는 이클립스 최소 버전은 Eclipse IDE 2023-12이므로 이보다 낮은 버전을 다운로드하면 안 된다. 가능하면 가장 최근에 릴리즈된 이클립스를 사용하는 것이 좋다.

여기서 잠깐

더 알아 두면 좋은 보충 설명, 참고 사항, 관련 용어 등을 안내합니다.

동영상 강의

https://www.youtube.com/user/HanbitMedia93

한빛미디어 유튜브 채널에서 『이것이 자바다』의 저자 직강 동영상을 만나 보세요! 채널 내부 검색창에서 '이것이 자바다'를 검색하면 쉽고 빠르게 동영상 강의를 찾을 수 있습니다.

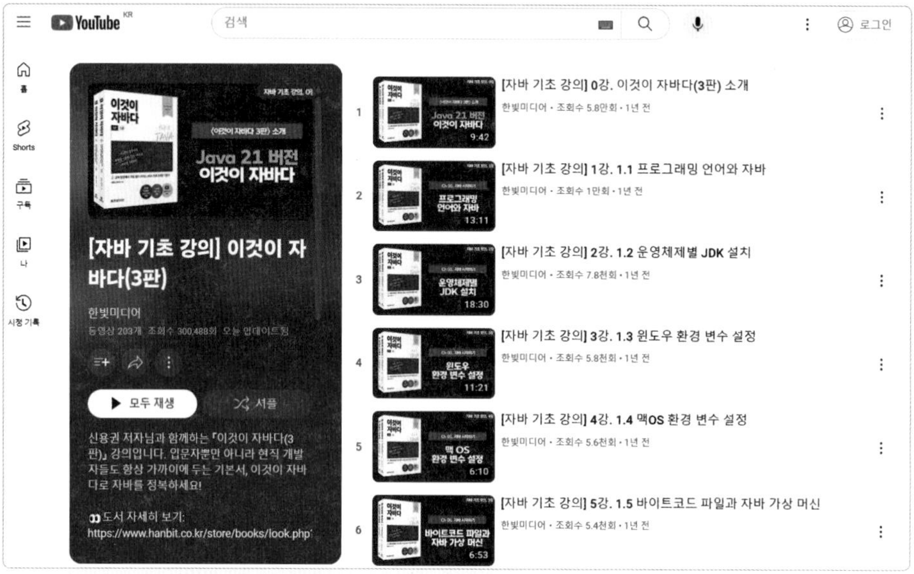

예제 소스

https://www.hanbit.co.kr/src/11229

책에서 진행하는 모든 예제의 소스코드와 학습에 참고할 만한 내용을 자료실에서 확인할 수 있습니다. 직접 작성한 소스코드가 제대로 실행되지 않는다면 자료실에서 제공되는 소스코드와 비교하면서 학습해 보세요.

독자 Q&A

https://cafe.naver.com/thisisjava

〈이것이 자바다〉 네이버 카페에서 독자 Q&A를 제공합니다. 저자와 함께 하는 책 밖의 또 다른 공간에서 고민과 궁금증을 다른 독자들과 함께 공유해 보세요!

목차

Part 01 자바 언어의 기초

Chapter 01 | 자바 시작하기

Chapter 02 | 변수와 타입

Chapter 03 | 연산자

Chapter 04 | 조건문과 반복문

Part 02 객체지향 프로그래밍

Chapter 05 | 참조 타입

Chapter 06 | 클래스

Chapter 07 | 상속

Chapter 09 | 중첩 선언과 익명 객체

Chapter 10 | 라이브러리와 모듈

Chapter 11 | 예외 처리

Part 03 라이브러리 활용

Chapter 12 | java.base 모듈

Chapter 13 | 제네릭

Chapter 14 | 멀티 스레드

Chapter 15 | 컬렉션 자료구조

Chapter 16 | 람다식

Chapter 17 | 스트림 요소 처리

Chapter 19 | 네트워크 입출력

Chapter 20 | 데이터베이스 입출력

Part 05 최신 자바의 강화된 언어 기능

Chapter 21 | 자바 21에서 강화된 언어 및 라이브러리

부록

* 부록은 선택적 학습 내용이므로 한빛미디어 홈페이지 자료실(https://www.hanbit.co.kr/src/11229)에서 별도의 PDF로 제공합니다.

Part 01

Chapter 01 자바 시작하기

Chapter 02 변수와 타입

Chapter 03 연산자

Chapter 04 조건문과 반복문

자바 언어의 기초

첫 번째 파트는 자바 개발 환경 구축과 자바 코딩에 필요한 기본적인 언어 문법인 변수, 타입, 연산자, 조건문, 반복문에 대해 다룬다. 이는 어떤 프로그램이건 공통적으로 사용되므로 입문자가 제일 먼저 학습해야 할 내용이다. 특히 조건문과 반복문은 코드 실행 흐름을 결정하기 때문에 매우 중요하다. 반복 학습을 통해 다양한 실행 흐름을 스스로 작성할 수 있도록 해보자.

Chapter

01

자바 시작하기

1.1 프로그래밍 언어와 자바

컴퓨터가 이해할 수 있는 기계어machine language는 우리가 일상생활에서 사용하는 언어와는 너무나도 다르게 0과 1로 이루어진 이진 코드를 사용한다. 따라서 사람이 이해하기에는 매우 어렵다. 반대로 사람이 사용하는 언어는 컴퓨터 입장에서 보면 이해할 수 없는 문자의 집합이다. 그렇기 때문에 사람과 컴퓨터가 대화하기 위해서는 사람의 언어와 기계어의 다리 역할을 하는 프로그래밍 언어가 필요하다.

프로그래밍 언어는 고급 언어와 저급 언어로 구분된다. 고급 언어란 컴퓨터와 대화할 수 있도록 만든 언어 중에서 사람이 쉽게 이해할 수 있는 언어를 말한다. 고급 언어로 작성된 소스 파일은 컴퓨터가 바로 이해할 수 없기 때문에 컴파일compile이라는 과정을 통해 컴퓨터가 이해할 수 있는 0과 1로 이루어진 기계어로 변환한 후 사용해야 한다. 반대로 저급 언어란 기계어에 가까운 언어를 말하며, 대표적으로 어셈블리어가 이에 속한다.

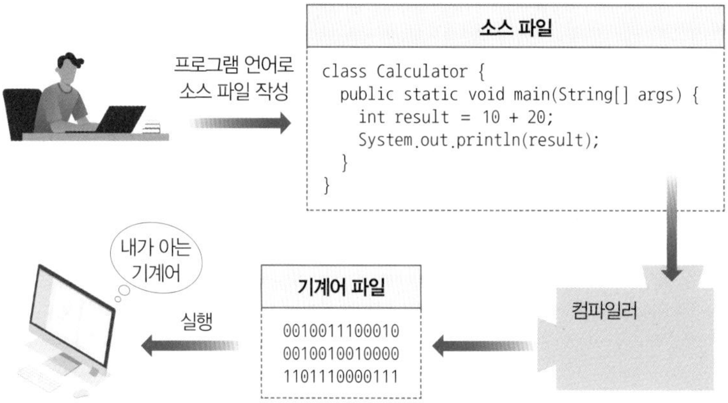

개발자가 고급 언어로 작성한 파일을 소스source 파일이라고 부른다. 고급 언어에는 많은 종류가 있는데, 대표적으로 자바Java, C, C++, C#, 파이썬Python 등이 있다.

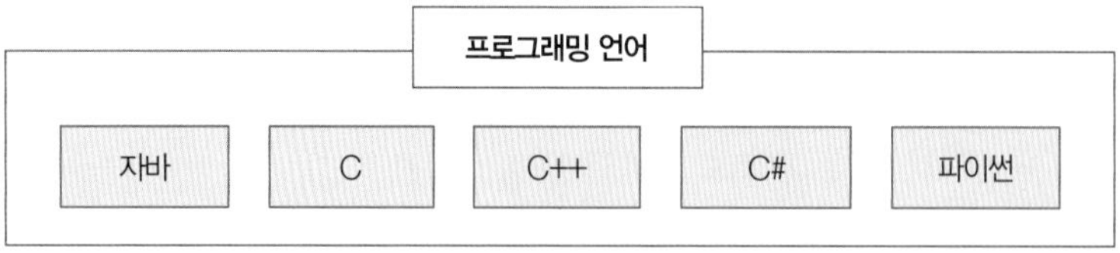

자바는 1995년도에 썬 마이크로시스템즈Sun Microsystems에서 처음 발표한 후, 가장 성공한 프로그래밍 언어로서 전세계적으로 다양한 분야에서 사용되고 있다. 안드로이드 폰에서 실행하는 애플리케이션뿐만 아니라, 웹 사이트를 개발하는 핵심 언어로 사용되고 있다. 그리고 모든 운영체제에서 실행 가능한 데스크톱 애플리케이션도 개발할 수 있다.

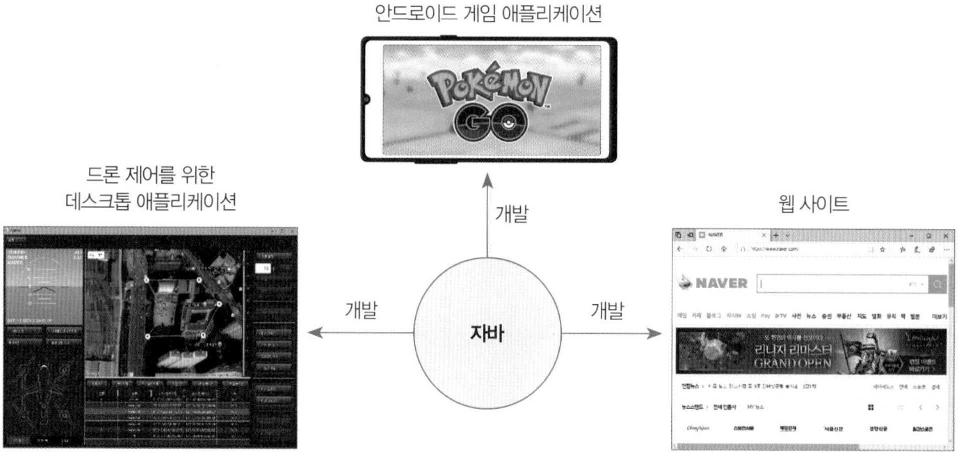

자바는 오라클(https://www.oracle.com)에서 라이선스license를 가지고 있다. 오라클은 자바 개발 도구Java Development Kit, JDK를 배포하여 자바로 프로그램을 쉽게 개발할 수 있도록 기술적 지원을 하고 있다. 자바는 다른 프로그래밍 언어와 비교해 다음과 같은 특징이 있다.

- **모든 운영체제에서 실행 가능:** 자바로 작성된 프로그램은 모든 운영체제에서 실행 가능하다. 따라서 윈도우에서 개발된 프로그램을 수정 없이 바로 맥OS 또는 리눅스에서도 실행할 수 있다는 장점이 있다.
- **객체지향 프로그래밍:** 먼저 객체(부품)를 만들고, 이 객체들을 서로 연결해서 더 큰 프로그램을 완성시키는 기법을 객체지향 프로그래밍(Object Oriented Programming, OOP)이라고 한다. 자바는 OOP를 위한 최적의 언어이다.
- **메모리 자동 정리:** 자바는 메모리(RAM)를 자동 관리하므로, 개발자가 메모리 관리의 수고스러움을 덜고 핵심 기능인 코드 작성에 집중할 수 있다.
- **풍부한 무료 라이브러리:** 무료로 다운로드해서 사용할 수 있는 오픈 소스 라이브러리(Open Source Library)가 풍부하기 때문에 프로그램 개발 기간을 단축시켜 준다.

1.2 운영체제별 JDK 설치

자바 프로그램을 개발하고 실행하기 위해서는 먼저 Java SE[Standard Edition]의 구현체인 JDK[Java Development Kit]를 설치해야 한다. JDK에는 Open JDK와 Oracle JDK가 있다.

구분	Open JDK	Oracle JDK
라이선스	GNU GPL version 2	Oracle Technology Network License
사용료	무료	개발 및 학습용: 무료, 상업용: 유료
개발 소스 공개 의무	없음	없음

Oracle JDK는 Open JDK보다 응답성과 JVM 성능이 상대적으로 뛰어나다. 하지만 Open JDK의 성능도 지속적으로 향상되고 있으며, 더욱 안정화되었기 때문에 JDK 비용을 고려한다면 Open JDK를 사용하는 것이 유리하다. 다음은 JDK를 다운로드할 수 있는 사이트이다.

종류	다운로드 사이트
Open JDK	https://jdk.java.net https://adoptium.net
Oracle JDK	https://www.oracle.com/java/technologies/downloads

Open JDK를 사용하고 싶다면 'https://jdk.java.net' 사이트보다는 이클립스 재단[Eclipse Foundation]에서 관리하는 'https://adoptium.net' 사이트에서 다운로드하는 것이 좋다. 어답티움 사이트에는 다양한 운영체제용 JDK와 LTS[Long Term Support] 버전을 제공하기 때문이다.

LTS는 장기간 기술 지원을 받을 수 있다는 뜻이므로 다른 버전보다 안정적으로 사용할 수 있다. LTS를 제공하는 버전은 JDK 8, JDK 11, JDK 17, JDK 21이다. Oracle JDK도 LTS 버전을 제공하기 때문에 우리 책에서는 Oracle JDK를 사용할 것이다. 웹 브라우저에서 다음 사이트를 방문해 보자.

https://www.oracle.com/java/technologies/downloads

우리 책은 자바 21 버전을 사용하므로 JDK 21 버전을 다운로드하기 위해 [Java Downloads] 화면에서 아래로 스크롤한 후 [JDK 21] 탭을 클릭한다.

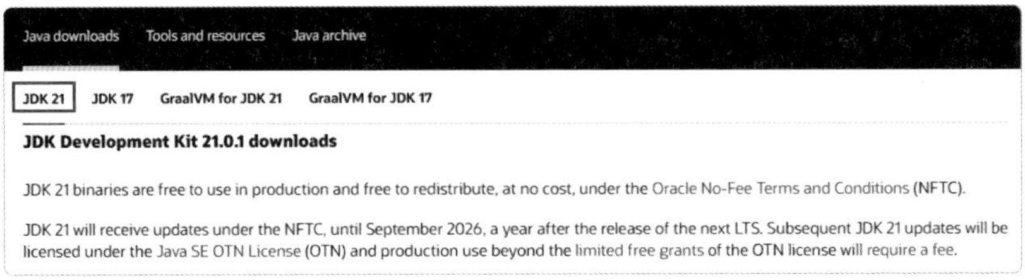

윈도우에서 설치

윈도우 사용자라면 [Windows] 탭을 클릭하고, [x64 Installer]의 다운로드 링크를 선택해 설치 파일 'jdk-21_windows-x64_bin.exe'를 다운로드한다.

파일 탐색기에서 다운로드한 JDK 설치 파일을 더블 클릭해서 실행하고, [사용자 계정 컨트롤] 대화상자에서 디바이스 변경을 허용하도록 [예] 버튼을 클릭한다. 이것은 JDK를 C:\Program Files\Java에 설치할 때 필요하다.

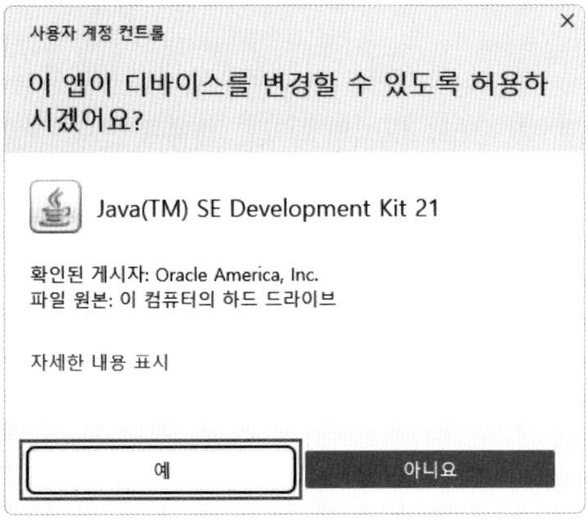

그리고 각 화면에서 [Next] 버튼을 클릭해서 기본 설치를 진행한다.

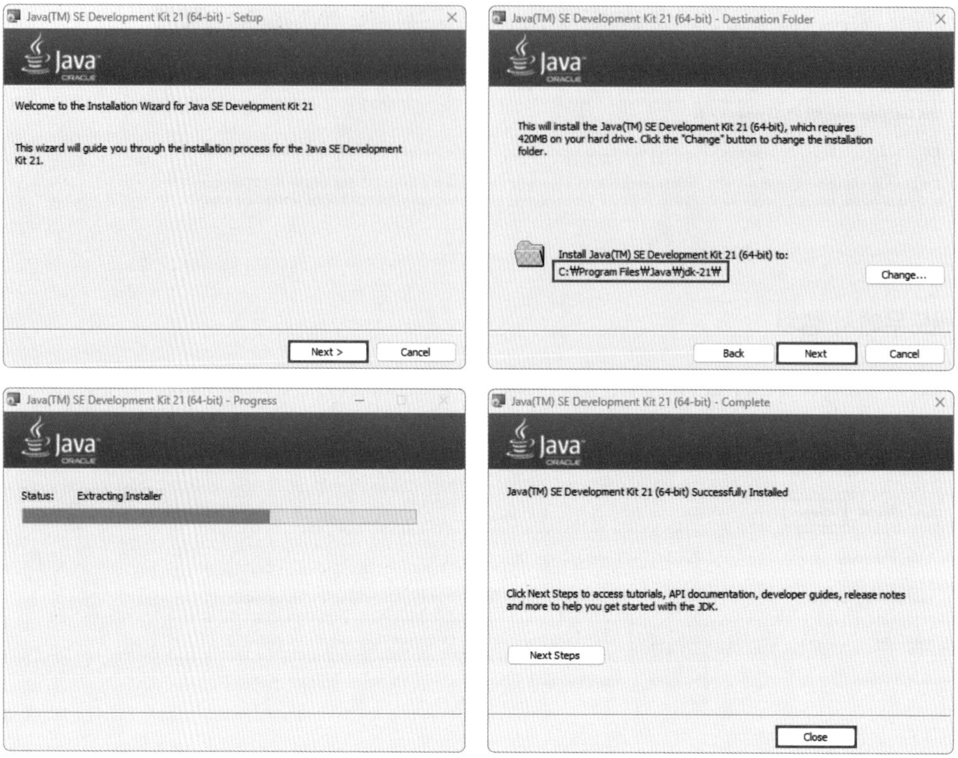

설치를 완료하면 JDK가 C:\Program Files\Java\jdk-21 경로에 저장된다.

맥OS에서 설치

맥OS 사용자라면 [macOS] 탭을 클릭하고, JDK를 설치할 PC가 애플(M)칩을 사용하면 [ARM64 DMG Installer]의 링크를, 인텔칩을 사용하면 [x64 DMG Installer]의 링크를 클릭해 설치 파일 'jdk-21_macos-aarch64[x64]_bin.dmg'를 다운로드한다.

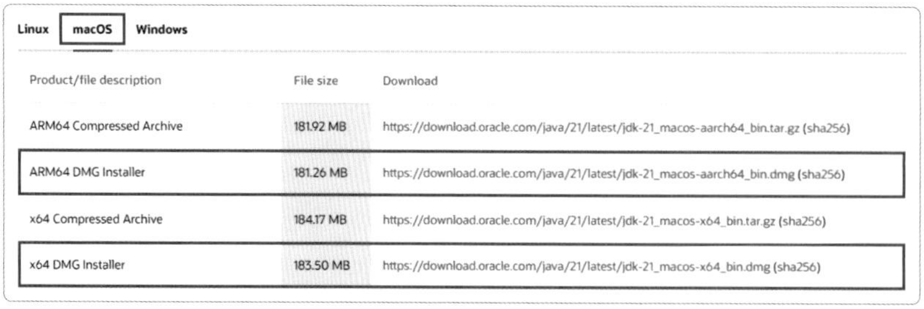

Product/file description	File size	Download
ARM64 Compressed Archive	181.92 MB	https://download.oracle.com/java/21/latest/jdk-21_macos-aarch64_bin.tar.gz (sha256)
ARM64 DMG Installer	181.26 MB	https://download.oracle.com/java/21/latest/jdk-21_macos-aarch64_bin.dmg (sha256)
x64 Compressed Archive	184.17 MB	https://download.oracle.com/java/21/latest/jdk-21_macos-x64_bin.tar.gz (sha256)
x64 DMG Installer	183.50 MB	https://download.oracle.com/java/21/latest/jdk-21_macos-x64_bin.dmg (sha256)

다운로드한 JDK 설치 파일을 더블 클릭하면 나오는 'JDK 21.0.x.pkg' 파일을 더블 클릭한다. 그리고 나타나는 대화상자에서 다음과 같이 [계속] 및 [설치] 버튼을 클릭해서 설치를 진행한다.

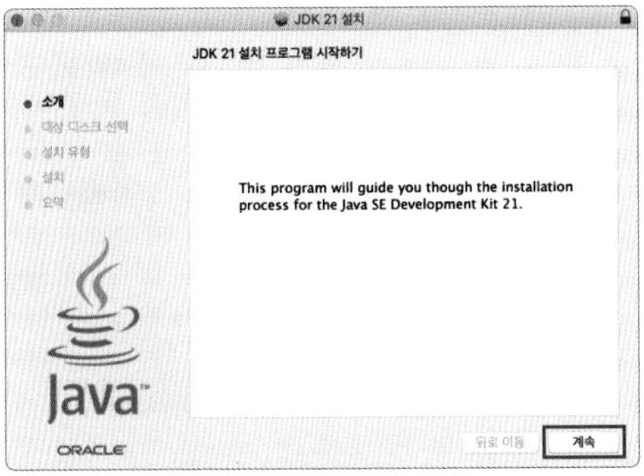

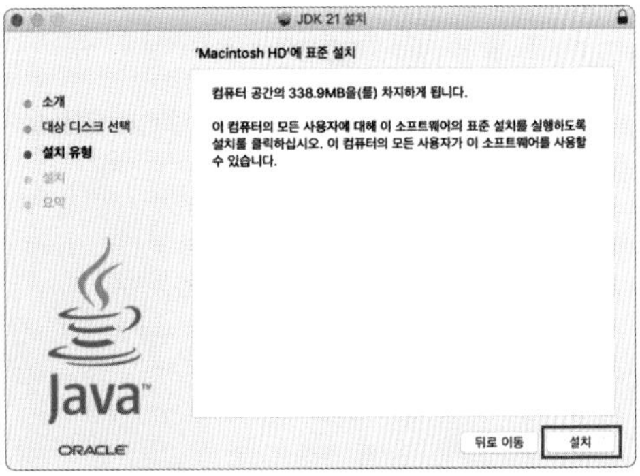

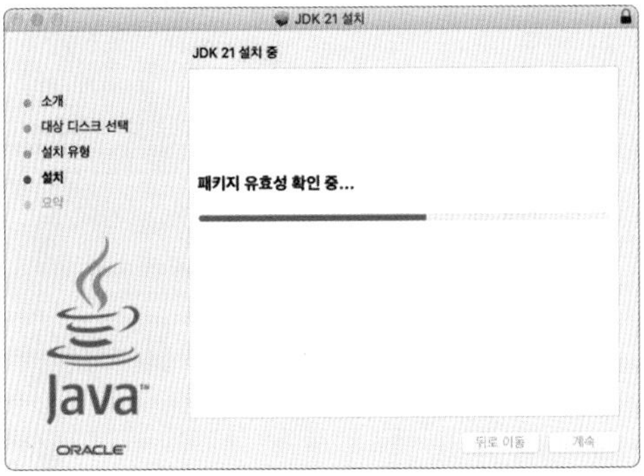

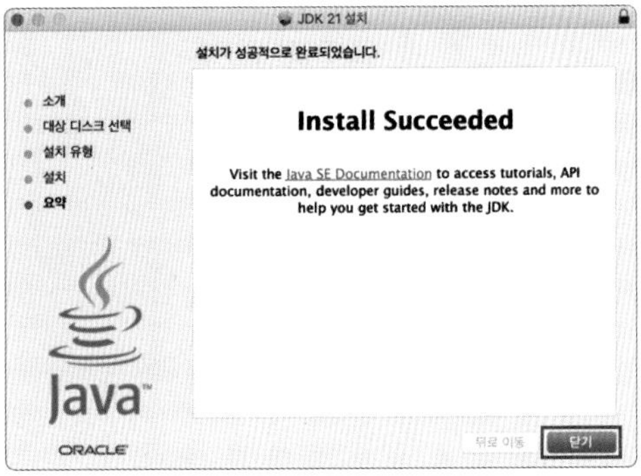

1.3 운영체제별 환경 변수 설정

운영체제는 프로그램들이 실행하면서 사용할 수 있는 값들을 환경 변수 이름으로 관리한다. JDK를 설치하고 나면 프로그램들이 JDK를 이용할 수 있도록 JAVA_HOME 환경 변수를 생성하고, Path 환경 변수를 수정하는 것이 좋다.

윈도우 환경 변수 설정

먼저 윈도우 운영체제에서 환경 변수를 설정하는 방법을 알아보자.

01 윈도우에서 환경 변수를 새로 만들거나 편집하려면 [환경 변수] 대화상자를 열어야 한다. 윈도우 작업 표시줄에서 검색(Q) 아이콘을 클릭하고 '환경 변수'라고 입력하면 나오는 [시스템 환경 변수 편집] 메뉴를 클릭하면 된다. 그리고 [시스템 속성] 대화상자에서 [환경 변수] 버튼을 클릭한다.

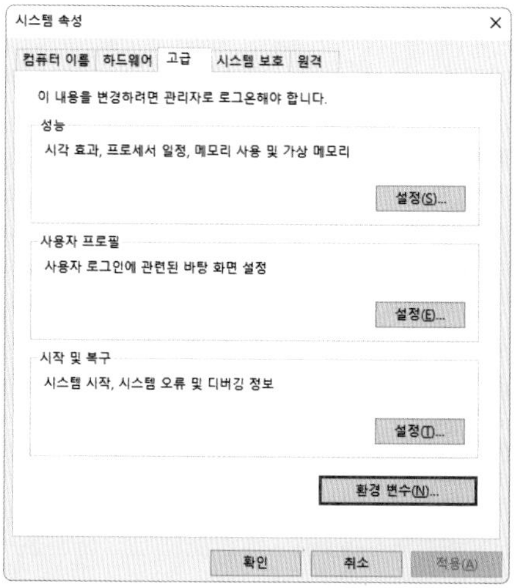

02 [환경 변수] 대화상자에서 [시스템 변수]의 [새로 만들기] 버튼을 클릭한다.

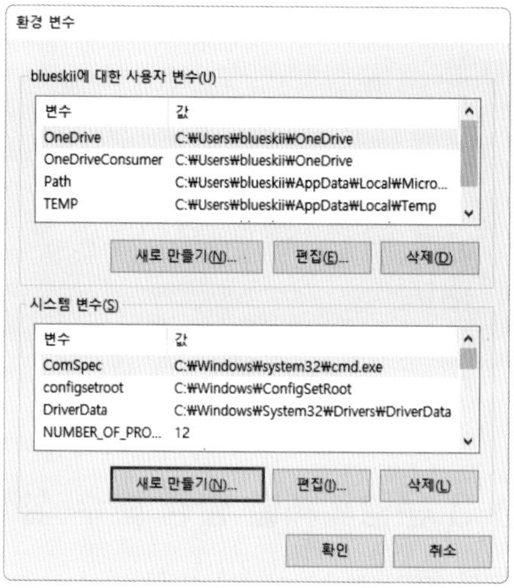

03 [새 시스템 변수] 대화상자가 나타나면 [변수 이름]에는 'JAVA_HOME'을 입력하고, [변수 값]에는 [디렉터리 찾아보기] 버튼을 클릭해서 JDK가 설치된 경로인 'C:\Program Files\Java\jdk-21'을 선택해 입력해 준다. 그리고 [확인] 버튼을 클릭한다.

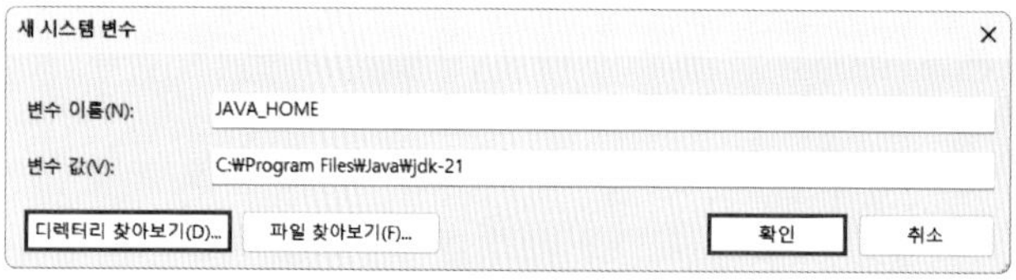

04 JDK 설치 폴더인 C:\Program Files\Java\jdk-21 경로에 들어가면 bin 디렉토리가 있다. bin 디렉토리 안에는 다양한 명령어들이 있는데, 대표적으로 자바 소스 파일을 컴파일해 주는 'javac.exe'와 자바 프로그램을 실행해 주는 'java.exe' 명령어가 있다.

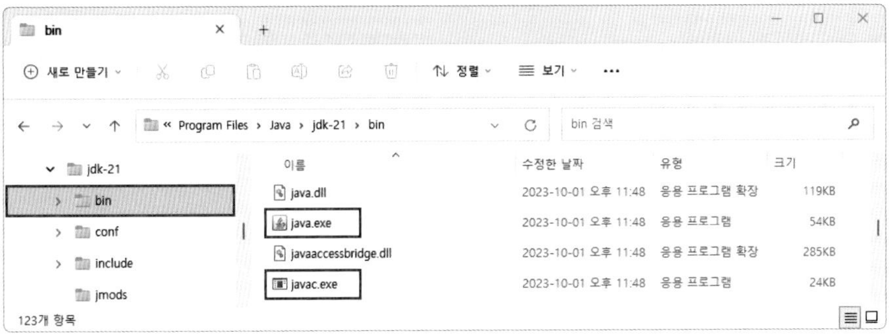

05 javac와 java 명령어는 명령 프롬프트 또는 파워쉘에서 컴파일하고 실행할 때 사용된다. bin 디렉토리 안에 있지만 어떤 위치에서도 사용할 수 있도록 'Path' 환경 변수에 경로를 추가해 보자. [환경 변수] 대화상자의 [시스템 변수]에서 'Path' 환경 변수를 선택하고 [편집] 버튼을 클릭한다.

06 [환경 변수 편집] 대화상자가 나타나면 [새로 만들기] 버튼을 클릭하고, 추가된 항목에 직접 '%JAVA_HOME%\bin'을 입력한다. %JAVA_HOME%은 JAVA_HOME 환경 변수의 값을 의미한다. 따라서 %JAVA_HOME%\bin은 C:\Program Files\Java\jdk-21\bin이 된다.

입력이 끝나면 [위로 이동] 버튼을 클릭해서 %JAVA_HOME%\bin을 첫 번째 항목으로 올려 준다. 이렇게 하는 이유는 'Path' 환경 변수에 등록된 순서대로 명령어를 찾기 때문이다. 만약 %JAVA_HOME%\bin보다 위쪽에 위치한 경로에 java 명령어가 있다면 다른 버전의 java 명령어가 사용될 수 있으므로 주의해야 한다. 이제 [확인] 버튼을 클릭해서 빠져 나온다.

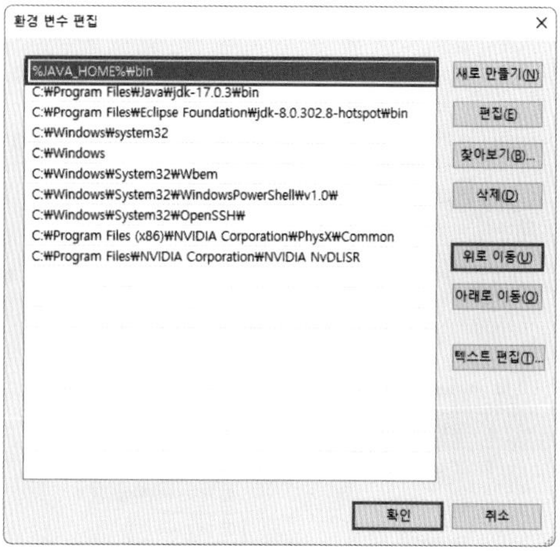

07 환경 변수가 올바르게 설정되었는지 확인하기 위해 명령 프롬프트 또는 파워쉘을 실행하고, 다음과 같이 javac 명령어를 실행해 보자.

```
C:\...>javac -version
javac 21
```

08 그리고 java 명령어를 다음과 같이 실행한다.

```
C:\...>java -version
java version "21" 2023-09-19 LTS
Java(TM) SE Runtime Environment (build 21+35-LTS-2513)
Java HotSpot(TM) 64-Bit Server VM (build 21+35-LTS-2513, mixed mode, sharing)
```

만약 '외부 명령, 실행할 수 있는 프로그램 또는 배치 파일이 아닙니다.'라는 메시지가 출력되면 환경 변수 설정이 잘못된 것이다. 이 경우에는 환경 변수 JAVA_HOME과 Path를 다시 확인하고 수정해야 한다. 수정한 후에는 현재 명령 프롬프트 또는 파워쉘을 닫고 재시작해야 한다.

맥OS 환경 변수 설정

1.2절에서 맥OS에 JDK를 설치했다면 위치는 /Library/Java/JavaVirtualMachines/JDK-21.jdk가 된다. JavaVirtualMachines 디렉토리에 JDK-21.jdk만 있다면 환경 변수 설정이 필요 없다. 만약 다른 JDK가 존재한다면 JDK-21.jdk를 사용하도록 환경 변수를 설정해야 한다.

01 〈사용자 홈〉 디렉토리에서 ls -all 명령어를 실행해 .bash_profile을 찾아보고, 없으면 다음과 같이 생성한다.

```
$ touch .bash_profile
```

NOTE ▶ 이 책에서 〈사용자 홈〉이란 윈도우에서는 C:\사용자(Users)\계정 폴더, 맥OS에서는 /사용자(Users)/계정 폴더를 말한다.

02 .bash_profile 파일을 텍스트 편집기로 열어 다음과 같이 두 줄을 추가하고 저장한다.

```
export JAVA_HOME=/Library/Java/JavaVirtualMachines/JDK-21.jdk/Contents/Home
export PATH=${PATH}:$JAVA_HOME/bin
```

03 터미널을 열고 ~/.bash_profile 내용을 적용하기 위해 다음 명령어를 실행한다.

```
$ source ~/.bash_profile
```

04 환경 변수가 올바르게 설정되었는지 확인하기 위해 터미널에서 다음과 같이 javac 명령어를 실행한다.

```
$ javac -version
javac 21
```

05 그리고 다음과 같이 java 명령어를 실행해 보자.

```
$ java -version
java version "21" 2023-09-19 LTS
Java(TM) SE Runtime Environment (build 21+35-LTS-2513)
Java HotSpot(TM) 64-Bit Server VM (build 21+35-LTS-2513, mixed mode, sharing)
```

javac와 java 버전이 위와 비슷한 내용으로 출력된다면 환경 변수가 제대로 설정된 것이다. 그렇지 않다면 환경 변수 설정을 수정해야 한다.

1.4 바이트코드 파일과 자바 가상 머신

JDK를 설치했다면 이제 자바 언어로 작성한 소스 파일을 만들고 컴파일할 수 있다. 자바 소스 파일의 확장명은 .java이다. 텍스트 파일이므로 어떤 텍스트 에디터에서도 작성이 가능하다.

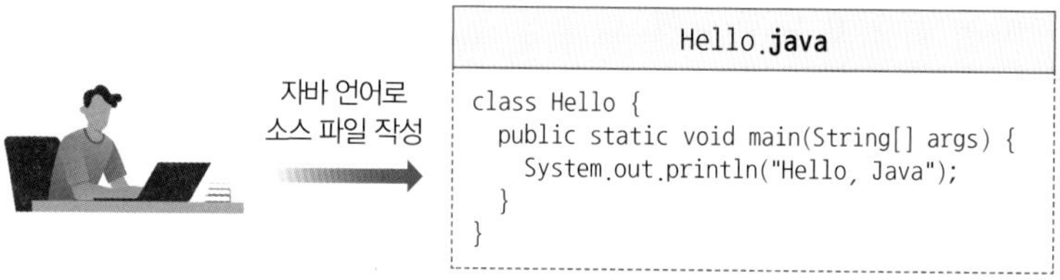

바이트코드 파일

소스 파일(.java)을 작성한 후에는 컴파일을 해야 한다. javac(java compiler) 명령어는 소스 파일을 컴파일하는데, 컴파일 결과는 확장명이 .class인 바이트코드[ByteCode] 파일로 생성된다.

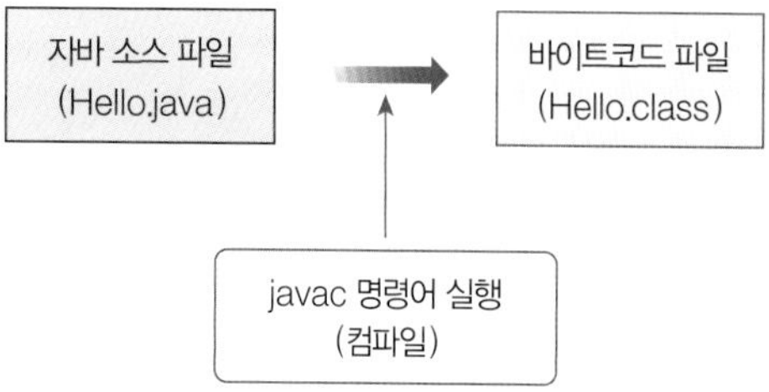

윈도우, 맥OS, 리눅스 등 어떤 운영체제라 하더라도 동일한 소스 파일을 javac로 컴파일하면 모두 동일한 바이트코드 파일이 생성된다.

자바 가상 머신

바이트코드 파일(*.class)을 특정 운영체제가 이해하는 기계어로 번역하고 실행시키는 명령어는 java이다. java 명령어는 JDK와 함께 설치된 자바 가상 머신Java Virtual Machine, JVM을 구동시켜 바이트코드 파일을 완전한 기계어로 번역하고 실행시킨다.

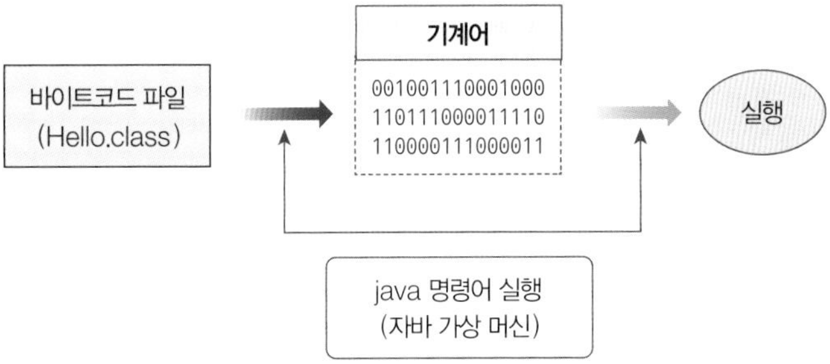

바이트코드 파일은 운영체제와 상관없이 모두 동일한 내용으로 생성되지만, 자바 가상 머신은 운영체제에서 이해하는 기계어로 번역해야 하므로 운영체제별로 다르게 설치된다. 그래서 운영체제별로 설치하는 JDK가 다른 것이다.

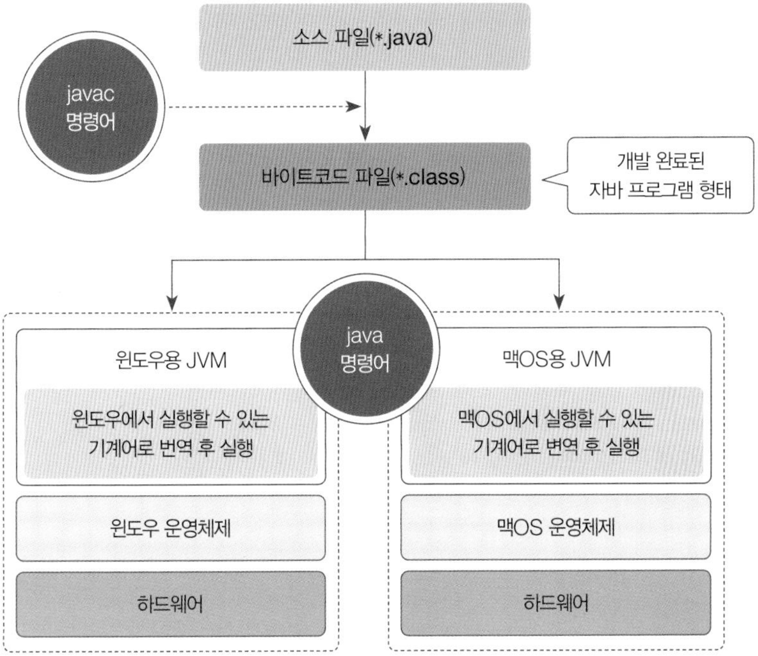

1.5 소스 작성부터 실행까지

1.4절에서 설명한 내용을 확인하기 위해 소스 작성부터 실행까지 실습해 보자(윈도우 기준).

01 윈도우 탐색기에서 C:\temp 디렉토리를 다음 구조로 생성하고, Hello.java 소스 파일을 생성한다.

```
C:\temp
    ¦-- src                              ← 소스 파일이 저장되는 디렉토리
    ¦    ¦-- ch01
    ¦         ¦-- sec06                  ← 패키지 디렉토리
    ¦              ¦-- Hello.java        ← 소스 파일
    ¦
    ¦-- bin                              ← 바이트코드 파일이 저장되는 디렉토리
```

여기서 잠깐

패키지란?

자바는 소스 파일 및 컴파일된 바이트코드 파일을 쉽게 관리하기 위해 패키지(package)를 사용한다. 패키지는 마치 파일 시스템의 디렉토리와 비슷하다. 이 책에서는 장별 그리고 절별로 패키지를 생성해서 파일들을 관리할 것이다.

02 Hello.java를 텍스트 에디터에서 열고, 다음과 같이 코드를 작성한다.

>>> **Hello.java**

```java
package ch01.sec06;                          //바이트코드 파일이 위치할 패키지 선언

public class Hello {                         //Hello 클래스 선언
  public static void main(String[] args) {   //main() 메소드 선언
    System.out.println("Hello, Java");       //콘솔에 출력하는 코드
  }
}
```

NOTE VSCode(Visual Studio Code)와 같은 개발 전문 텍스트 에디터를 설치(https://code.visualstudio.com)해서 작성하는 것이 편리하다.

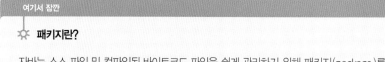

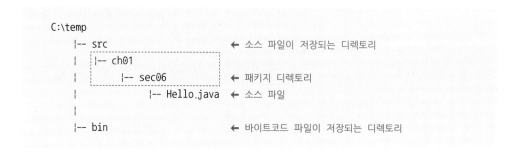

03 소스 파일을 javac 명령어로 컴파일해 보자. 명령 프롬프트에서 cd 명령어로 C:\temp 디렉토리로 이동하고, 다음과 같이 javac 명령어를 실행한다.

컴파일	**javac -d** [바이트코드파일저장위치] [소스경로/*.java]
	C:\...〉cd C:\temp C:\temp〉**javac -d** bin src/ch01/sec06/Hello.java
결과	C:\temp\bin에 패키지 디렉토리와 바이트코드 파일(ch01/sec06/Hello.class)이 생성

NOTE ▸ *.java는 확장명이 java인 모든 파일을 말한다.

04 java 명령어로 바이트코드 파일을 기계어로 번역하고 실행시켜 보자. 여전히 명령 프롬프트의 현재 위치는 C:\temp 디렉토리이다. 주의할 점은 패키지 구분자는 .를 사용해야 하고, 클래스명은 .class를 제외한 Hello만 입력해야 한다는 점이다.

실행	**java -cp** [바이트코드파일위치] [패키지…클래스명]
	C:\temp〉**java -cp** bin ch01.sec06.Hello
결과	콘솔에 Hello, Java가 출력

윈도우와 맥OS를 함께 사용할 수 있는 환경을 갖고 있다면 한쪽에서 temp 디렉토리를 다른 쪽으로 복사한 다음 java 명령어를 실행해도 된다. javac로 컴파일하면 운영체제에 독립적인 바이트코드 파일(*.class)이 생성되기 때문이다.

1.6 이클립스 설치

자바 프로그램을 개발할 때에는 편리한 기능을 갖춘 통합개발환경Integrated Development Environment, IDE을 사용하는 것이 좋다. 현재 기업체에서 가장 많이 사용하는 통합개발환경은 이클립스Eclipse이다. 따라서 이 책을 학습할 때에도 이클립스를 사용하는 것이 좋다. 다음 순서에 따라 이클립스를 설치해 보자.

01 이클립스 사이트에 접속한다.

```
https://www.eclipse.org
```

02 페이지 오른쪽 상단에 있는 [Download] 버튼을 클릭한다.

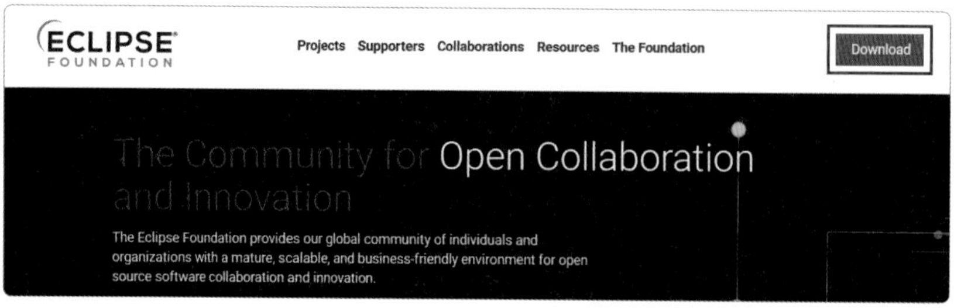

03 다운로드 화면이 나타나면 [Install your favorite desktop IDE packages]의 [Download Packages] 링크를 클릭한다.

[Download x86_64] 버튼을 클릭해 설치 파일을 다운로드할 수도 있지만, 우리 책에서는 원하는 디렉토리에 저장하기 위해 압축 파일 형태로 다운로드할 것이다.

여기서 잠깐

이클립스의 버전

JDK 21을 지원하는 이클립스 최소 버전은 Eclipse IDE 2023-12이므로 이보다 낮은 버전을 다운로드하면 안 된다. 가능하면 가장 최근에 릴리즈된 이클립스를 사용하는 것이 좋다.

04 [Eclipse Packages] 탭에서 [Eclipse IDE for Java Developers]의 오른쪽 링크를 클릭해 자신의 운영체제에 맞는 설치 파일을 다운로드한다.

운영체제	설치 파일명
Windows x64(인텔칩)	eclipse-java-2023-12-R-win32-x86_64.zip
macOS x64(인텔칩)	eclipse-java-2023-12-R-macosx-cocoa-x86_64.dmg
macOS aarch64(애플(M)칩)	eclipse-java-2023-12-R-macosx-cocoa-aarch64.dmg

여기서 잠깐

이클립스의 설치 파일

이클립스는 개발 내용에 따라 여러 가지 설치 파일을 제공한다. 독자 여러분들이 이 책을 학습한 후에 웹 애플리케이션 개발을 계속 학습한다면 [Eclipse IDE for Enterprise Java and Web Developers]를 다운로드하는 것이 좋다.

05 다운로드한 파일을 운영체제에 맞게 다음과 같이 설치한다.

- **윈도우**

ZIP 파일을 압축 해제하면 나오는 eclipse 폴더를 다음 경로로 옮긴다(ThisisJava 폴더는 여러분이 직접 생성해야 한다).

```
C:\ThisIsJava\eclipse
```

C:\ThisIsJava\eclipse 경로에 있는 eclipse.exe를 마우스 오른쪽 버튼으로 클릭한 후 [바로 가기 만들기]를 선택해 바로 가기 아이콘을 생성한다. 그리고 생성된 바로 가기 아이콘을 작업 표시줄 또는 바탕 화면으로 이동시켜 언제든지 이클립스를 실행할 수 있도록 한다.

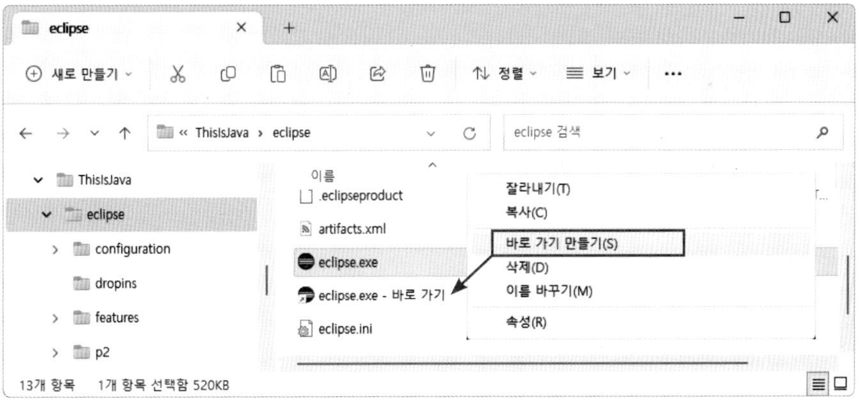

NOTE 마우스 오른쪽 버튼을 클릭하면 나타나는 팝업 메뉴에서 [바로 가기 만들기]가 보이지 않는다면 [추가 옵션 표시]를 선택하면 [바로 가기 만들기] 메뉴를 확인할 수 있다.

- **맥OS**

DMG 파일을 더블 클릭하면 나타나는 다음 화면에서 Eclipse 아이콘을 Applications 폴더로 끌어 놓으면 자동으로 설치된다.

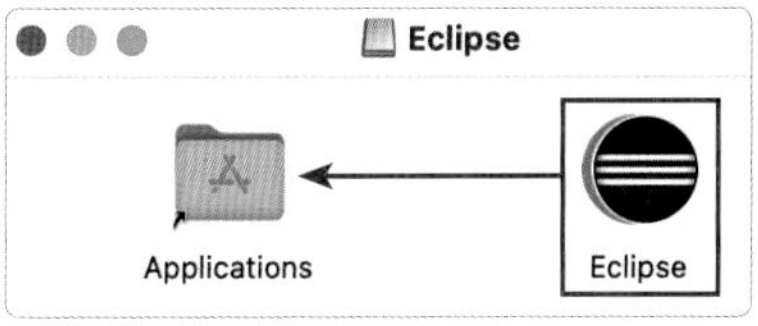

06 이클립스 바로 가기 아이콘을 더블 클릭하면 다음과 같이 [Eclipse IDE Launcher] 대화상자가 나타난다. 프로젝트가 저장될 워크스페이스(Workspace) 디렉토리를 운영체제에 맞게 다음과 같이 설정한다.

- **윈도우**

  [Workspace]를 'C:\ThisIsJava\workspace'로 지정하고 [Launch] 버튼을 클릭하면 이클립스가 실행된다.

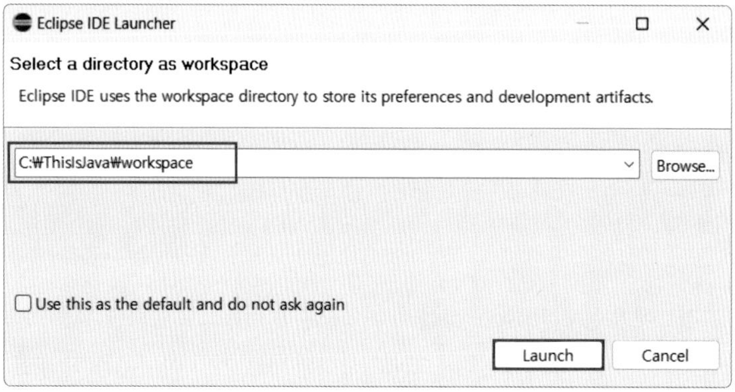

- **맥OS**

  [Workspace]를 '/Users/사용자 홈/ThisIsJava/workspace'로 지정하고 [Launch] 버튼을 클릭하면 이클립스가 실행된다.

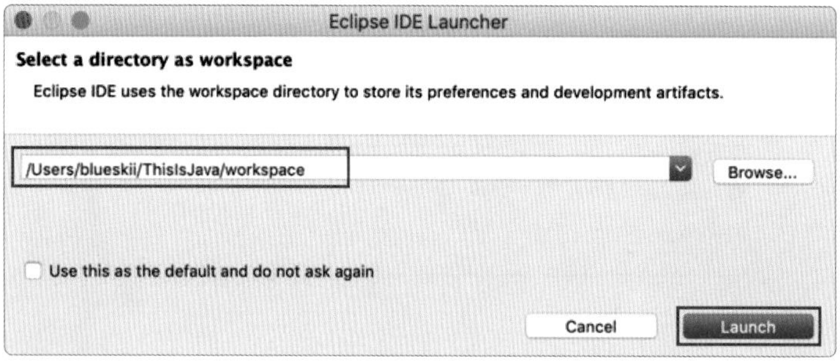

NOTE ▶ [Eclipse IDE Launcher] 대화상자 하단에 있는 [Use this as the default and do not ask again]에 체크하면 이클립스를 재시작할 때 [Eclipse IDE Launcher] 대화상자가 나타나지 않고 바로 이클립스가 실행된다.

07 다음은 이클립스를 실행한 화면이다. 앞으로 [Welcome] 탭이 나오지 않도록 하단의 [Always show Welcome at start up]을 체크 해제하고, [Welcome] 탭의 [×] 버튼을 클릭해 닫는다.

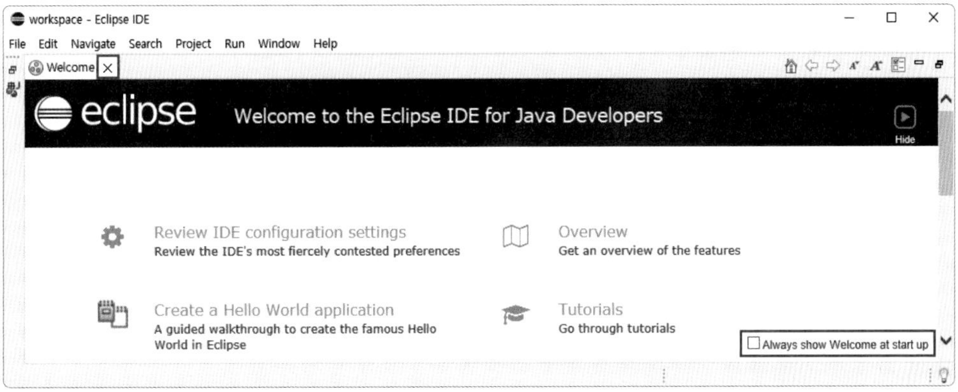

08 설치 후 화면은 다음과 같다.

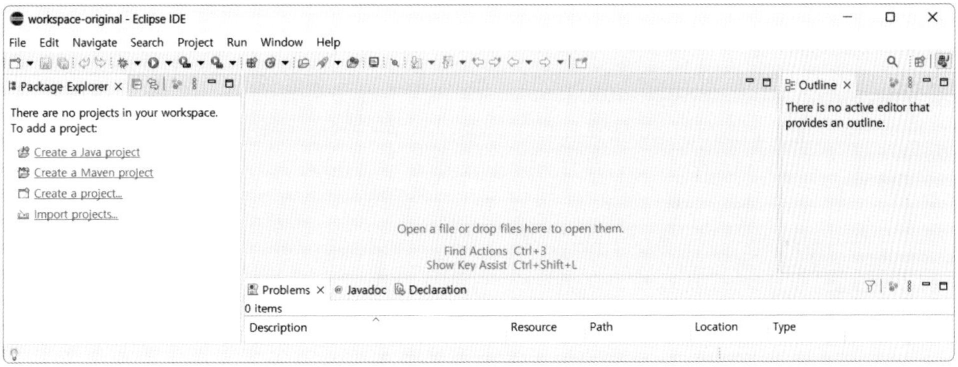

1.7 이클립스 프로젝트 생성

통합개발환경IDE 도구는 대부분 프로젝트를 먼저 생성하고 소스 파일을 작성한다. 이클립스도 마찬가지로 프로젝트를 먼저 생성하고 소스 파일을 작성해야 한다.

01 이클립스의 [File] – [New] – [Java Project] 메뉴를 선택하거나, Package Explorer 뷰에서 [Create a Java project]를 선택한다.

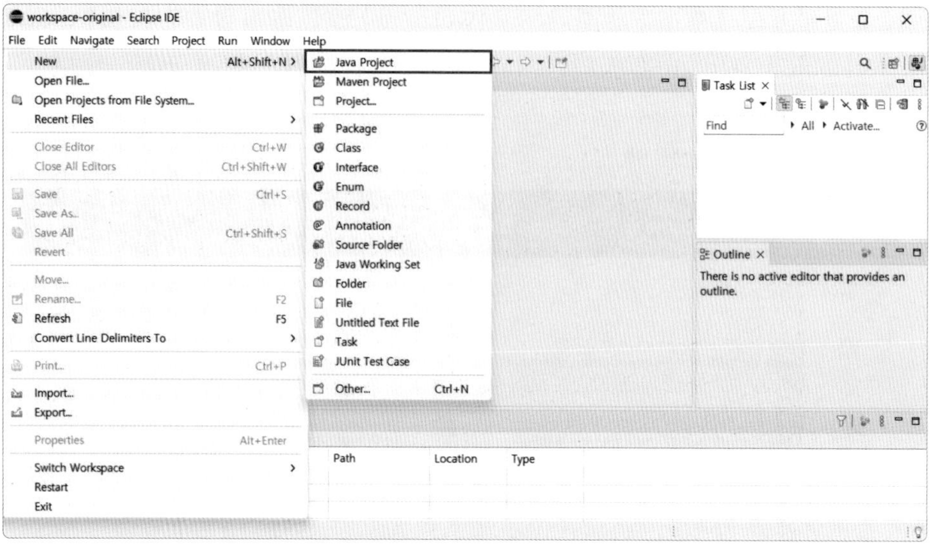

02 [New Java Project] 대화상자가 나타나면 [Project name]에 새 프로젝트명 'thisisjava'를 입력한다. [JRE]에서 [Use an execution environment JRE]를 'JavaSE-21'로 선택하고, [Module]에서 [Create module-info.java file]에 체크 해제한 후 [Finish] 버튼을 클릭한다.

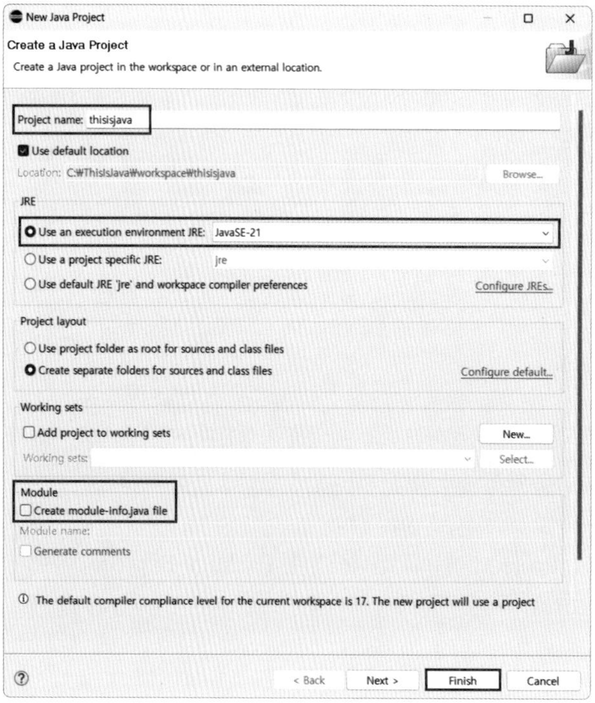

NOTE Module에 대해서는 10장에서 설명한다.

JRE의 세 가지 선택 옵션의 차이점은 다음과 같다.

- **Use an execution environment JRE**

  이클립스는 선택된 Java SE 버전 기준으로 소스 파일을 컴파일하고 실행한다. 빌드 번호와 상관없이 Java SE 버전에 중점을 둘 때 선택한다. [Configure JREs] 링크를 클릭하면 선택한 Java SE 버전에 해당하는 JDK가 등록되어 있어야 한다. 환경 변수를 제대로 설정했다면 기본적으로 jdk-21이 등록되어 있을 것이다. 빌드 번호란 21.0.x를 말하며, 여기서 Java SE 버전은 21이 된다.

- **Use a project specific JRE**

  이클립스는 선택된 JDK 기준으로 소스 파일을 컴파일하고 실행한다. 빌드 번호별로 JDK를 선택할 때 유용하다. [Configure JREs] 링크를 클릭하면 빌드 번호에 해당하는 JDK가 등록되어 있어야 한다.

- **Use default JRE 'jdk-21' and workspace compiler preferences**

  이클립스의 기본 자바 버전을 사용해서 소스 파일을 컴파일하고 실행한다. [Configure JREs] 링크를 클릭했을 때 기본(default)으로 되어 있는 자바 버전을 말한다.

여기서 잠깐

Java, JDK, JRE, Java SE 용어 정리

일반적으로 Java 버전을 언급할 때에는 Java 21처럼 표현한다. 그런데 다음과 같이 다른 용어로 표현하기도 한다.

- Java 개발 도구에 중점: JDK 21
- Java 실행 환경에 중점: JRE 21
- Java 스펙 내용에 중점: Java SE-21

Java SE(Java Standard Edition)은 자바 개발에서부터 실행까지의 모든 환경을 정의한 스펙을 말한다. Java SE 스펙을 준수해서 만든 것이 Open JDK, Oracle JDK라고 생각하면 된다.

03 프로젝트가 성공적으로 생성되면 Package Explorer 뷰에 thisisjava 프로젝트가 생성된다. 프로젝트를 확장해 보면 다음과 같이 구성되어 있다.

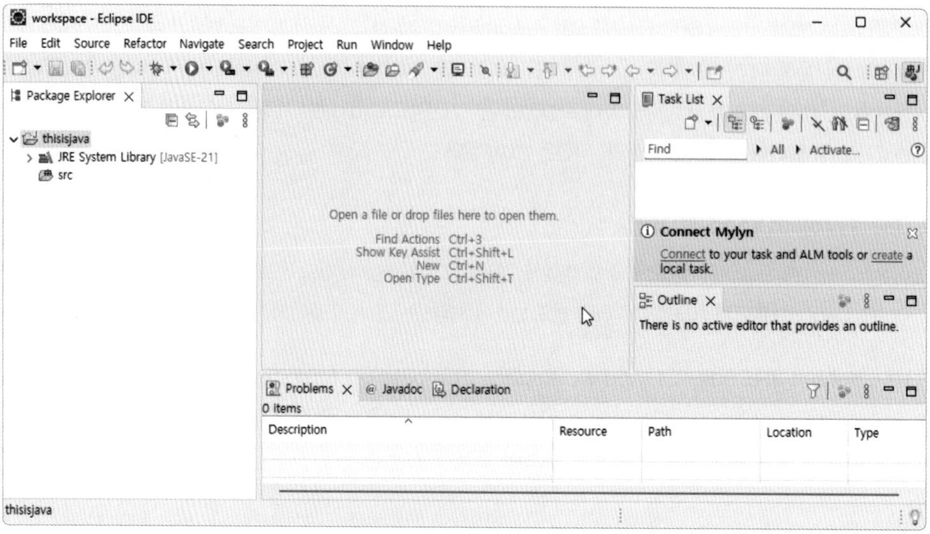

여기서 잠깐

이클립스에서 예제 소스 보기

책에서 제공하는 예제 소스는 독자들이 학습할 때 참고할 수 있도록 프로젝트 단위로 구성되어 있다. 자료실에서 다운로드한 예제 소스 압축 파일을 'C:\ThisIsJava'에 풀었다면 workspace-original 디렉토리가 있을 것이다. 이 디렉토리에는 우리 책에서 생성하는 전체 프로젝트가 저장되어 있다.

이클립스는 워크스페이스 디렉토리가 다르면 멀티 실행이 가능하다. 독자들이 실습하는 워크스페이스는 C:\ThisIsJava\workspace이기 때문에 다음과 같이 이클립스를 하나 더 실행해 'C:\ThisIsJava\workspace-original'로 워크스페이스를 지정하면 된다.

01 이클립스를 하나 더 실행하기 위해 이클립스 바로 가기 아이콘을 클릭한다.
02 [Launcher] 대화상자에서 [Browse...] 버튼을 클릭해 워크스페이스 디렉토리를 'C:\ThisIsJava\workspace-original'로 선택한다. 그리고 [Launch] 버튼을 클릭하면 된다.

이클립스가 성공적으로 실행되면 [Package Explorer] 뷰에서 모든 프로젝트를 확인할 수 있을 것이다.

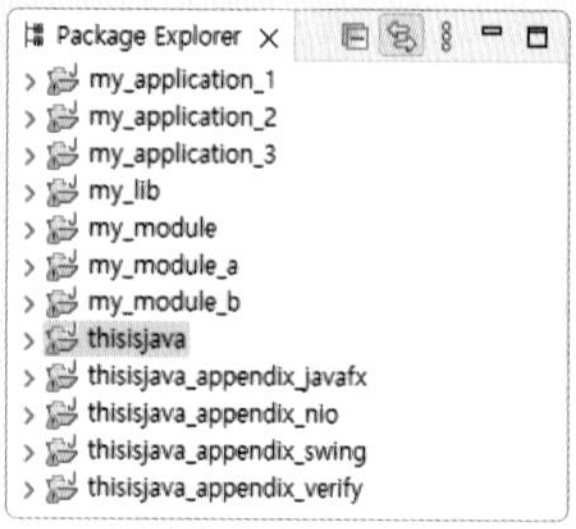

1.8 이클립스 소스 작성부터 실행까지

1.5절에서 작성했던 Hello.java 소스 파일을 이클립스에서 작성하고, 실행시켜 보자.

01 Package Explorer 뷰에서 src 디렉토리를 선택하고, 마우스 오른쪽 버튼으로 클릭하여 [New] – [Package]를 선택한다. Name 입력란에 'ch01.sec08'을 입력하고 [Finish] 버튼을 클릭한다.

패키지는 소스 파일과 바이트코드 파일을 관리하기 위한 디렉토리라고 생각하자. 앞으로 모든 예제는 장별, 절별로 패키지를 만들어서 관리할 것이다. 많은 예제 소스 파일을 쉽게 찾기 위해서이다.

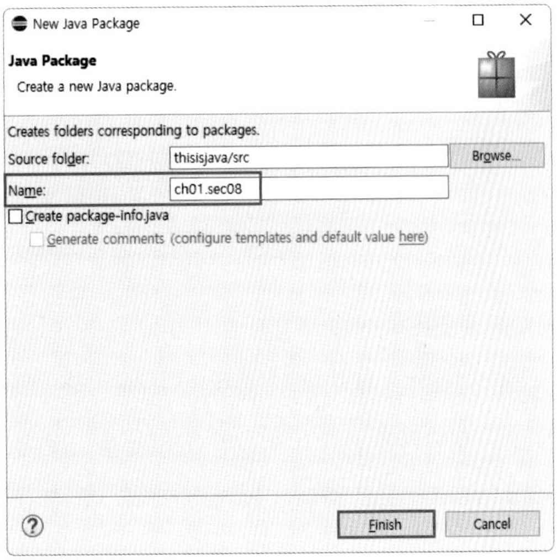

여기서 잠깐

패키지 구분 기호

상위 패키지와 하위 패키지를 구분짓는 기호는 도트(.)이다. 파일 시스템에서는 상위 디렉토리와 하위 디렉토리로 생성된다.

02 패키지를 하나 더 만들어 보자. **01**과 동일한 방법으로 ch01.sec10 패키지를 생성한다. 오른쪽 화면처럼 이클립스는 기본적으로 패키지를 Flat(한 줄)으로 표시한다.

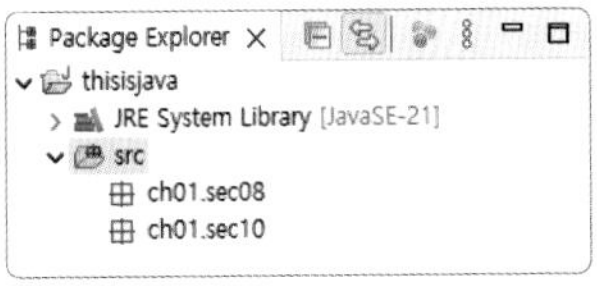

파일 시스템의 디렉토리처럼 계층적으로 표시하려면 메뉴 보기(⋮) 아이콘을 클릭하고 [Package Presentation] – [Hierarchical]을 선택해 다음과 같이 설정한다.

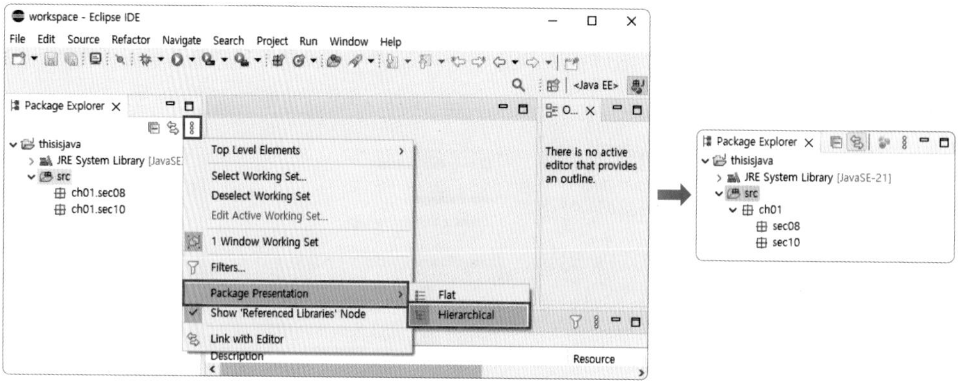

03 이제 소스 파일을 생성해 보자. Package Explorer 뷰에서 sec08 패키지를 선택하고, 마우스 오른쪽 버튼으로 클릭하여 [New] – [Class]를 선택한다.

Name 입력란에 클래스 이름인 'Hello'를 입력하고, main() 메소드를 추가하기 위해 [public static void main(String[ ] args)]에 체크한 후 [Finish] 버튼을 클릭한다.

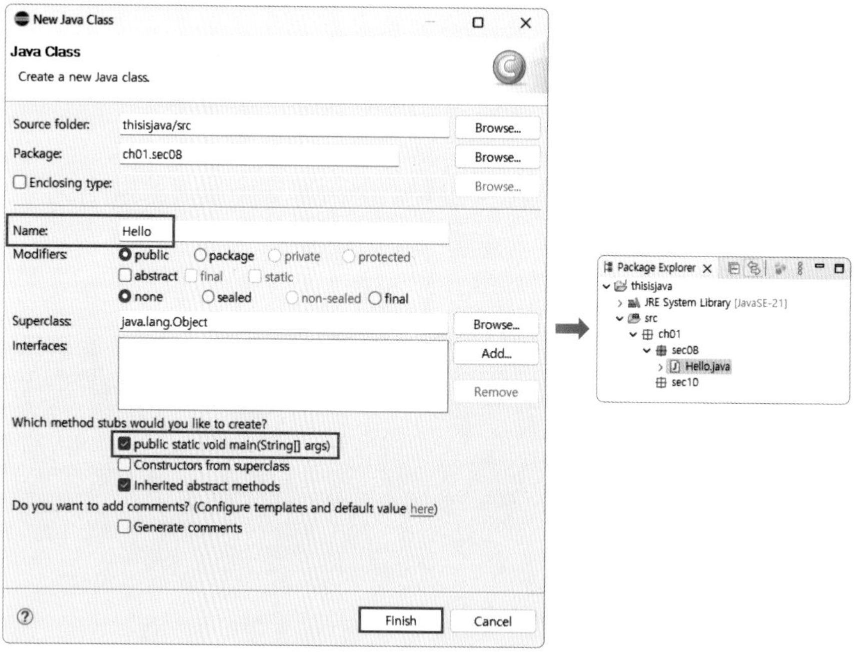

04 Hello.java 소스 파일이 편집기에서 열리면, 주석인 '// TODO Auto-generated method stub'은 지우고, 다음과 같이 소스를 작성한다.

Hello.java

```java
package ch01.sec08;

public class Hello {
    public static void main(String[] args) {
        System.out.println("Hello, Java");
    }
}
```

> 여기서 잠깐
>
> **소스 파일 저장 여부를 표시하는 별표(*)**
>
> 이클립스의 편집기 탭에 있는 파일명에 *Hello.java처럼 별표 표시(*)가 붙어 있다면 소스 작성 후 저장을 하지 않았다는 뜻이다. 이클립스는 소스 파일을 저장하는 순간 자동 컴파일이 되므로 소스 파일을 작성 및 수정한 후에는 반드시 저장을 해야 한다. Ctrl+S 단축키를 이용하면 편리하다.

05 생성된 바이트코드 파일을 실행하는 방법은 아주 간단하다. Package Explorer 뷰에서 Hello.java 소스 파일을 선택하고 툴바에서 실행(▶ ▾) 아이콘을 클릭하거나, 마우스 오른쪽 버튼을 클릭하고 [Run As] – [Java Application]을 선택한다. 실행 결과는 Console 뷰에 다음과 같이 나타난다.

Problems Javadoc Declaration Console

```
<terminated> Hello [Java Application] C:₩Program Files₩Java₩jdk-21₩bin₩javaw.exe (2024. 1. 15. 오후 6:29:17 – 오후 6:29:32) [pid: 11068]
Hello, Java
```

> 여기서 잠깐
>
> **자동 컴파일된 바이트코드 파일은 어디에?**
>
> Hello.java 소스 파일을 작성하고 저장하면 자동 컴파일된 바이트코드 파일(Hello.class)은 thisisjava 프로젝트 디렉토리 안 bin 디렉토리에 패키지 디렉토리와 함께 저장된다. 윈도우 탐색기나 맥 파인더를 이용해서 확인해 보길 바란다.

1.9 코드 용어 이해

Hello.java 소스 파일을 보면서 앞으로 소스 파일을 작성할 때 공통적으로 나오는 부분을 어떻게 부르는지 알아보자.

다음과 같은 코드를 패키지 선언이라고 부르며, 이는 소스 파일이 src/ch01/sec08 패키지에 있다는 뜻이다. 컴파일 후 생성되는 바이트코드 파일도 bin/ch01/sec08 패키지에 생성된다.

이 책의 모든 예제 소스 파일에는 패키지 선언이 포함되어 있다. 앞으로 학습할 때는 코드 첫째 줄의 패키지 선언을 따라 Package Explorer 뷰에서 패키지를 동일하게 생성하고 소스 파일을 생성해야 한다.

```
package ch01.sec08;
```

public class Hello를 클래스 선언이라고 부르며, Hello를 클래스명이라고 한다. 클래스명은 숫자로 시작할 수 없고, 공백을 포함해서는 안 된다. 그리고 소스 파일명과 대소문자가 완전히 일치해야 한다. 그 다음으로 나오는 중괄호 { ... }를 클래스 블록이라고 하며, 여기에는 클래스의 정의 내용이 작성된다.

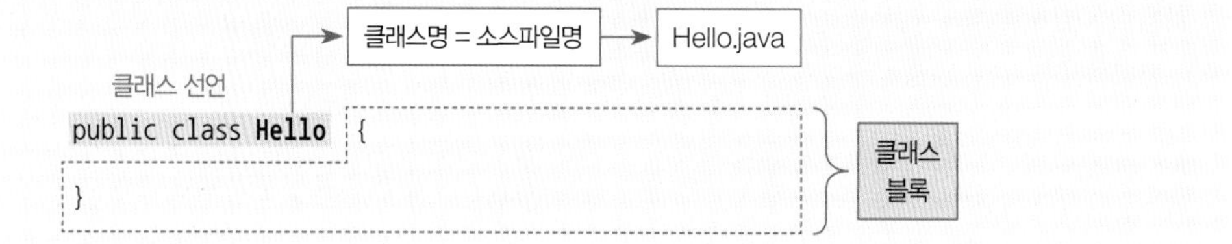

public static void main(String[] args) {...}를 main() 메소드라고 부른다. 그리고 중괄호 {...}를 main() 메소드 블록이라고 한다. 바이트코드 파일을 실행하면 이 main() 메소드 블록이 실행된다. 그래서 main() 메소드를 프로그램 실행 진입점entry point이라고 부른다.

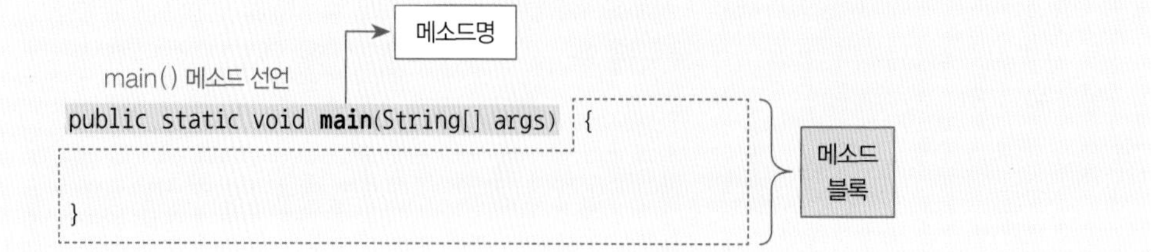

마지막 줄은 괄호 안에 있는 내용을 Console 뷰에 출력하는 코드이다.

```
System.out.println("Hello, Java");
```

1.10 코드 주석 달기

주석은 프로그램 실행과는 상관없이 코드에 설명을 붙인 것이다. 복잡한 코드일수록 주석을 달면 전체 코드를 이해하기 쉽다. 주석은 컴파일 과정에서 무시되기 때문에 주석을 많이 작성한다고 해서 바이트코드 파일의 크기가 커지는 것은 아니다.

구분	주석 기호	설명
행 주석	// …	//부터 행 끝까지 주석으로 처리한다.
범위 주석	/* … */	/*와 */ 사이에 있는 내용은 모두 주석으로 처리한다.
도큐먼트 주석	/** … */	/**와 */ 사이에 있는 내용은 모두 주석으로 처리한다. javadoc 명령어로 API 도큐먼트를 생성하는 데 사용한다.

주석 기호는 코드 내 어디서든 작성이 가능하지만, 문자열(" ") 내부에서 작성하면 안 된다. 문자열 내부에서 주석 기호는 주석문이 아니라 문자열 데이터로 인식하기 때문이다.

```
System.out.println("Hello, /*주석이 될 수 없음*/ welcome to the java world!");
```

Package Explorer 뷰에서 미리 생성해 둔 sec10 패키지의 Hello.java 소스 파일을 생성하고 다음과 같이 주석을 추가해 보자.

NOTE ▸ sec08 패키지의 Hello.java 소스 파일을 복사(Copy)해서 sec10 패키지에 붙여넣기(Paste)하면 쉽게 Hello.java를 생성할 수 있다.

```
>>> Hello.java
package ch01.sec10;
/**
 * @author 여러분의 이름
 */
/*
장제목: 1장 자바 시작하기
작성일: 2024.01.01
*/
public class Hello {
  //프로그램 실행 진입점
  public static void main(String[] args) {
    //콘솔에 출력하는 실행문
    System.out.println("Hello, Java");
  }
}
```

1.11 실행문과 세미콜론

main() 메소드 블록 내부에는 다양한 실행문이 작성된다. System.out.println("Hello, Java");은 괄호() 안의 내용을 출력하는 실행문이다. 실행문은 변수 선언, 변수값 저장, 메소드 호출에 해당하는 코드를 말한다. 다음은 앞으로 배울 실행문을 보여 준다.

```
int x;                        //변수 x 선언
x = 1;                        //변수 x에 1 값을 저장
int y = 2;                    //변수 y를 선언하고 2 값을 저장
int result = x + y;           //변수 result를 선언하고 변수 x와 y를 더한 값을 저장
System.out.println(result);   //콘솔에 변수의 값을 출력하는 println() 메소드 호출
```

실행문 끝에는 반드시 세미콜론(;)을 붙여야 한다. 그렇지 않으면 컴파일 에러가 발생한다. 실행문을 여러 줄에 걸쳐서 작성하고 맨 마지막에 세미콜론을 붙여도 된다.

```
int result =
x + y;
```

또한 여러 가지 실행문을 세미콜론으로 구분해서 한 줄로 작성할 수도 있다.

```
int x = 1; int y = 2;
```

실행문에 세미콜론을 붙이는 실습을 해보자. Package Explorer 뷰에서 ch01.sec11 패키지를 생성하고 그 안에 Calculator.java 소스 파일을 만든다. 그리고 다음과 같이 작성하고 실행한다.

》 **Calculator.java**

```java
package ch01.sec11;

public class Calculator {
  public static void main(String[] args) {
    int x = 1;                 //변수 x를 선언하고 1을 저장
    int y = 2;                 //변수 y를 선언하고 2를 저장
    int result = x + y;        //변수 result를 선언하고 x와 y를 더한 값을 저장
    System.out.println(result); //콘솔에 출력하는 메소드 호출
  }
}
```

실행 결과

```
3
```

확인문제

1. 자바 언어의 특징을 잘못 설명한 것은 무엇입니까?

❶ 안드로이드 애플리케이션뿐만 아니라 웹 사이트를 개발할 때 사용하는 언어이다.

❷ 한 번 작성으로 다양한 운영체제에서 실행할 수 있다.

❸ 객체지향 프로그래밍 언어이다.

❹ 개발자가 코드로 메모리를 관리해야 한다.

2. Open JDK와 Oracle JDK를 잘못 설명한 것은 무엇입니까?

❶ 둘 다 학습용 및 개발용으로는 무료 사용이 가능하다.

❷ Oracle JDK는 개발 소스 공개 의무가 없지만, Open JDK는 있다.

❸ 둘 다 Java SE의 구현체이다.

❹ JDK 17 LTS 버전의 후속 LTS 버전은 JDK 21이다.

3. 환경 변수에 대해 잘못 설명한 것은 무엇입니까?

❶ 프로그램에서 사용할 수 있도록 운영체제가 관리한다.

❷ JAVA_HOME은 JDK가 설치된 디렉토리 경로를 가지고 있다.

❸ PATH는 명령 프롬프트 또는 터미널에서 명령어 파일을 찾을 때 이용된다.

❹ 환경 변수를 수정하면 기존 명령 프롬프트 또는 터미널에서 바로 적용된다.

4. 자바 가상 머신(JVM)에 대해 잘못 설명한 것은 무엇입니까?

❶ JVM은 java.exe 명령어에 의해 구동된다.

❷ JVM은 바이트코드를 기계어로 변환하고 실행시킨다.

❸ JVM은 운영체제에 독립적이다(운영체제별로 동일한 JVM이 사용된다).

❹ 바이트코드는 어떤 JVM에서도 실행 가능한 독립적 코드이다.

5. 자바 프로그램 개발 과정을 순서대로 적어 보세요. ( ) ➔ ( ) ➔ ( ) ➔ ( )

❶ javac.exe로 바이트코드 파일(*.class)을 생성한다.

❷ java.exe로 JVM을 구동시킨다.

❸ 자바 소스 파일(*.java)을 작성한다.

❹ JVM은 main() 메소드를 찾아 메소드 블록을 실행시킨다.

6. 자바 소스 파일을 작성할 때 잘못된 것은 무엇입니까?

❶ 자바 소스 파일명과 클래스명은 대소문자가 동일해야 한다.

❷ 클래스 블록과 메소드 블록은 반드시 중괄호 {}로 감싸야 한다.

❸ 실행문 뒤에는 반드시 세미콜론(;)을 붙여야 한다.

❹ 주석은 문자열 안에도 작성할 수 있다.

7. 이클립스의 특징을 올바르게 설명한 것을 모두 선택하세요.

❶ 오픈 소스 통합개발환경(IDE)이다.

❷ 소스 파일을 저장하면 자동 컴파일되어 바이트코드 파일이 생성된다.

❸ 워크스페이스(Workspace)는 프로젝트들이 생성되는 기본 디렉토리를 말한다.

❹ Java 21을 지원하는 최소 버전은 Eclipse IDE 2023-12이다.

8. 다음과 같이 출력되도록 Example.java를 패키지 ch01.verify에서 작성해 보세요.

```
개발자가 되기 위한 필수 개발 언어 Java
```

Chapter

02

변수와 타입

2.1 변수 선언

컴퓨터 메모리(RAM)는 수많은 번지들로 구성된 데이터 저장 공간이다. 프로그램은 데이터를 메모리에 저장하고 읽는 작업을 빈번히 수행한다. 이때 데이터를 어디에, 어떤 방식으로 저장할지 정해져 있지 않다면 메모리 관리가 무척 어려워진다. 프로그래밍 언어는 이 문제를 해결하기 위해 변수를 사용한다.

변수variable는 하나의 값을 저장할 수 있는 메모리 번지에 붙여진 이름이다. 변수를 통해 프로그램은 메모리 번지에 값을 저장하고 읽을 수 있다.

변수 = 하나의 값을 저장할 수 있는 메모리 번지에 붙여진 이름

자바의 변수는 다양한 타입의 값을 저장할 수 없다. 즉, 정수형 변수에는 정수값만 저장할 수 있고, 실수형 변수에는 실수값만 저장할 수 있다.

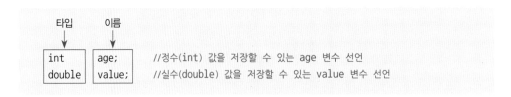

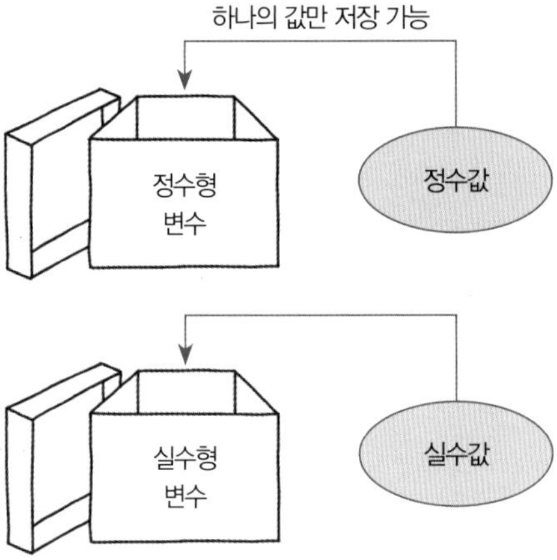

변수를 사용하려면 변수 선언이 필요한데, 변수 선언은 어떤 타입의 데이터를 저장할 것인지 그리고 변수 이름이 무엇인지를 결정하는 것이다.

```
 타입       이름
  ↓          ↓
int      age;       //정수(int) 값을 저장할 수 있는 age 변수 선언
double   value;     //실수(double) 값을 저장할 수 있는 value 변수 선언
```

여기서 잠깐

로컬(지역) 변수 타입 추론 기능

자바 10부터 로컬(지역) 변수를 위한 타입 추론type inference for local variables 기능이 추가되어 변수 선언 시 구체적인 타입 대신 예약된 타입reserved type인 var를 사용할 수 있다. 자세한 내용은 우리 책 979쪽 21장 '자바 21에서 강화된 언어 및 라이브러리'에서 설명하므로 20장까지 모두 학습한 후에 학습하길 바란다.

변수 이름은 첫 번째 글자가 문자여야 하고, 중간부터는 문자, 숫자, $, _를 포함할 수 있다. 또한, 첫 문자를 소문자로 시작하되 캐멀 스타일로 작성하는 것이 관례이다.

여기서 잠깐

캐멀(camel) 스타일

코드를 작성할 때 여러 단어를 혼합하여 명명하는 경우, 낙타의 등처럼 대소문자가 섞여 있도록 작성하는 스타일을 말한다. 자바 소스 파일명과 변수명을 작성할 때 관례적으로 사용한다.

1. 자바 소스 파일명(클래스명)은 대문자로 시작하는 것이 관례

   Week.java
   MemberGrade.java
   ProductKind.java

2. 변수명은 소문자로 시작하는 것이 관례

   score
   mathScore
   sportsCar

변수가 선언되었다면 값을 저장할 수 있는데, 이때 대입 연산자인 =를 사용한다. 수학에서 등호(=)는 '같다'라는 의미이지만, 자바에서는 우측 값을 좌측 변수에 대입하는 연산자로 사용된다.

```
int score;      //변수 선언
score = 90;     //값 대입
```

대입

여기서 잠깐

변수 이름의 길이와 한글

변수 이름은 어떤 값을 저장하고 있는지 쉽게 알 수 있도록 의미 있는 이름을 지어 주는 것이 좋다. 변수 이름의 길이는 프로그램 실행과는 무관하기 때문에 충분히 길어도 상관없다. 그리고 변수 이름에 한글을 포함하지 않는 것이 관례이다.

변수 선언은 저장되는 값의 타입과 이름만 결정한 것이지, 아직 메모리에 할당된 것은 아니다. 변수에 최초로 값이 대입될 때 메모리에 할당되고, 해당 메모리에 값이 저장된다.

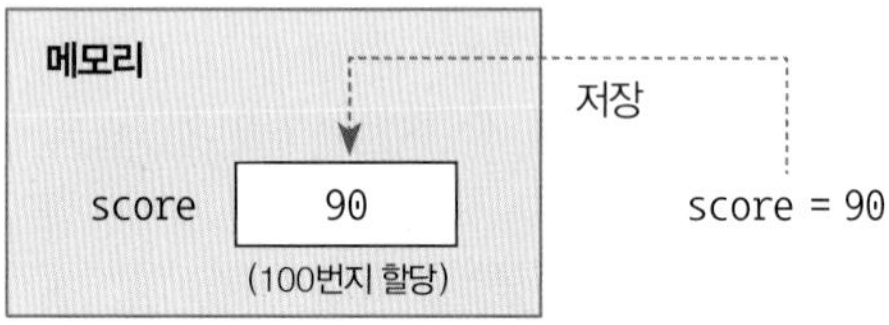

변수에 최초로 값을 대입하는 행위를 변수 초기화라고 하고, 이때의 값을 초기값이라고 한다. 초기값은 다음과 같이 변수를 선언함과 동시에 대입할 수도 있다.

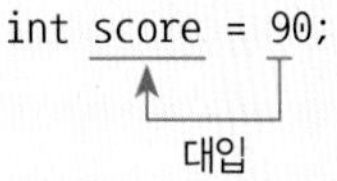

초기화되지 않은 변수는 아직 메모리에 할당되지 않았기 때문에 변수를 통해 메모리 값을 읽을 수 없다. 따라서 다음은 잘못된 코딩이다.

```
① int value;                  //변수 value 선언
② int result = value + 10;    //변수 value 값을 읽고 10을 더해서 변수 result에 저장
```

①에서 변수 value가 선언되었지만, 초기화되지 않았기 때문에 ② value + 10에서 value 변수값은 읽어 올 수 없다. 따라서 위 코드는 다음과 같이 변경해야 한다.

```
int value = 30;               //변수 value가 30으로 초기화됨
int result = value + 10;      //변수 value 값(30)을 읽고 10을 더해서 변수 result에 저장
```

다음 예제는 초기화되지 않은 변수를 연산식에 사용할 경우 컴파일 에러(The local variable value may not have been initialized)가 발생하는 것을 보여 준다.

>>> **VariableInitializationExample.java**

```java
package ch02.sec01;

public class VariableInitializationExample {
  public static void main(String[] args) {
    //변수 value 선언
    int value;

    //연산 결과를 변수 result의 초기값으로 대입
    int result = value + 10;

    //변수 result 값을 읽고 콘솔에 출력
    System.out.println(result);
  }
}
```

빨간 밑줄은 컴파일 오류를 표시한 것이다.

변수는 출력문이나 연산식에 사용되어 변수값을 활용한다. 다음 예제는 변수를 문자열과 결합 후 출력하거나 연산식에서 활용하는 모습을 보여 준다.

>>> **VariableUseExample.java**

```java
package ch02.sec01;

public class VariableUseExample {
  public static void main(String[] args) {
    int hour = 3;
    int minute = 5;
    System.out.println(hour + "시간 " + minute + "분");

    int totalMinute = (hour*60) + minute;
    System.out.println("총 " + totalMinute + "분");
  }
}
```

실행 결과

```
3시간 5분
총 185분
```

변수는 또 다른 변수에 대입되어 메모리 간에 값을 복사할 수 있다. 다음 코드는 변수 x값을 변수 y값으로 복사한다.

```
int x = 10;     //변수 x에 10을 대입
int y = x;      //변수 y에 변수 x 값을 대입
```

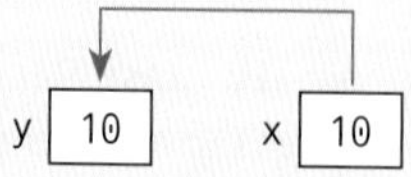

다음 예제는 두 변수의 값을 교환하는 방법을 보여 준다. 두 변수의 값을 교환하기 위해서 새로운 변수 temp를 선언한 것에 주목하길 바란다.

>>> **VariableExchangeExample.java**

```
1   package ch02.sec01;
2
3   public class VariableExchangeExample {
4     public static void main(String[] args) {
5       int x = 3;
6       int y = 5;
7       System.out.println("x:" + x + ", y:" + y);
8
9       int temp = x;
10      x = y;
11      y = temp;
12      System.out.println("x:" + x + ", y:" + y);
13    }
14  }
```

실행 결과

```
x:3, y:5
x:5, y:3
```

9~11라인의 내용을 순서대로 도식화하면 다음과 같다.

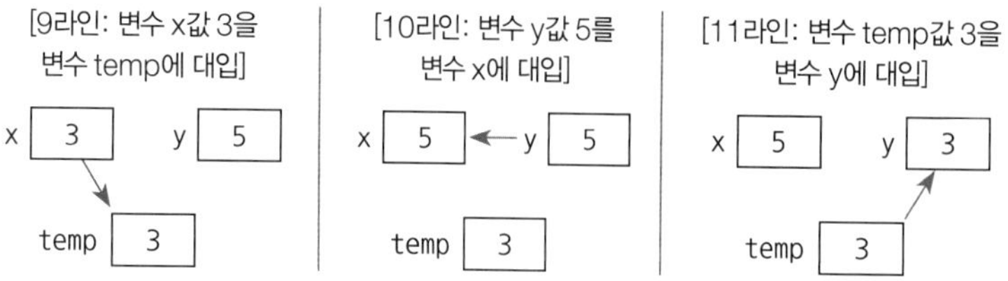

2.2 정수 타입

변수는 선언될 때의 타입에 따라 저장할 수 있는 값의 종류와 허용 범위가 달라진다. 자바는 정수, 실수, 논리값을 저장할 수 있는 기본primitive 타입 8개를 다음과 같이 제공한다.

값의 분류	기본 타입
정수	byte, char, short, int, long
실수	float, double
논리(true/false)	boolean

정수 타입은 총 5개로, 다음과 같이 메모리 할당 크기와 저장되는 값의 범위를 가지고 있다.

타입	메모리 크기		저장되는 값의 허용 범위	
byte	1byte*	8bit	$-2^{7} \sim (2^{7}-1)$	-128 ~ 127
short	2byte	16bit	$-2^{15} \sim (2^{15}-1)$	-32,768 ~ 32,767
char	2byte	16bit	$0 \sim (2^{16}-1)$	0 ~ 65535 (유니코드)
int	4byte	32bit	$-2^{31} \sim (2^{31}-1)$	-2,147,483,648 ~ 2,147,483,647
long	8byte	64bit	$-2^{63} \sim (2^{63}-1)$	-9,223,372,036,854,775,808 ~ 9,223,372,036,854,775,807

* 1byte = 8bit, bit는 0과 1이 저장되는 단위

각 타입에 저장되는 값의 허용 범위를 모두 외울 필요는 없지만, 메모리의 할당 크기는 알고 있는 것이 좋다. 정수 타입을 메모리 사용 크기순으로 나열하면 다음과 같다.

종류	byte	short	int	long
메모리 사용 크기(단위 bit)	8	16	32	64

메모리 크기를 n이라고 할 때 정수 타입은 다음과 같은 동일한 구조의 2진수로 저장된다.

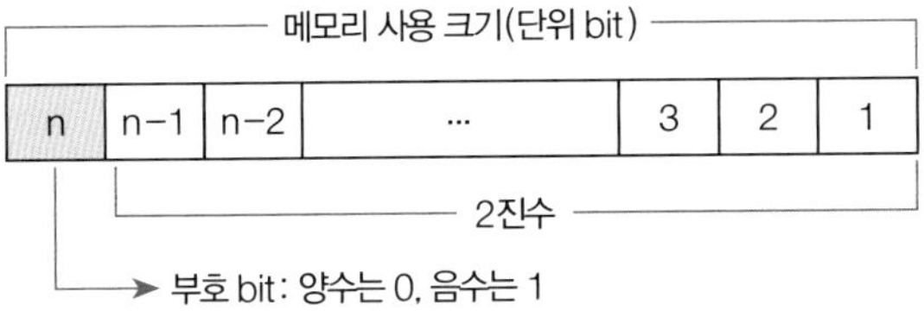

byte, short, int, long은 모두 부호 있는(signed) 정수 타입이므로 최상위 bit는 부호 bit로 사용되고, 나머지 bit는 값의 범위를 결정한다.

최상위 bit 값	값의 범위
0 | n−1 개의 bit	$0 \sim (2^{n-1} - 1)$
1 | n−1 개의 bit	$-2^{n-1} \sim -1$

예를 들어 byte 타입은 최상위 bit를 부호 비트로 사용하고, 나머지 7bit로 값의 범위를 결정한다.

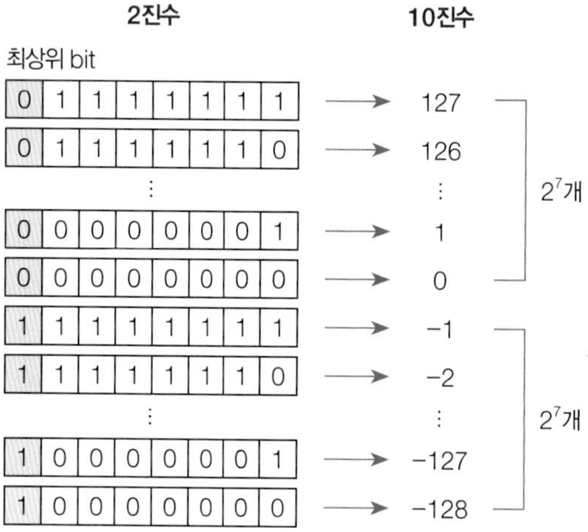

최상위 bit가 1인 음수의 경우 나머지 7개의 bit를 모두 1의 보수(1은 0, 0은 1)로 바꾸고 1을 더한 값에 −를 붙이면 10진수가 된다. 예를 들어 −2는 다음과 같이 계산된다.

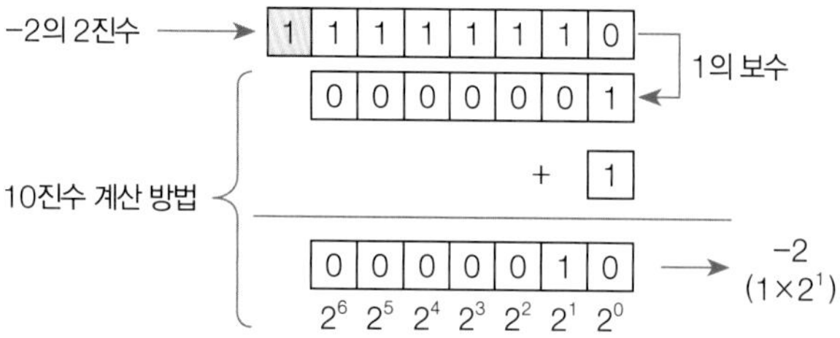

코드에서 프로그래머가 직접 입력한 값을 리터럴literal이라고 부르는데, 변수에 대입할 정수 리터럴은 진수에 따라 작성하는 방법이 다르다.

- **2진수: 0b 또는 0B로 시작하고 0과 1로 작성**

```
int x = 0b1011;      //10진수 값 = 1x2^3 + 0x2^2 + 1x2^1 + 1x2^0 = 11
int y = 0B10100;     //10진수 값 = 1x2^4 + 0x2^3 + 1x2^2 + 0x2^1 + 0x2^0 = 20
```

- **8진수: 0으로 시작하고 0~7 숫자로 작성**

```
int x = 013;         //10진수 값 = 1x8^1 + 3x8^0 = 11
int y = 0206;        //10진수 값 = 2x8^2 + 0x8^1 + 6x8^0 = 134
```

- **10진수: 소수점이 없는 0~9 숫자로 작성**

```
int x = 12;
int y = 365;
```

- **16진수: 0x 또는 0X로 시작하고 0~9 숫자나 A, B, C, D, E, F 또는 a, b, c, d, e, f로 작성**

```
int x = 0xB3;        //10진수 값 = 11x16^1 + 3x16^0 = 179
int y = 0x2A0F;      //10진수 값 = 2x16^3 + 10x16^2 + 0x16^1 + 15x16^0 = 10767
```

다음 예제는 다양한 정수 리터럴을 int 타입 변수에 대입하고 10진수로 출력한다.

›› **IntegerLiteralExample.java**

```
package ch02.sec02;

public class IntegerLiteralExample {
  public static void main(String[] args) {
    int var1 = 0b1011;   //2진수
    int var2 = 0206;     //8진수
    int var3 = 365;      //10진수
    int var4 = 0xB3;     //16진수
```

```java

        System.out.println("var1: " + var1);
        System.out.println("var2: " + var2);
        System.out.println("var3: " + var3);
        System.out.println("var4: " + var4);
    }
}
```

실행 결과

```
var1: 11
var2: 134
var3: 365
var4: 179
```

다음 예제는 byte 타입 변수에 허용 범위를 초과한 값을 대입했을 경우 컴파일 오류가 발생하는 것을 보여 준다.

››› ByteExample.java

```java
package ch02.sec02;

public class ByteExample {
    public static void main(String[] args) {
        byte var1 = -128;
        byte var2 = -30;
        byte var3 = 0;
        byte var4 = 30;
        byte var5 = 127;
        byte var6 = 128; //컴파일 에러(Type mismatch: cannot convert from int
                                to byte)

        System.out.println(var1);
        System.out.println(var2);
        System.out.println(var3);
        System.out.println(var4);
        System.out.println(var5);
    }
}
```

long 타입은 수치가 큰 데이터를 다루는 프로그램에서 사용된다. 예를 들어 은행이나 과학 분야에서 사용되는 프로그램들이다. 기본적으로 컴파일러는 정수 리터럴을 int 타입 값으로 간주하기 때문에 int 타입의 허용 범위(-2,147,483,648 ~ 2,147,483,647)를 초과하는 리터럴은 뒤에 소문자 'l' 이나 대문자 'L'을 붙여 long 타입 값임을 컴파일러에게 알려 줘야 한다.

>>> **LongExample.java**

```java
package ch02.sec02;

public class LongExample {
  public static void main(String[] args) {
    long var1 = 10;
    long var2 = 20L;
    long var3 = 1000000000000;    //컴파일러는 int로 간주하기 때문에 에러 발생
    long var4 = 1000000000000L;

    System.out.println(var1);
    System.out.println(var2);
    System.out.println(var4);
  }
}
```

2.3 문자 타입

하나의 문자를 작은따옴표(')로 감싼 것을 문자 리터럴이라고 한다. 문자 리터럴은 유니코드로 변환되어 저장되는데, 유니코드는 세계 각국의 문자를 0~65535 숫자로 매핑한 국제 표준 규약이다. 자바는 이러한 유니코드를 저장할 수 있도록 char 타입을 제공한다.

```java
char var1 = 'A';     //'A' 문자와 매핑되는 숫자: 65로 대입
char var3 = '가';    //'가' 문자와 매핑되는 숫자: 44032로 대입
```

유니코드가 정수이므로 char 타입도 정수 타입에 속한다. 그렇기 때문에 char 변수에 작은따옴표로 감싼 문자가 아니라 유니코드 숫자를 직접 대입할 수도 있다.

```
char c = 65;          //10진수 65와 매핑되는 문자: 'A'
char c = 0x0041;      //16진수 0x0041과 매핑되는 문자: 'A'
```

>>> CharExample.java

```java
package ch02.sec03;

public class CharExample {
  public static void main(String[] args) {
    char c1 = 'A';        //문자 저장
    char c2 = 65;         //유니코드 직접 저장

    char c3 = '가';       //문자 저장
    char c4 = 44032;      //유니코드 직접 저장

    System.out.println(c1);
    System.out.println(c2);
    System.out.println(c3);
    System.out.println(c4);
  }
}
```

실행 결과

```
A
A
가
가
```

char 타입의 변수에 어떤 문자도 대입하지 않고 단순히 초기화를 할 목적으로 다음과 같이 작은따옴표(') 두 개를 연달아 붙인 빈empty 문자를 대입하면 컴파일 에러가 발생한다. 이 경우에는 공백(유니코드:32) 하나를 포함해서 초기화해야 한다.

```
char c = '';     //컴파일 에러
char c = ' ';    //공백 하나를 포함해서 초기화
```

2.4 실수 타입

실수 타입에는 float과 double이 있으며, 다음과 같이 메모리 할당 크기와 저장되는 값의 범위를 가지고 있다.

타입	메모리 크기		저장되는 값의 허용 범위(양수 기준)	유효 소수 이하 자리
float	4byte	32bit	1.4×10^{-45} ~ 3.4×10^{38}	7자리
double	8byte	64bit	4.9×10^{-324} ~ 1.8×10^{308}	15자리

그림으로 표현하면 double 타입이 float 타입보다 큰 실수를 저장할 수 있고 정밀도 또한 높은 것을 볼 수 있다.

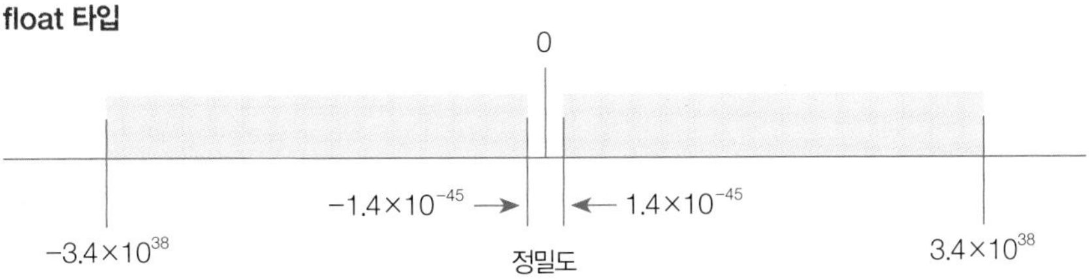

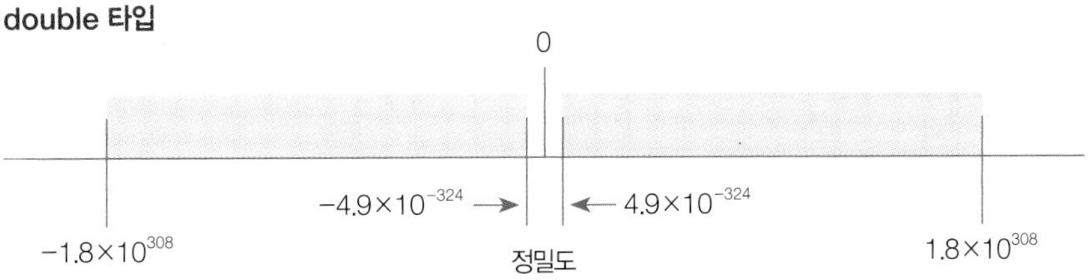

자바는 IEEE 754 표준에 근거해서 float 타입과 double 타입의 값을 부동 소수점floating-point 방식으로 메모리에 저장한다.

float 타입과 double 타입은 가수와 지수를 저장하기 위해 전체 bit를 다음과 같이 나누어 사용한다.

[float] 부호(1bit) + 지수(8bit) + 가수(23bit) = 32bit = 4byte

1bit	지수(8bit)	가수(23bit)

[double] 부호(1bit) + 지수(11bit) + 가수(52bit) = 64bit = 8byte

1bit	지수(11bit)	가수(52bit)

최상위 1bit는 양수 및 음수를 결정짓는 부호 bit로 0이면 양수, 1이면 음수가 된다. 지수는 float 타입은 8bit, double 타입은 11bit로 표현하고 나머지 bit는 모두 가수를 표현하는 데 사용된다. double은 float보다 지수와 가수 부분의 bit 수가 크기 때문에 더 크고 정밀한 실수를 저장할 수 있다. 코드에서 실수 리터럴은 다음과 같이 작성할 수 있다.

- **10진수 리터럴**

```
double x = 0.25;
double y = -3.14;
```

- **e 또는 E가 포함된 10의 거듭제곱 리터럴**

```
double x = 5e2;       //5.0 x 10^2 = 500.0
double y = 0.12E-2    //0.12 x 10^-2 = 0.0012
```

컴파일러는 실수 리터럴을 기본적으로 double 타입으로 해석하기 때문에 double 타입 변수에 대입해야 한다. float 타입에 대입하고 싶다면 리터럴 뒤에 소문자 'f'나 대문자 'F'를 붙여 컴파일러가 float 타입임을 알 수 있도록 해야 한다.

```
double var = 3.14;
double var = 314e-2;
```

```
float var = 3.14f;
float var = 3E6F;
```

다음 예제는 float과 double 타입의 소수 이하 유효 자릿수를 확인한다. double 타입은 float 타입보다 약 2배의 유효 자릿수를 가지기 때문에 보다 정확한 데이터 저장이 가능하다. double이라는 이름도 float보다 약 2배의 정밀도를 갖는다는 의미에서 붙여진 것이다. 확인 후에는 10의 거듭제곱 리터럴을 대입해서 출력해 보자.

>>> **FloatDoubleExample.java**

```java
package ch02.sec04;

public class FloatDoubleExample {
  public static void main(String[] args) {
    //정밀도 확인
    float var1 = 0.1234567890123456789f;
    double var2 = 0.1234567890123456789;
    System.out.println("var1: " + var1);
    System.out.println("var2: " + var2);

    //10의 거듭제곱 리터럴
    double var3 = 3e6;
    float var4 = 3e6F;
    double var5 = 2e-3;
    System.out.println("var3: " + var3);
    System.out.println("var4: " + var4);
    System.out.println("var5: " + var5);
  }
}
```

실행 결과

```
var1: 0.12345679
var2: 0.12345678901234568
var3: 3000000.0
var4: 3000000.0
var5: 0.002
```

double 타입이 float 타입보다 약 2배 정도의 유효 자릿수를 가진다.

2.5 논리 타입

참과 거짓을 의미하는 논리 리터럴은 true와 false이다. 논리 리터럴은 boolean 타입 변수에 다음과 같이 대입할 수 있다.

```
boolean stop = true;
boolean stop = false;
```

boolean 타입 변수는 주로 두 가지 상태값을 저장할 필요가 있을 경우에 사용되며, 상태값에 따라 조건문과 제어문의 실행 흐름을 변경하는 데 사용된다. 연산식 중에서 비교 및 논리 연산의 산출값은 true 또는 false이므로 boolean 타입 변수에 다음과 같이 대입할 수 있다. 연산 기호는 3장에서 자세히 설명한다.

```
int x = 10;                연산식
boolean result = (x == 20);               //변수 x의 값이 20인가?
boolean result = (x != 20);               //변수 x의 값이 20이 아닌가?
boolean result = (x > 20);                //변수 x의 값이 20보다 큰가?
boolean result = ( 0 < x && x < 20);      //변수 x의 값이 0보다 크고, 20보다 적은가?
boolean result = ( x < 0 || x > 200);     //변수 x의 값이 0보다 적거나 200보다 큰가?
```

다음 예제는 stop 변수값에 따라 if 블록과 else 블록 중 하나를 실행하고, 연산식의 결과를 boolean 변수에 저장해서 출력한다.

>>> **BooleanExample.java**

```
package ch02.sec05;

public class BooleanExample {
  public static void main(String[] args) {
    boolean stop = true;
    if(stop) {
      System.out.println("중지합니다.");
    } else {
```

```
            System.out.println("시작합니다.");
        }

        int x = 10;
        boolean result1 = (x == 20);     //변수 x의 값이 20인가?
        boolean result2 = (x != 20);     //변수 x의 값이 20이 아닌가?
        System.out.println("result1: " + result1);
        System.out.println("result2: " + result2);
    }
}
```

실행 결과

```
중지합니다.
result1: false
result2: true
```

2.6 문자열 타입

작은따옴표(')로 감싼 한 개의 문자는 char 타입이지만, 큰따옴표(")로 감싼 여러 개의 문자들은 유니코드로 변환되지 않는다. 따라서 다음은 잘못 작성된 코드다.

```
char var1 = "A";         //컴파일 에러
char var2 = "홍길동";     //컴파일 에러
```

큰따옴표(")로 감싼 문자들을 문자열이라고 부르는데, 문자열을 변수에 저장하고 싶다면 다음과 같이 String 타입을 사용해야 한다.

```
String var1 = "A";
String var2 = "홍길동";
```

NOTE ▶ String 타입은 자바 기본 타입에 속하지 않는 참조 타입이다. 참조 타입에 대해서는 5장에서 상세히 설명한다.

문자열 내부에 역슬래쉬(\)가 붙은 문자를 사용할 수가 있는데, 이것을 이스케이프escape 문자라고 한다. 이스케이프 문자를 사용하면 특정 문자를 포함할 수 있고, 출력에 영향을 미치기도 한다.

이스케이프 문자	
\"	" 문자 포함
\'	' 문자 포함
\\	\ 문자 포함
\u16진수	16진수 유니코드에 해당하는 문자 포함
\t	출력 시 탭만큼 띄움
\n	출력 시 줄바꿈(라인피드)
\r	출력 시 캐리지 리턴

다음 예제는 이스케이프 문자를 사용하는 방법을 보여 준다. 문자열에 큰따옴표를 넣기 위해 \"를 사용했고, 탭만큼 띄워 출력하기 위해 \t를, 다음 행으로 이동하기 위해 \n을 사용하였다. 역슬래쉬(\) 기호가 ₩로 표시될 수도 있는데, 이것은 폰트 때문이니 상관없다.

>>> StringExample.java

```java
package ch02.sec06;

public class StringExample {
  public static void main(String[] args) {
    String name = "홍길동";
    String job = "프로그래머";
    System.out.println(name);
    System.out.println(job);

    String str = "나는 \"자바\"를 배웁니다.";
    System.out.println(str);

    str = "번호\t이름\t직업 ";
    System.out.println(str);

    System.out.print("나는\n");
    System.out.print("자바를\n");
```

```java
        System.out.print("배웁니다.");
    }
}
```

실행 결과

```
홍길동
프로그래머
나는 "자바"를 배웁니다.
번호	이름	직업
나는
자바를
배웁니다.
```

Java 13부터는 다음과 같은 텍스트 블록 문법을 제공한다.

```java
String str = """
...
""";
```

큰따옴표 3개로 감싸면 이스케이프하거나 라인피드를 할 필요가 없이 작성된 그대로 문자열로 저장된다. 다음 예제에서 str1과 str2는 동일한 문자열이 저장된다.

>>> TextBlockExample.java

```java
package ch02.sec06;

public class TextBlockExample {
  public static void main(String[] args) {
    String str1 = "" +
    "{\n" +
    "\t\"id\":\"winter\",\n" +
    "\t\"name\":\"눈송이\"\n" +
    "}";

    String str2 = """
```

```
12          {
13            "id":"winter",
14            "name":"눈송이"
15          }
16          """;
17
18          System.out.println(str1);
19          System.out.println("-----------------------------------");
20          System.out.println(str2);
21          System.out.println("-----------------------------------");
22          String str = """
23          나는 자바를 \
24          학습합니다.
25          나는 자바 고수가 될 겁니다.
26          """;
27          System.out.println(str);
28      }
29  }
```

실행 결과

```
{
    "id":"winter",
    "name":"눈송이"
}
-----------------------------------
{
    "id":"winter",
    "name":"눈송이"
}

-----------------------------------
나는 자바를 학습합니다.
나는 자바 고수가 될 겁니다.
```

텍스트 블록에서 줄바꿈은 \n에 해당한다. 만약 줄바꿈을 하지 않고 다음 줄에 이어서 작성하고 싶다면 23라인처럼 맨 끝에 \를 붙여 주면 된다. 이 기능은 Java 14부터 제공된다.

2.7 자동 타입 변환

자동 타입 변환promotion은 말 그대로 자동으로 타입 변환이 일어나는 것을 말한다. 자동 타입 변환은 값의 허용 범위가 작은 타입이 허용 범위가 큰 타입으로 대입될 때 발생한다.

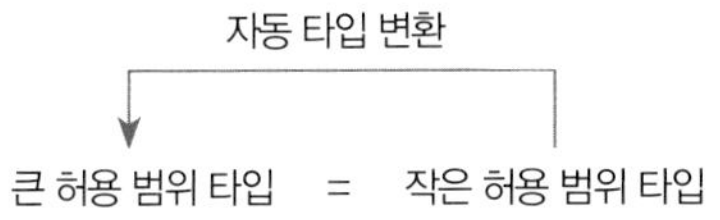

기본 타입을 허용 범위 순으로 나열하면 다음과 같다.

```
byte < short, char < int < long < float < double
```

int 타입이 byte 타입보다 허용 범위가 더 크기 때문에 다음 코드는 자동 타입 변환이 된다.

```
byte byteValue = 10;
int intValue = byteValue;     //자동 타입 변환됨
```

byte 타입은 1byte, int 타입은 4byte 메모리 크기를 가지므로 메모리에서 값이 복사되는 모양을 그림으로 표현하면 다음과 같다.

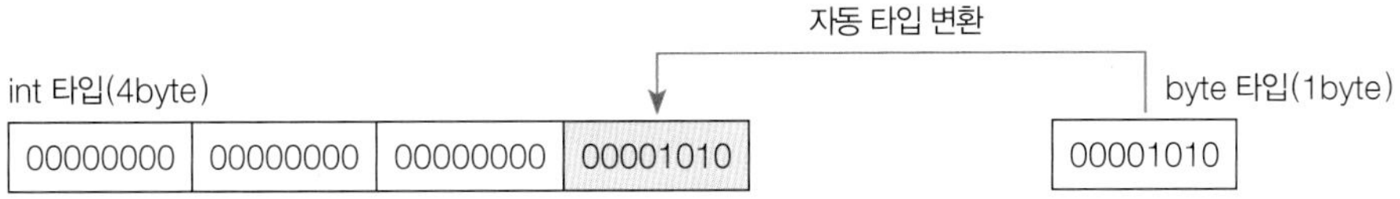

정수 타입이 실수 타입으로 대입될 경우에는 무조건 자동 타입 변환이 된다. 실수 타입은 정수 타입보다 허용 범위가 더 크기 때문이다.

```
long longValue = 5000000000L;
float floatValue = longValue;       //5.0E9f로 저장됨
double doubleValue = longValue;     //5.0E9로 저장됨
```

char 타입의 경우 int 타입으로 자동 변환되면 유니코드 값이 int 타입에 대입된다.

```
char charValue = 'A';
int intValue = charValue;     //65가 저장됨
```

자동 타입 변환에서 예외가 있다. char 타입보다 허용 범위가 작은 byte 타입은 char 타입으로 자동 변환될 수 없다. 왜냐하면 char 타입의 허용 범위는 음수를 포함하지 않는데, byte 타입은 음수를 포함하기 때문이다.

```
byte byteValue = 65;
char charValue = byteValue;     //컴파일 에러
```

다음은 자동 타입 변환이 생기는 다양한 코드들이다.

>>> **PromotionExample.java**

```java
package ch02.sec07;

public class PromotionExample {
  public static void main(String[] args) {
    //자동 타입 변환
    byte byteValue = 10;
    int intValue = byteValue;
    System.out.println("intValue: " + intValue);

    char charValue = '가';
    intValue = charValue;
    System.out.println("가의 유니코드: " + intValue);

    intValue = 50;
    long longValue = intValue;
    System.out.println("longValue: " + longValue);

    longValue = 100;
    float floatValue = longValue;
```

```java
        System.out.println("floatValue: " + floatValue);

        floatValue = 100.5F;
        double doubleValue = floatValue;
        System.out.println("doubleValue: " + doubleValue);
    }
}
```

실행 결과

```
intValue: 10
가의 유니코드: 44032
longValue: 50
floatValue: 100.0
doubleValue: 100.5
```

2.8 강제 타입 변환

큰 허용 범위 타입은 작은 허용 범위 타입으로 자동 타입 변환될 수 없다. 마치 큰 그릇을 작은 그릇 안에 넣을 수 없는 것과 동일한 이치이다. 하지만 큰 그릇을 작은 그릇 단위로 쪼개어서 한 조각만 작은 그릇에 넣는 것은 가능하다.

큰 허용 범위 타입을 작은 허용 범위 타입으로 쪼개어서 저장하는 것을 강제 타입 변환casting, 캐스팅이라고 한다. 강제 타입 변환은 캐스팅 연산자로 괄호()를 사용하는데, 괄호 안에 들어가는 타입은 쪼개는 단위이다.

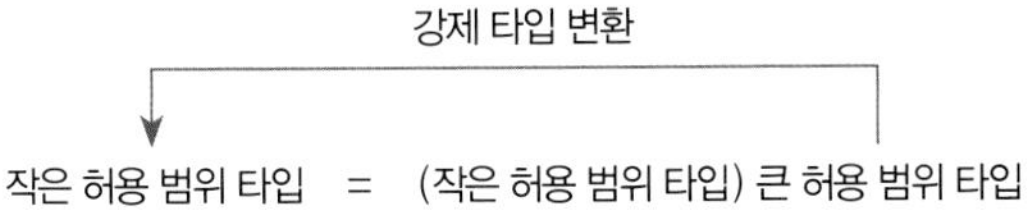
강제 타입 변환
작은 허용 범위 타입 = (작은 허용 범위 타입) 큰 허용 범위 타입

int → byte

int 타입은 byte 타입보다 더 큰 허용 범위를 가진다. 따라서 int 타입은 byte 타입으로 자동 변환되지 않고, (byte) 캐스팅을 해서 byte 타입으로 강제 변환시켜야 한다.

```
int intValue = 10;
byte byteValue = (byte) intValue;     //강제 타입 변환
```

int 타입을 byte 타입으로 강제 타입 변환하는 모양을 그림으로 표현하면 다음과 같다.

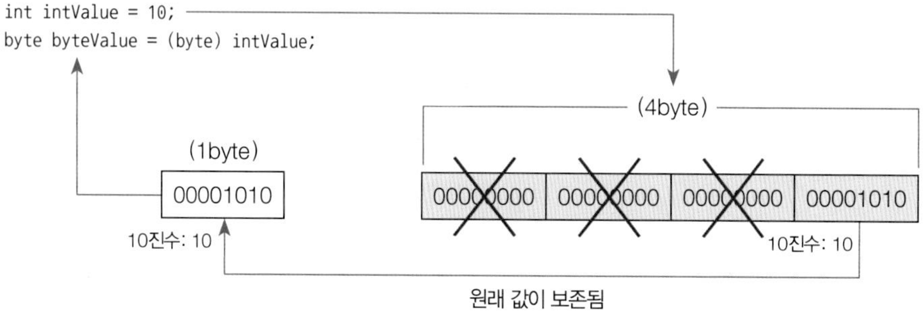

10진수 10은 2진수 1010으로 1byte만 있으면 저장할 수 있다. int 타입은 4byte 크기를 가지므로 10은 끝 1byte 안에 저장된다. byte 타입으로 강제 타입 변환하면 앞 3byte는 삭제되고 끝 1byte 값만 byte 타입 변수에 저장된다. 따라서 강제 타입 변환을 하더라도 원래 값 10은 보존된다.

그러나 다음 그림을 보면 2byte 이상이 필요한 int 값은 원래 값이 보존되지 않는다.

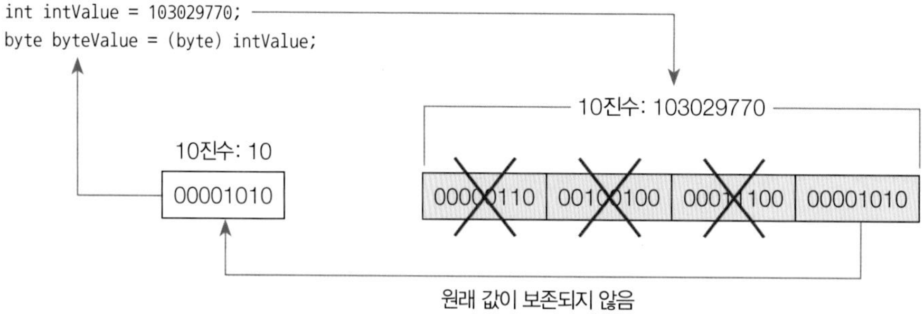

강제 타입의 목적은 원래 값이 유지되면서 타입만 바꾸는 것이다. 그렇기 때문에 작은 허용 범위 타입에 저장될 수 있는 값을 가지고 강제 타입 변환을 해야 한다. byte 타입으로 변환한다면 −128~127인 int 값만 원래 값을 보존할 수 있다.

long → int

long 타입은 int 타입보다 큰 허용 범위를 가진다. 따라서 long 타입은 int 타입으로 자동 변환되지 않고, (int) 캐스팅을 해서 강제 변환시켜야 한다. 예를 들어 300을 갖는 long 타입 변수는 8byte 중에 끝 4byte로 300을 표현할 수 있다. int 타입으로 강제 변환하면 앞 4byte는 버려지고 끝 4byte만 int 타입 변수에 저장되므로 300이 그대로 유지된다.

```
long longValue = 300;
int intValue = (int) longValue;     //강제 타입 변환 후에 300이 그대로 유지
```

int → char

int 타입은 char 타입보다 큰 허용 범위를 가진다. 따라서 int 타입은 char 타입으로 자동 변환되지 않고, (char) 캐스팅을 해서 강제 변환시켜야 한다. 주의할 점은 char 타입의 허용 범위인 0~65535 사이의 값만 원래 값을 유지한다.

```
int intValue = 65;
char charValue = (char) intValue;
System.out.println(charValue);     //'A'가 출력
```

실수 → 정수

실수 타입(float, double)은 정수 타입(byte, short, int, long)보다 항상 큰 허용 범위를 가진다. 따라서 대상 정수 타입으로 캐스팅해서 강제 변환시켜야 한다. 이 경우 소수점 이하 부분은 버려지고, 정수 부분만 저장된다.

```
double doubleValue = 3.14;
int intValue = (int) doubleValue;     //intValue는 정수 부분인 3만 저장
```

>>> CastingExample.java

```java
package ch02.sec08;

public class CastingExample {
  public static void main(String[] args) {
    int var1 = 10;
    byte var2 = (byte) var1;
    System.out.println(var2);     //강제 타입 변환 후에 10이 그대로 유지

    long var3 = 300;
    int var4 = (int) var3;
    System.out.println(var4);     //강제 타입 변환 후에 300이 그대로 유지

    int var5 = 65;
    char var6 = (char) var5;
    System.out.println(var6);     //'A'가 출력

    double var7 = 3.14;
    int var8 = (int) var7;
    System.out.println(var8);     //3이 출력
  }
}
```

실행 결과

```
10
300
A
3
```

2.9 연산식에서 자동 타입 변환

자바는 실행 성능을 향상시키기 위해 컴파일 단계에서 연산을 수행한다. 정수 리터럴 10과 20을 덧셈 연산해서 결과를 byte 타입 변수 result에 저장하는 코드가 있다고 가정해 보자.

```java
byte result = 10 + 20;    //컴파일: byte result = 30
```

자바 컴파일러는 컴파일 단계에서 10+20을 미리 연산해서 30을 만들고 result 변수에 30을 저장하도록 바이트코드를 생성한다. 따라서 실행 시 덧셈 연산이 없으므로 실행 성능이 좋아진다.

하지만 정수 리터럴이 아니라 변수가 피연산자로 사용되면 실행 시 연산을 수행한다. 정수 타입 변수가 산술 연산식에서 피연산자로 사용되면 int 타입보다 작은 byte, short 타입의 변수는 int 타입으로 자동 타입 변환되어 연산을 수행한다.

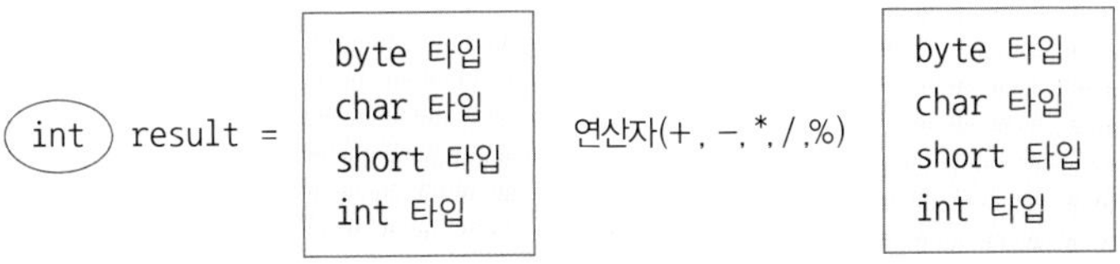

byte 타입 변수가 피연산자로 사용된 경우	int 타입 변수가 피연산자로 사용된 경우

`byte x = 10;`
`byte y = 20;`
~~byte result = x + y;~~ //컴파일 에러
`int result = x + y;`
	`int x = 10;`
	`int y = 20;`
	`int result = x + y;`

표의 왼쪽처럼 byte 변수 x, y가 피연산자로 사용되면 변수값은 int 타입으로 변환되어 연산되고, 결과도 int 타입으로 생성된다. 따라서 결과값을 byte 변수에 저장할 수 없고, int 변수에 저장해야 한다.

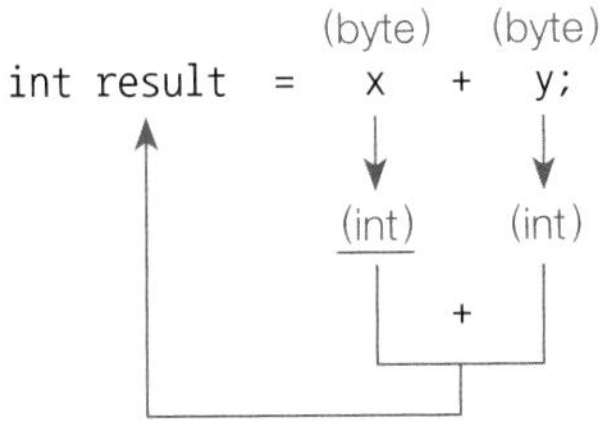

특별한 이유가 없다면 정수 연산에서 변수가 사용될 경우에는 표의 오른쪽과 같이 int 타입으로 변수를 선언하는 것이 타입 변환이 발생하지 않기 때문에 실행 성능에 도움이 된다.

정수 연산식에서 모든 변수가 int 타입으로 변환되는 것은 아니다. int 타입보다 허용 범위가 더 큰 long 타입이 피연산자로 사용되면 다른 피연산자는 long 타입으로 변환되어 연산을 수행한다. 따라서 연산 결과는 long 타입 변수에 저장해야 한다.

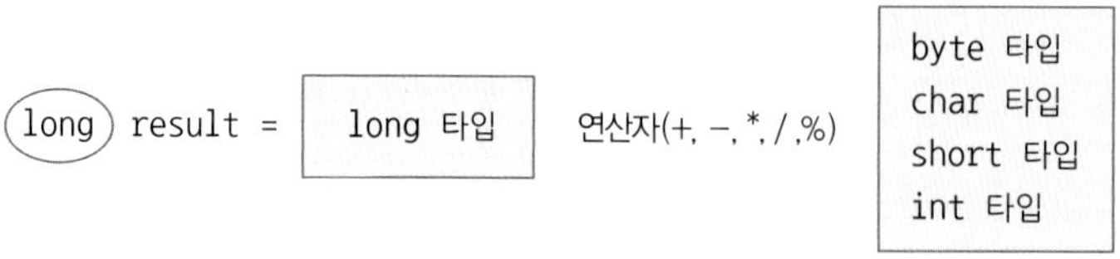

이번에는 실수 연산을 알아보자. 피연산자가 동일한 실수 타입이라면 해당 타입으로 연산된다. 아래 예시는 피연산자에 모두 f가 붙어 있기 때문에 float 타입으로 연산을 수행한다. 따라서 결과도 당연히 float 타입이 된다.

```
float result = 1.2f + 3.4f;     //컴파일: float result = 4.6f;
```

하지만 피연산자 중 하나가 double 타입이면 다른 피연산자도 double 타입으로 변환되어 연산되고, 연산 결과 또한 double 타입이 된다.

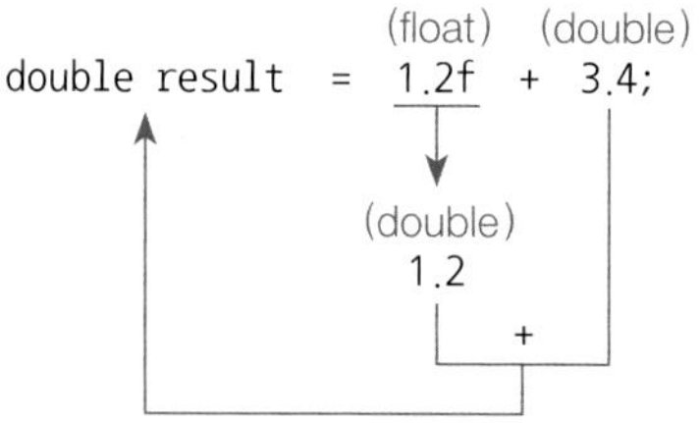

int 타입과 double 타입을 연산하는 경우에도 int 타입 피연산자가 double 타입으로 자동 변환되고 연산을 수행한다.

```
int intValue = 10;
double doubleValue = 5.5;
double result = intValue + doubleValue;     //10.0 + 5.5
```

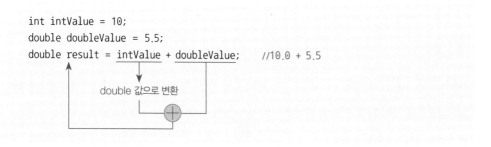

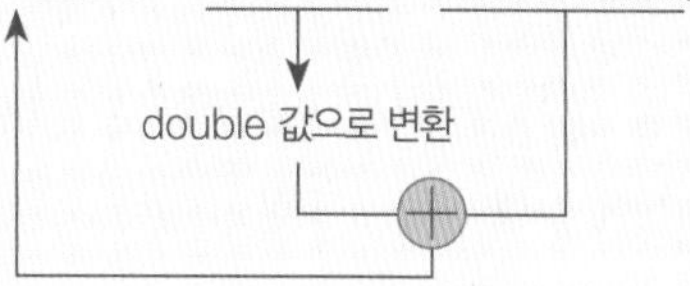

만약 int 타입으로 연산을 해야 한다면 double 타입을 int 타입으로 강제 변환하고 덧셈 연산을 수행하면 된다.

```
int intValue = 10;
double doubleValue = 5.5;
int result = intValue + (int) doubleValue;    //10 + 5
```

수학에서 1을 2로 나누면 0.5가 나온다. 이것을 코드로 옮기면 다음과 같다.

```
int x = 1;
int y = 2;
double result = x / y;
System.out.println(result);    //0.5가 출력될까요?
```

위 코드를 실행하면 0.5가 아니라 0.0이 출력된다. 자바에서 정수 연산의 결과는 항상 정수가 되기 때문이다. 따라서 x / y의 연산 결과는 0.5가 아니라 0이 되고, 0을 double 타입 변수 result에 저장하므로 0.0이 된다. 위 코드의 결과가 0.5가 되기 위해서는 x / y 부분을 정수 연산이 아니라 실수 연산으로 변경해야 한다. x와 y 둘 중 하나 또는 둘 모두를 double 타입으로 변환하는 것이다.

방법 1	방법 2	방법 3

int x = 1;
int y = 2;
double result = (double)
x / y;
System.out.println(result);
	int x = 1;
	int y = 2;
	double result = x / (double)
	y;
	System.out.println(result);
		int x = 1;
		int y = 2;
		double result = (double)
		x / (double) y;
		System.out.println(result);

만약 (double) (x / y)로 수정하면 0.5가 아니라 0.0을 얻는다. 그 이유는 (x / y)가 먼저 연산되어 0이 되고, 이것을 double 타입으로 변환하면 0.0이 되기 때문이다.

>>> **OperationPromotionExample.java**

```java
package ch02.sec09;

public class OperationPromotionExample {
  public static void main(String[] args) {
    byte result1 = 10 + 20;          //컴파일 단계에서 연산
    System.out.println("result1: " + result1);

    byte v1 = 10;
    byte v2 = 20;
    int result2 = v1 + v2;           //int 타입으로 변환 후 연산
    System.out.println("result2: " + result2);

    byte v3 = 10;
    int v4 = 100;
    long v5 = 1000L;
    long result3 = v3 + v4 + v5;     //long 타입으로 변환 후 연산
    System.out.println("result3: " + result3);

    char v6 = 'A';
    char v7 = 1;
    int result4 = v6 + v7;           //int 타입으로 변환 후 연산
    System.out.println("result4: " + result4);
    System.out.println("result4: " + (char)result4);

    int v8 = 10;
    int result5 = v8 / 4;            //정수 연산의 결과는 정수
    System.out.println("result5: " + result5);

    int v9 = 10;
    double result6 = v9 / 4.0;       //double 타입으로 변환 후 연산
    System.out.println("result6: " + result6);

    int v10 = 1;
    int v11 = 2;
    double result7 = (double) v10 / v11;    //double 타입으로 변환 후 연산
    System.out.println("result7: " + result7);
  }
}
```

실행 결과

```
result1: 30
result2: 30
result3: 1110
result4: 66
result4: B
result5: 2
result6: 2.5
result7: 0.5
```

자바에서 + 연산자는 두 가지 기능을 가지고 있다. 피연산자가 모두 숫자일 경우에는 덧셈 연산을 수행하고, 피연산자 중 하나가 문자열일 경우에는 나머지 피연산자도 문자열로 자동 변환되어 문자열 결합 연산을 수행한다.

```
int value = 3 + 7;     → int value = 10;
String str = "3" + 7; → String str = "3" + "7"; → String str = "37";
String str = 3 + "7"; → String str = "3" + "7"; → String str = "37";
```

연산식에서 + 연산자가 연이어 나오면 앞에서부터 순차적으로 + 연산을 수행한다. 먼저 수행된 연산이 덧셈 연산이라면 덧셈 결과를 가지고 그다음 + 연산을 수행한다. 만약 먼저 수행된 연산이 결합 연산이라면 이후 + 연산은 모두 결합 연산이 된다.

```
int value = 1 + 2 + 3;     → int value = 3 + 3;     → int value = 6;
String str = 1 + 2 + "3"; → String str = 3 + "3";   → String str = "33";
String str = 1 + "2" + 3; → String str = "12" + 3; → String str = "123";
String str = "1" + 2 + 3; → String str = "12" + 3; → String str = "123";
```

앞에서 순차적으로 + 연산을 수행하지 않고 특정 부분을 우선 연산하고 싶다면 해당 부분을 괄호() 로 감싸면 된다. 괄호는 항상 최우선으로 연산을 수행한다.

```
String str = "1" + (2 + 3); → String str = "1" + 5; → String str = "15";
```

>>> StringConcatExample.java

```java
package ch02.sec09;

public class StringConcatExample {
  public static void main(String[] args) {
    //숫자 연산
    int result1 = 10 + 2 + 8;
    System.out.println("result1: " + result1);

    //결합 연산
    String result2 = 10 + 2 + "8";
    System.out.println("result2: " + result2);

    String result3 = 10 + "2" + 8;
    System.out.println("result3: " + result3);

    String result4 = "10" + 2 + 8;
    System.out.println("result4: " + result4);

    String result5 = "10" + (2 + 8);
    System.out.println("result5: " + result5);
  }
}
```

실행 결과

```
result1: 20
result2: 128
result3: 1028
result4: 1028
result5: 1010
```

2.10 문자열을 기본 타입으로 변환

프로그램에서 문자열을 숫자 타입으로 변환하는 경우가 매우 많다. 예를 들어 '12'와 '3.5'를 정수 및 실수 타입으로 변환해서 숫자 연산을 하는 경우이다. 자바에서 문자열을 기본 타입으로 변환하는 방법은 다음과 같다.

변환 타입	사용 예
String ➞ byte	`String str = "10";` `byte value = Byte.parseByte(str);`
String ➞ short	`String str = "200";` `short value = Short.parseShort(str);`
String ➞ int	`String str = "300000";` `int value = Integer.parseInt(str);`
String ➞ long	`String str = "40000000000";` `long value = Long.parseLong(str);`
String ➞ float	`String str = "12.345";` `float value = Float.parseFloat(str);`
String ➞ double	`String str = "12.345";` `double value = Double.parseDouble(str);`
String ➞ boolean	`String str = "true";` `boolean value = Boolean.parseBoolean(str);`

반대로 기본 타입의 값을 문자열로 변경하는 경우도 있는데, 이 경우는 간단히 String.valueOf() 메소드를 이용하면 된다.

```
String str = String.valueOf(기본타입값);
```

>>> **PrimitiveAndStringConversionExample.java**

```java
package ch02.sec10;

public class PrimitiveAndStringConversionExample {
  public static void main(String[] args) {
    int value1 = Integer.parseInt("10");
    double value2 = Double.parseDouble("3.14");
    boolean value3 = Boolean.parseBoolean("true");

    System.out.println("value1: " + value1);
    System.out.println("value2: " + value2);
    System.out.println("value3: " + value3);

    String str1 = String.valueOf(10);
    String str2 = String.valueOf(3.14);
```

```
        String str3 = String.valueOf(true);

        System.out.println("str1: " + str1);
        System.out.println("str2: " + str2);
        System.out.println("str3: " + str3);
    }
}
```

실행 결과

```
value1: 10
value2: 3.14
value3: true
str1: 10
str2: 3.14
str3: true
```

2.11 변수 사용 범위

main() 메소드 블록에는 다른 중괄호 {} 블록들이 작성될 수 있다. 조건문에 해당하는 if, 반복문에 해당하는 for, while 등이 중괄호 {} 블록을 가질 수 있는데, 이러한 중괄호 {} 블록 내에서 선언된 변수는 해당 중괄호 {} 블록 내에서만 사용이 가능하고 밖에서는 사용할 수 없다.

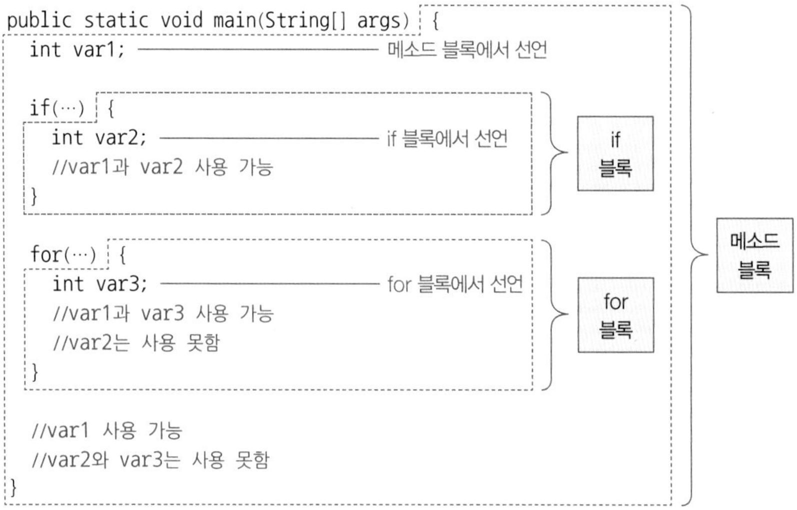

메소드 블록 전체에서 사용하고 싶다면 메소드 블록 첫머리에 선언하는 것이 좋고, 특정 블록 내부에서만 사용된다면 해당 블록 내에서 선언하는 것이 좋다.

>>> VariableScopeExample.java

```
package ch02.sec11;

public class VariableScopeExample {
  public static void main(String[] args) {
    int v1 = 15;
    if(v1>10) {
      int v2 = v1 - 10;
    }
    int v3 = v1 + v2 + 5;   //v2 변수를 사용할 수 없기 때문에 컴파일 에러 발생
  }
}
```

2.12 콘솔로 변수값 출력

우리는 지금까지 표준 출력 장치인 모니터(명령 프롬프트, 터미널, 콘솔)에 값을 출력하기 위해 System.out.println()을 이용했다. 괄호() 안에 리터럴을 넣으면 리터럴이 그대로 출력되고, 변수를 넣으면 변수에 저장된 값이 출력되었다.

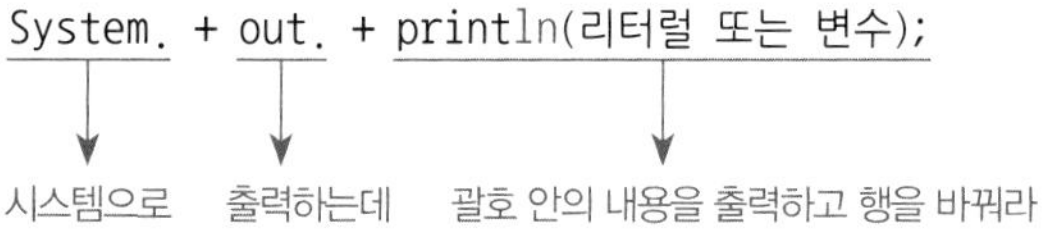
System. + out. + println(리터럴 또는 변수);
시스템으로
출력하는데
괄호 안의 내용을 출력하고 행을 바꿔라

출력 방법에 따라 println() 이외에도 다음과 같이 print(), printf()를 사용할 수 있다.

메소드	의미
println(내용);	괄호 안의 내용을 출력하고 행을 바꿔라.
print(내용);	괄호 안의 내용을 출력하고 행은 바꾸지 말아라.
printf("형식문자열", 값1, 값2, …);	형식 문자열에 맞추어 뒤의 값을 출력해라.

printf()의 형식 문자열은 다음과 같은 포맷으로 작성한다.

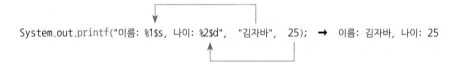

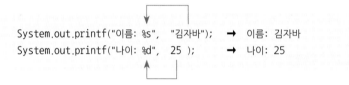

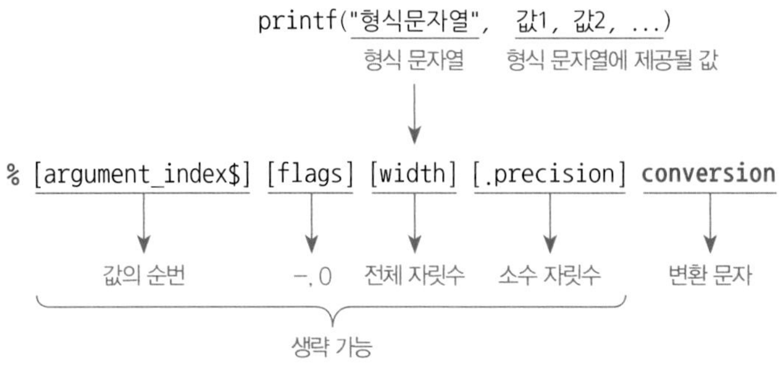

형식 문자열에서 %와 conversion(변환 문자)은 필수로 작성하고 그 외의 항목은 모두 생략할 수 있다. %는 형식 문자열의 시작을 뜻하고, conversion에는 제공되는 값의 타입에 따라 d(정수), f(실수), s(문자열)가 온다.

```
System.out.printf("이름: %s",  "김자바");   ➞ 이름: 김자바
System.out.printf("나이: %d",  25 );        ➞ 나이: 25
```

형식 문자열에 포함될 값이 두 개 이상일 경우에는 값의 순번(argument_index$)을 포함시켜야 한다. 예를 들어 1$는 첫 번째 값을, 2$는 두 번째 값을 뜻한다.

```
System.out.printf("이름: %1$s, 나이: %2$d",  "김자바",  25);  ➞ 이름: 김자바, 나이: 25
```

flags는 빈 공간을 채우는 방법인데, 생략되면 왼쪽이 공백으로 채워지고 -가 오면 오른쪽이 공백으로 채워진다. 0은 공백 대신 0으로 채운다. width는 소수점을 포함한 전체 자릿수이며, .precision은 소수 이하 자릿수이다. 자주 사용되는 형식 문자열은 다음과 같다.

형식화된 문자열		설명	출력 형태
정수	%d	정수	123
	%6d	6자리 정수. 왼쪽 빈자리 공백	___123
	%-6d	6자리 정수. 오른쪽 빈자리 공백	123___
	%06d	6자리 정수. 왼쪽 빈자리 0 채움	000123
실수	%10.2f	정수 7자리+소수점+소수 2자리. 왼쪽 빈자리 공백	____123.45
	%-10.2f	정수 7자리+소수점+소수 2자리. 오른쪽 빈자리 공백	123.45____
	%010.2f	정수 7자리+소수점+소수 2자리. 왼쪽 빈자리 0 채움	0000123.45
문자열	%s	문자열	abc
	%6s	6자리 문자열. 왼쪽 빈자리 공백	___abc
	%-6s	6자리 문자열. 오른쪽 빈자리 공백	abc___
특수 문자	\t	탭(tab)	
	\n	줄바꿈	
	%%	%	%

>>> PrintfExample.java

```java
package ch02.sec12;

public class PrintfExample {
  public static void main(String[] args) {
    int value = 123;
    System.out.printf("상품의 가격:%d원\n", value);
    System.out.printf("상품의 가격:%6d원\n", value);
    System.out.printf("상품의 가격:%-6d원\n", value);
    System.out.printf("상품의 가격:%06d원\n", value);

    double area = 3.14159 * 10 * 10;
    System.out.printf("반지름이 %d인 원의 넓이:%10.2f\n", 10, area);

    String name = "홍길동";
    String job = "도적";
    System.out.printf("%6d | %-10s | %10s\n", 1, name, job);
  }
}
```

실행 결과

```
상품의 가격:123원
상품의 가격:    123원
상품의 가격:123    원
상품의 가격:000123원
반지름이 10인 원의 넓이:     314.16
     1 ¦ 홍길동          ¦           도적
```

2.13 키보드 입력 데이터를 변수에 저장

키보드로부터 입력된 데이터를 읽는 방법은 여러 가지가 있지만 이것은 17장에서 자세히 다루기로 하고, 여기서는 기업체 코딩 테스트 문제에서 주로 사용하는 방법을 소개하려고 한다. 앞으로 우리 책의 예제나 확인문제에서 키보드로부터 데이터를 입력받을 때 사용하면 된다.

키보드로부터 입력된 데이터를 읽고 변수에 저장하는 가장 쉬운 방법은 Scanner를 사용하는 것이다. 다음과 같이 Scanner 타입 변수를 선언하고, 대입 연산자 =를 사용해서 new 연산자로 생성한 Scanner 객체를 변수에 대입한다. new 연산자는 6장에서 자세히 설명한다.

생성된 Scanner를 변수에 대입

```
Scanner scanner = new Scanner(System.in);
```

scanner 변수 선언 / Scanner 객체 생성

그리고 다음과 같이 scanner.nextLine()을 실행하면 키보드로 입력된 내용을 문자열로 읽고 좌측 String 변수에 저장할 수 있다.

읽은 문자열을 String 변수에 저장

```
String inputData = scanner.nextLine();
```

String 변수 선언 / Enter 키를 누르면 입력된 문자열을 읽음

scanner.nextLine()은 Enter 키가 입력되기 전까지 블로킹(대기) 상태가 되며, Enter 키가 입력되면 지금까지 입력된 모든 내용을 문자열로 읽는다.

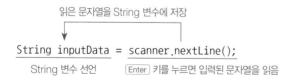

>>> **ScannerExample.java**

```java
package ch02.sec13;

import java.util.Scanner;

public class ScannerExample {
  public static void main(String[] args) throws Exception {
    Scanner scanner = new Scanner(System.in);

    System.out.print("x 값 입력: ");
    String strX = scanner.nextLine();
    int x = Integer.parseInt(strX);

    System.out.print("y 값 입력: ");
    String strY = scanner.nextLine();
    int y = Integer.parseInt(strY);

    int result = x + y;
    System.out.println("x + y: " + result);
    System.out.println();

    while(true) {
      System.out.print("입력 문자열: ");
      String data = scanner.nextLine();
      if(data.equals("q")) {
        break;
      }
      System.out.println("출력 문자열: " + data);
      System.out.println();
    }

    System.out.println("종료");
  }
}
```

Scanner가 java.util 패키지에 있다는 것을 컴파일러에게 알려 주는 역할을 한다. import에 대한 자세한 내용은 6장에서 설명한다.

중괄호 { } 안을 무한히 반복 실행함

입력된 문자열이 q라면 반복을 중지

실행 결과

```
x 값 입력: 3
y 값 입력: 5
x + y: 8
```

```
입력 문자열: Hello
출력 문자열: Hello

입력 문자열: 안녕하세요
출력 문자열: 안녕하세요

입력 문자열: q
종료
```

21라인의 while(true) 문은 중괄호 안을 무한히 반복 실행하는 코드로, 4장에서 자세히 설명한다. 24~26라인은 입력된 문자열이 q라면 반복을 중단하는 코드이다.

자바는 기본 타입(byte, short, int, long, float, double, boolean) 값이 동일한지 비교할 때는 ==를 사용하고, String 타입 값이 동일한지 비교할 때에는 equals()를 사용한다. String 타입과 비교에 대해서는 5장에서 자세히 설명한다.

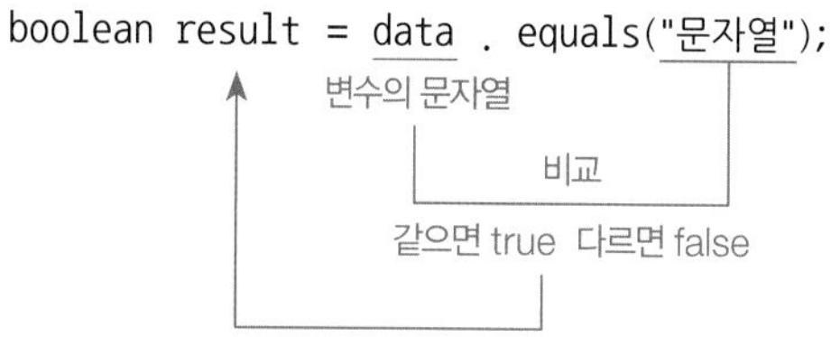

1. 변수에 대해 잘못 설명한 것은 무엇입니까?

❶ 변수는 하나의 값만 저장할 수 있다.

❷ 변수는 선언 시에 사용한 타입의 값만 저장할 수 있다.

❸ 변수는 변수가 선언된 중괄호 {} 안에서만 사용 가능하다.

❹ 변수는 초기값이 저장되지 않은 상태에서 읽을 수 있다.

2. 변수 이름으로 사용할 수 없는 것을 모두 선택하세요.

❶ modelName ❷ class

❸ 6hour ❹ $value

❺ _age ❻ #name

❼ int

3. 다음 표의 빈 칸에 자바의 기본 타입 8개를 적어 보세요.

타입 \ 크기	1byte	2byte	4byte	8byte
정수타입	( )	( ) ( )	( )	( )
실수타입			( )	( )
논리타입	( )			

4. 다음 코드에서 타입, 변수 이름, 리터럴에 해당하는 것을 적어 보세요.

```
int age;
age = 10;
double price = 3.14;
```

타입: (   ), (   )

변수 이름: (   ), (   )

리터럴: (   ), (   )

5. 다음 자동 타입 변환에서 컴파일 에러가 발생하는 것을 선택하세요.

```
byte byteValue = 10;
char charValue = 'A';
```

❶ int intValue = byteValue;

❷ int intValue = charValue;

❸ short shortValue = charValue;

❹ double doubleValue = byteValue;

6. 다음 강제 타입 변환에서 컴파일 에러가 발생하는 것을 선택하세요.

```
int intValue = 10;
char charValue = 'A';
double doubleValue = 5.7;
String strValue = "A";
```

❶ double var = (double) intValue;

❷ byte var = (byte) intValue;

❸ int var = (int) doubleValue;

❹ char var = (char) strValue;

7. 변수를 잘못 초기화한 것은 무엇입니까?

❶ int var1 = 10;

❷ long var2 = 10000000000L;

❸ char var3 = ' '; //작은따옴표 두 개가 붙어 있음

❹ float var4 = 10;

❺ String var5 = "abc₩ndef";

❻ String var6 = """

abc

def

""";

8. 콘솔에 값을 입출력하는 방법에 대해 잘못 설명한 것을 선택하세요.

❶ System.out.print(변수)는 변수값을 출력시키고 행을 바꾸지 않는다.

❷ System.out.println(변수)는 변수값을 출력시키고 행을 바꾼다.

❸ System.out.printf("형식", 변수)는 주어진 형식대로 변수값을 바꾼다.

❹ Scanner의 nextLine() 메소드는 콘솔에 입력된 내용을 문자열로 읽는다.

9. 연산식의 타입 변환 중에서 컴파일 에러가 발생하는 것을 선택하세요.

```
byte byteValue = 10;
float floatValue = 2.5F;
double doubleValue = 2.5;
```

❶ byte result = byteValue + byteValue;

❷ int result = 5 + byteValue;

❸ float result = 5 + floatValue;

❹ double result = 5 + doubleValue;

10. 문자열을 기본 타입으로 변환하는 코드로 틀린 것을 고르세요.

```
String str = "5";
```

❶ byte var1 = Byte.parseByte(str);

❷ int var2 = Int.parseInt(str);

❸ float var3 = Float.parseFloat(str);

❹ double var4 = Double.parseDouble(str);

11. 다음 코드에서 컴파일 에러가 발생하는 라인을 모두 적어 보세요.

```
1   int v1 = 1;
2   System.out.println("v1: " + v1);
3   if(true) {
4     int v2 = 2;
5     if(true) {
6       int v3 = 2;
7       System.out.println("v1: " + v1);
8       System.out.println("v2: " + v2);
9       System.out.println("v3: " + v3);
10    }
11    System.out.println("v1: " + v1);
12    System.out.println("v2: " + v2);
13    System.out.println("v3: " + v3);
14  }
15  System.out.println("v1: " + v1);
16  System.out.println("v2: " + v2);
```

Chapter

03

연산자

3.1 부호/증감 연산자

부호 연산자는 변수의 부호를 유지하거나 변경한다.

연산식		설명
+	피연산자	피연산자의 부호 유지
-	피연산자	피연산자의 부호 변경

\+ 연산자는 잘 사용되지 않고, - 연산자는 변수값의 부호를 변경할 때 사용된다. 주의할 점은 부호 변경 후의 타입이다. 다음 코드는 컴파일 에러가 발생한다.

```
byte b = 100;
byte result = -b;    //컴파일 에러
```

정수 타입(byte, short, int) 연산의 결과는 int 타입이다. 부호를 변경하는 것도 연산이므로 다음과 같이 int 타입 변수에 대입해야 한다.

```
byte b = 100;
int result = -b;
```

>>> SignOperatorExample.java

```java
package ch03.sec01;

public class SignOperatorExample {
  public static void main(String[] args) {
    int x = -100;
    x = -x;
    System.out.println("x: " + x);

    byte b = 100;
    int y = -b;
    System.out.println("y: " + y);
  }
}
```

실행 결과

```
x: 100
y: -100
```

증감 연산자(++, --)는 변수의 값을 1 증가시키거나 1 감소시키는 연산자이다.

연산식		설명
++	피연산자	피연산자의 값을 1 증가시킴
--	피연산자	피연산자의 값을 1 감소시킴
피연산자	++	다른 연산을 수행한 후에 피연산자의 값을 1 증가시킴
피연산자	--	다른 연산을 수행한 후에 피연산자의 값을 1 감소시킴

변수 단독으로 증감 연산자가 사용될 경우에는 변수의 앞뒤 어디에 붙어도 결과는 동일하다.

```
++i;  } 모두 i = i + 1; 로 동일
i++;  }

--i;  } 모두 i = i - 1; 로 동일
i--;  }
```

하지만 여러 개의 연산자가 포함되어 있는 연산식에서는 증감 연산자의 위치에 따라 결과가 달라진다. 증감 연산자가 변수 앞에 있으면 우선 변수를 1 증가 또는 1 감소시킨 후에 다른 연산을 수행한다. 증감 연산자가 변수 뒤에 있으면 모든 연산을 끝낸 후에 변수를 1 증가 또는 1 감소시킨다.

```
int x = 1;
int y = 1;
int result1 = ++x + 10;  ➜  x를 1 증가                ➜  int result1 = 2 + 10;
int result2 = y++ + 10;  ➜  int result2 = 1 + 10;  ➜  y를 1 증가
```

위 코드에서 result1과 result2에는 각각 12와 11이 저장된다. 그리고 최종 x와 y의 값은 2가 된다.

››› **IncreaseDecreaseOperatorExample.java**

```java
package ch03.sec01;

public class IncreaseDecreaseOperatorExample {
  public static void main(String[] args) {
    int x = 10;
    int y = 10;
    int z;

    x++;
    ++x;
    System.out.println("x=" + x);

    System.out.println("-----------------------");
    y--;
    --y;
    System.out.println("y=" + y);

    System.out.println("-----------------------");
    z = x++;
    System.out.println("z=" + z);
    System.out.println("x=" + x);

    System.out.println("-----------------------");
    z = ++x;
    System.out.println("z=" + z);
    System.out.println("x=" + x);

    System.out.println("-----------------------");
    z = ++x + y++;
    System.out.println("z=" + z);
    System.out.println("x=" + x);
    System.out.println("y=" + y);
  }
}
```

실행 결과

```
x=12
-----------------------
y=8
-----------------------
z=12
x=13
-----------------------
z=14
x=14
-----------------------
z=23
x=15
y=9
```

3.2 산술 연산자

산술 연산자는 더하기(+), 빼기(−), 곱하기(*), 나누기(/), 나머지(%)로 총 5개이다.

연산식			설명
피연산자	+	피연산자	덧셈 연산
피연산자	−	피연산자	뺄셈 연산
피연산자	*	피연산자	곱셈 연산
피연산자	/	피연산자	나눗셈 연산
피연산자	%	피연산자	나눗셈의 나머지를 산출하는 연산

곱셈의 경우 *를 사용하고 나눗셈의 경우 /를 사용한다는 것이 일반 수학과 다르다. % 연산자는 나눗셈을 수행한 후에 몫이 아닌 나머지를 산출하는 연산자이다.

```
int result = num % 3;
```

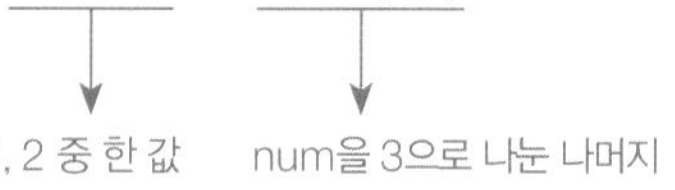

산술 연산의 특징은 다음과 같다(2.9절 참고).

- 피연산자가 정수 타입(byte, short, char, int)이면 연산의 결과는 int 타입이다.
- 피연산자가 정수 타입이고, 그 중 하나가 long 타입이면 연산의 결과는 long 타입이다.
- 피연산자 중 하나가 실수 타입이면 연산의 결과는 실수 타입이다.

>>> **ArithmeticOperatorExample.java**

```java
package ch03.sec02;

public class ArithmeticOperatorExample {
  public static void main(String[] args) {
    byte v1 = 10;
    byte v2 = 4;
    int v3 = 5;
    long v4 = 10L;

    int result1 = v1 + v2;  //모든 피연산자는 int 타입으로 자동 변환 후 연산
    System.out.println("result1: " + result1);

    long result2 = v1 + v2 - v4; //모든 피연산자는 long 타입으로 자동 변환 후 연산
    System.out.println("result2: " + result2);

    double result3 = (double) v1 / v2;  //double 타입으로 강제 변환 후 연산
    System.out.println("result3: " + result3);

    int result4 = v1 % v2;
    System.out.println("result4: " + result4);
  }
}
```

실행 결과

```
result1: 14
result2: 4
result3: 2.5
result4: 2
```

3.3 오버플로우와 언더플로우

오버플로우overflow란 타입이 허용하는 최대값을 벗어나는 것을 말한다. 반대로 언더플로우underflow는 타입이 허용하는 최소값을 벗어나는 것을 말한다. 정수 타입 연산에서 오버플로우 또는 언더플로우가 발생되면 실행 에러가 발생할 것 같지만, 그렇지는 않고 해당 정수 타입의 최소값 또는 최대값으로 되돌아간다.

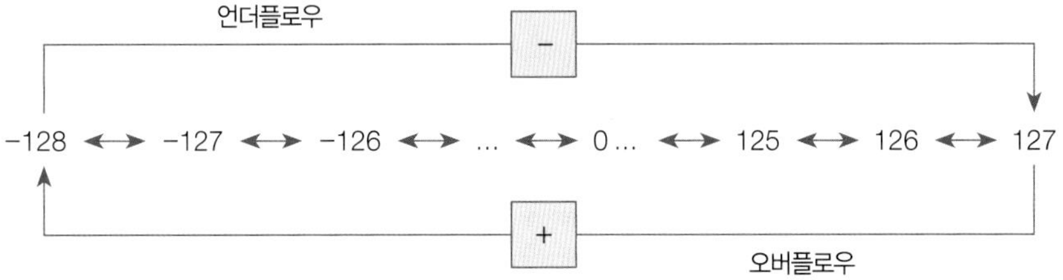

예를 들어 byte 타입일 경우 최대값 127에서 1을 더하면 128이 되어 오버플로우가 발생하고, 연산 결과는 최소값인 −128이 된다. 그리고 다시 1을 더하면 −127이 된다.

```
byte value = 127;
value++;                      //value 값에 1을 더함
System.out.println(value);    //-128
```

마찬가지로 −128에서 1을 빼면 −129가 되어 언더플로우가 발생하는데, 연산 결과는 최대값인 127이 된다. 그리고 다시 1을 빼면 126이 된다.

```
byte value = -128;
value--;                      //value 값에 1을 뺌
System.out.println(value);    //127
```

short, int, long 타입은 값의 범위만 다를 뿐, 오버플로우 및 언더플로우가 발생했을 때 마찬가지로 최소값 또는 최대값으로 되돌아간다.

>>> OverflowUnderflowExample.java

```java
package ch03.sec03;

public class OverflowUnderflowExample {
  public static void main(String[] args) {
    byte var1 = 125;
    for(int i=0; i<5; i++) {     //{ }를 5번 반복 실행
      var1++;                    //++ 연산은 var1의 값을 1 증가시킨다.
      System.out.println("var1: " + var1);
    }

    System.out.println("-----------------------");

    byte var2 = -125;
    for(int i=0; i<5; i++) {     //{ }를 5번 반복 실행
      var2--;                    //-- 연산은 var2의 값을 1 감소시킨다.
      System.out.println("var2: " + var2);
    }
  }
}
```

실행 결과

```
var1: 126
var1: 127
var1: -128
var1: -127
var1: -126
-----------------------
var2: -126
var2: -127
var2: -128
var2: 127
var2: 126
```

연산 과정 중에 발생하는 오버플로우와 언더플로우는 우리가 기대하는 값이 아니므로 항상 해당 타입의 범위 내에서 연산이 수행되도록 코딩에 신경써야 한다. 만약 연산 과정에서 int 타입에서 오버플로우 또는 언더플로우가 발생될 가능성이 있다면 long 타입으로 연산을 하도록 해야 한다.

```
int x = 1000000;
int y = 1000000;
int z = x * y;     //z: -727379968;
```

위 코드는 1000000 * 1000000은 $10^6*10^6=10^{12}$이 되어 int 타입 허용 범위를 초과한 오버플로우가 발생한다. 올바른 값을 얻기 위해서는 다음과 같이 변수 x와 y 중 최소 하나라도 long 타입이 되어야 하고, 변수 z가 long 타입이어야 한다.

```
long x = 1000000;
long y = 1000000;
long z = x * y;     //long z = 1000000000000;
```

3.4 정확한 계산은 정수 연산으로

산술 연산을 정확하게 계산하고 싶다면 실수 타입을 사용하지 않는 것이 좋다. 다음 예제는 사과 1개를 0.1 단위의 10조각으로 보고, 그 중 7조각(0.7)을 뺀 3조각(0.3)을 result 변수에 저장한다.

>>> AccuracyExample1.java

```java
package ch03.sec04;

public class AccuracyExample1 {
  public static void main(String[] args) {
    int apple = 1;
    double pieceUnit = 0.1;
    int number = 7;

    double result = apple - number*pieceUnit;
    System.out.println("사과 1개에서 남은 양: " + result);
  }
}
```

실행 결과

```
사과 1개에서 남은 양: 0.29999999999999993
```

출력된 결과를 보면 result 변수의 값은 정확히 0.3이 되지 않는다. 이것은 부동 소수점 방식을 사용하는 실수 타입에서 흔히 일어난다. 그렇기 때문에 정확한 계산이 필요하다면 정수 연산으로 변경해서 다음과 같이 계산하는 것이 좋다.

>>> AccuracyExample2.java

```
package ch03.sec04;

public class AccuracyExample2 {
  public static void main(String[] args) {
    int apple = 1;
    int totalPieces = apple * 10;
    int number = 7;

    int result = totalPieces - number;
    System.out.println("10조각에서 남은 조각: " + result);
    System.out.println("사과 1개에서 남은 양: " + result/10.0);
  }
}
```

실행 결과

```
10조각에서 남은 조각: 3
사과 1개에서 남은 양: 0.3
```

3.5 나눗셈 연산 후 NaN과 Infinity 처리

나눗셈(/) 또는 나머지(%) 연산에서 좌측 피연산자가 정수이고 우측 피연산자가 0일 경우 예외(ArithmeticException)가 발생한다. 무한대의 값을 정수로 표현할 수 없기 때문이다.

```
5 / 0  →  예외 발생
5 % 0  →  예외 발생
```

하지만 좌측 피연산자가 실수이거나 우측 피연산자가 0.0 또는 0.0f이면 예외가 발생하지 않고 연산의 결과는 Infinity(무한대) 또는 NaN(Not a Number)이 된다.

```
5 / 0.0  →  Infinity
5 % 0.0  →  NaN
```

Infinity 또는 NaN 상태에서 계속해서 연산을 수행하면 안 된다. 어떤 연산을 하더라도 결과는 계속해서 Infinity와 NaN이 되므로 데이터가 엉망이 될 수 있다.

```
Infinity + 2  →  Infinity
NaN + 2       →  NaN
```

그렇기 때문에 /와 % 연산의 결과가 Infinity 또는 NaN인지 먼저 확인하고 다음 연산을 수행하는 것이 좋다. 이를 확인하기 위해서는 Double.isInfinite()와 Double.isNaN()를 사용한다. 이렇게 하면 변수값이 Infinity 또는 NaN일 경우 true를, 그렇지 않다면 false를 산출한다.

```
boolean result = Double.isInfinite(변수);
boolean result = Double.isNaN(변수);
```

다음 예제에서 7라인과 8라인을 번갈아 주석 처리하며 실행해 보자.

>>> **InfinityAndNaNCheckExample.java**

```
1   package ch03.sec05;
2
3   public class InfinityAndNaNCheckExample {
4     public static void main(String[] args) {
5       int x = 5;
6       double y = 0.0;
7       double z = x / y;
8       //double z = x % y;
9
10      //잘못된 코드
```

```
11          System.out.println(z + 2);
12
13          //알맞은 코드
14          if(Double.isInfinite(z) || Double.isNaN(z)) {
15            System.out.println("값 산출 불가");
16          } else {
17            System.out.println(z + 2);
18          }
19        }
20      }
```

실행 결과

```
Infinity 또는 NaN
값 산출 불가
```

14라인의 if 조건식 Double.isInfinite(z) || Double.isNaN(z)는 Double.isInfinite(z)와 Double.isNaN(z) 중에서 하나가 true가 되면 전체 조건식이 true가 된다. 즉 변수 z가 Infinity이거나 NaN이 되면 if 조건식이 true가 되어 15라인을 실행하고, 그렇지 않으면 17라인을 실행한다. || 연산자는 3.7절에서 설명한다.

```
if( Double.isInfinite(z) || Double.isNaN(z) ) {
  System.out.println("값 산출 불가");
} else {
  System.out.println(z + 2);
}
```

false일 경우에만 연산

3.6 비교 연산자

비교 연산자는 동등(==, !=) 또는 크기(〈, 〈=, 〉, 〉=)를 평가해서 boolean 타입인 true/false를 산출한다. 비교 연산자는 흐름 제어문인 조건문(if), 반복문(for, while)에서 실행 흐름을 제어할 때 주로 사용된다.

구분	연산식			설명
동등 비교	피연산자1	==	피연산자2	두 피연산자의 값이 같은지 검사
	피연산자1	!=	피연산자2	두 피연산자의 값이 다른지 검사
크기 비교	피연산자1	>	피연산자2	피연산자1이 큰지 검사
	피연산자1	>=	피연산자2	피연산자1이 크거나 같은지 검사
	피연산자1	<	피연산자2	피연산자1이 작은지 검사
	피연산자1	<=	피연산자2	피연산자1이 작거나 같은지 검사

피연산자의 타입이 다를 경우에는 비교 연산을 수행하기 전에 타입을 일치시킨다. 예를 들어 'A' == 65는 'A'가 int 타입으로 변환되어 65가 된 다음 65 == 65로 비교한다. 마찬가지로 3 == 3.0은 3을 double 타입인 3.0으로 변환한 다음 3.0 == 3.0으로 비교한다.

```
'A' == 65  ➜  true
3 == 3.0   ➜  true
```

한 가지 예외가 있다. 0.1f == 0.1에서 0.1f가 double 타입으로 변환되면 0.1 == 0.1이 되어 true가 산출되어야 하지만, 이 결과값은 false가 산출된다.

```
0.1f == 0.1  ➜  false
```

그 이유는 부동 소수점 방식을 사용하는 실수 타입은 0.1을 정확히 표현할 수 없을 뿐만 아니라 float 타입과 double 타입의 정밀도 차이 때문이다. 해결책은 다음과 같이 피연산자를 float 타입으로 강제 타입 변환 후에 비교 연산을 하면 된다.

```
0.1f == (float) 0.1  ➜  true
```

문자열을 비교할 때에는 동등(==, !=) 연산자 대신 equals()와 !equals()를 사용한다. 그 이유는 5장에서 자세히 설명한다.

```
boolean result = str1.equals(str2);      //문자열이 같은지 검사(대소문자 구분)
                 원본 문자열  비교 문자열
boolean result = ! str1.equals(str2);    //문자열이 다른지 검사
```

>>> CompareOperatorExample.java

```java
package ch03.sec06;

public class CompareOperatorExample {
  public static void main(String[] args) {
    int num1 = 10;
    int num2 = 10;
    boolean result1 = (num1 == num2);
    boolean result2 = (num1 != num2);
    boolean result3 = (num1 <= num2);
    System.out.println("result1: " + result1);
    System.out.println("result2: " + result2);
    System.out.println("result3: " + result3);

    char char1 = 'A';
    char char2 = 'B';
    boolean result4 = (char1 < char2);   //65 < 66
    System.out.println("result4: " + result4);

    int num3 = 1;
    double num4 = 1.0;
    boolean result5 = (num3 == num4);
    System.out.println("result5: " + result5);

    float num5 = 0.1f;
    double num6 = 0.1;
    boolean result6 = (num5 == num6);
    boolean result7 = (num5 == (float)num6);
    System.out.println("result6: " + result6);
    System.out.println("result7: " + result7);

    String str1 = "자바";
    String str2 = "Java";
    boolean result8 = (str1.equals(str2));
    boolean result9 = (! str1.equals(str2));
    System.out.println("result8: " + result8);
    System.out.println("result9: " + result9);
  }
}
```

실행 결과

```
result1: true
result2: false
result3: true
result4: true
result5: true
result6: false
result7: true
result8: false
result9: true
```

3.7 논리 연산자

논리 연산자는 논리곱(&&), 논리합(||), 배타적 논리합(^) 그리고 논리 부정(!) 연산을 수행한다. 논리 연산은 흐름 제어문인 조건문(if), 반복문(for, while) 등에서 주로 이용된다.

구분	연산식			결과	설명
AND (논리곱)	true	&& 또는 &	true	true	피연산자 모두가 true일 경우에만 연산 결과가 true
	true		false	false	
	false		true	false	
	false		false	false	
OR (논리합)	true	|| 또는 |	true	true	피연산자 중 하나만 true이면 연산 결과는 true
	true		false	true	
	false		true	true	
	false		false	false	
XOR (배타적 논리합)	true	^	true	false	피연산자가 하나는 true이고 다른 하나가 false일 경우에만 연산 결과가 true
	true		false	true	
	false		true	true	
	false		false	false	
NOT (논리 부정)		!	true	false	피연산자의 논리값을 바꿈
			false	true	

&&와 &는 산출 결과는 같지만 연산 과정이 조금 다르다. &&는 앞의 피연산자가 false라면 뒤의 피연산자를 평가하지 않고 바로 false를 산출한다. 그러나 &는 두 피연산자 모두를 평가해서 산출 결과를 낸다. 따라서 &보다는 &&가 더 효율적으로 동작한다. ||와 |도 마찬가지이다. ||는 앞의 피연산자가 true라면 뒤의 피연산자를 평가하지 않고 바로 true를 산출하지만, |는 두 피연산자 모두를 평가해서 산출 결과를 낸다.

다음 예제는 if문의 조건식에 논리 연산자를 사용하였다. 조건식이 true라면 if 블록을 실행한다. 5~7라인과 23~24라인의 주석을 옮겨 가며 실행해 보길 바란다.

›› LogicalOperatorExample.java

```
1   package ch03.sec07;
2
3   public class LogicalOperatorExample {
4     public static void main(String[] args) {
5       int charCode = 'A';
6       //int charCode = 'a';
7       //int charCode = '5';
8
9       if( (65<=charCode) & (charCode<=90) ) {
10        System.out.println("대문자이군요.");
11      }
12
13      if( (97<=charCode) && (charCode<=122) ) {
14        System.out.println("소문자이군요.");
15      }
16
17      if( (48<=charCode) && (charCode<=57) ) {
18        System.out.println("0~9 숫자이군요.");
19      }
20
21      //----------------------------------------------------------
22
23      int value = 6;
24      //int value = 7;
25
26      if( (value%2==0) | (value%3==0) ) {
27        System.out.println("2 또는 3의 배수이군요.");
```

```java
        }

        boolean result = (value%2==0) || (value%3==0);
        if( !result ) {
          System.out.println("2 또는 3의 배수가 아니군요.");
        }
      }
    }
```

실행 결과

```
대문자이군요.
2 또는 3의 배수이군요.
```

3.8 비트 논리 연산자

비트 논리 연산자는 bit 단위로 논리 연산을 수행한다. 0과 1이 피연산자가 되므로 2진수 0과 1로 저장되는 정수 타입(byte, short, int, long)만 피연산자가 될 수 있고, 부동 소수점 방식으로 저장되는 실수 타입(float, double)은 피연산자가 될 수 없다.

다음은 비트 논리 연산자의 종류를 보여 준다. 피연산자가 1, 0이라는 것과 산출 결과가 1, 0이라는 점에 주목하자. 1은 true, 0은 false라고 생각한다면 3.7절의 논리 연산자와 차이가 없다.

<table>
<tr><th>구분</th><th colspan="3">연산식</th><th>결과</th><th>설명</th></tr>
<tr><td rowspan="4">AND
(논리곱)</td><td>1</td><td rowspan="4">&</td><td>1</td><td>1</td><td rowspan="4">두 비트 모두 1일 경우에만
연산 결과가 1</td></tr>
<tr><td>1</td><td>0</td><td>0</td></tr>
<tr><td>0</td><td>1</td><td>0</td></tr>
<tr><td>0</td><td>0</td><td>0</td></tr>
<tr><td rowspan="4">OR
(논리합)</td><td>1</td><td rowspan="4">|</td><td>1</td><td>1</td><td rowspan="4">두 비트 중 하나만 1이면
연산 결과는 1</td></tr>
<tr><td>1</td><td>0</td><td>1</td></tr>
<tr><td>0</td><td>1</td><td>1</td></tr>
<tr><td>0</td><td>0</td><td>0</td></tr>
</table>

구분	연산식			결과	설명
XOR (배타적 논리합)	1	^	1	0	두 비트 중 하나는 1이고 다른 하나가 0일 경우 연산 결과는 1
	1		0	1	
	0		1	1	
	0		0	0	
NOT (논리 부정)		~	1	0	보수
			0	1	

45와 25를 비트 논리 연산해 보자. 먼저 45를 2진수로 표현하면 다음과 같다.

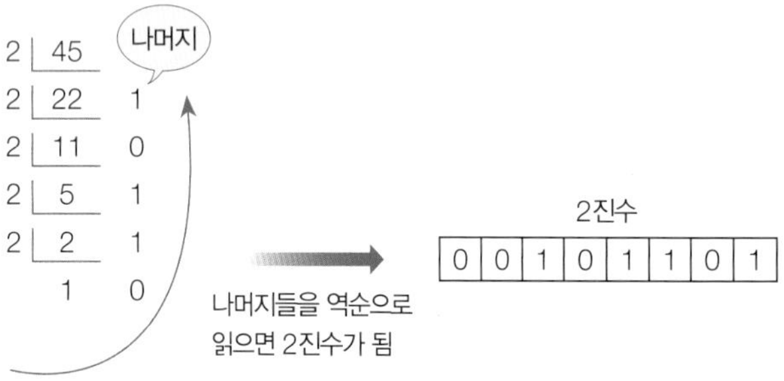

25를 2진수로 표현하면 다음과 같다.

45와 25의 2진수로 비트 논리곱(&)과 논리합(|) 연산을 수행하면 다음과 같다.

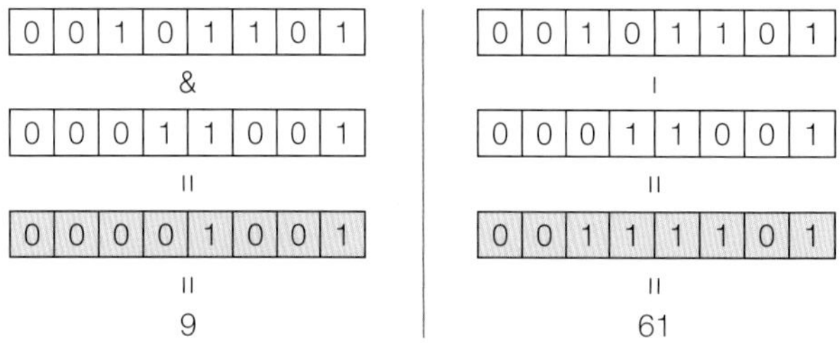

45와 25의 비트 배타적 논리합(^)과 45의 비트 논리 부정(~) 연산을 수행하면 다음과 같다.

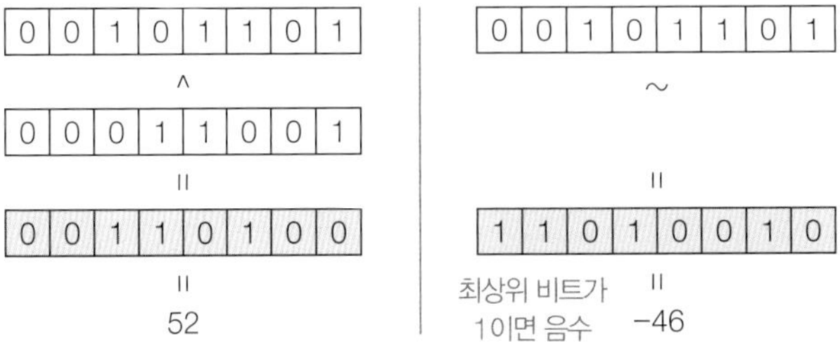

비트 논리 연산자는 byte, short, char 타입 피연산자를 int 타입으로 자동 변환한 후 연산을 수행한다. 따라서 연산 결과도 int 타입이 되므로 int 변수에 대입해야 한다.

```
byte num1 = 45;
byte num2 = 25;
byte result = num1 & num2;   //컴파일 에러
int result = num1 & num2;
```

실제로 45와 25의 비트 연산은 4byte인 int 타입으로 변환된 후 다음과 같이 연산된다.

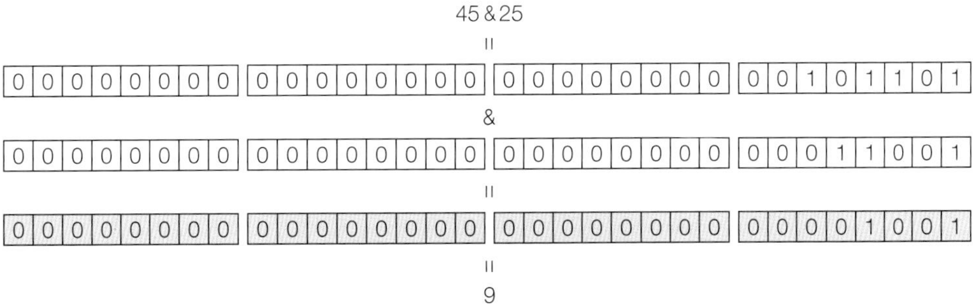

비트 논리 연산이 왜 필요한지 예를 하나 들어 보자. 소형 임베디드 장치의 C 프로그램에서 외부 서버의 자바 프로그램으로 데이터를 전달한다고 가정하자. C 언어에는 uint8_t 타입이 있는데, 이 타입은 1byte 크기를 가지면서 0~255 값의 범위를 가진다.

C: uint8_t	Java: byte
허용 범위: 0 ~ 255	허용 범위: -128~127

C 프로그램이 uint8_t 타입 136을 2진수로 보내면, 자바는 2진수를 −120으로 읽게 된다. 그 이유는 자바는 최상위 비트가 1이면 음수로 인식하기 때문이다.

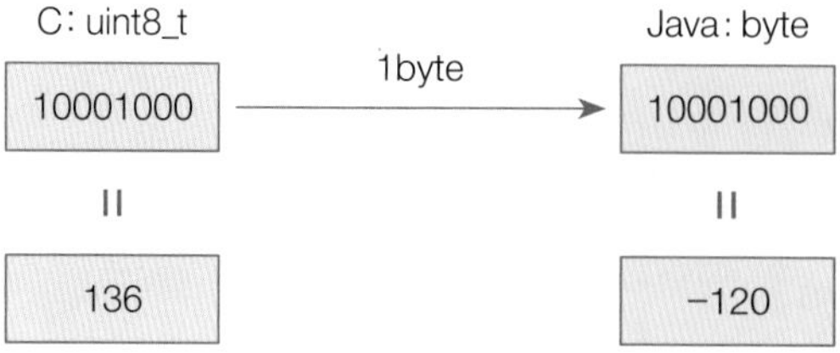

−120을 C 프로그램이 보낸 136으로 복원하고 싶다면 −120과 255를 비트 논리곱(&) 연산을 수행하면 된다.

```
byte receiveData = -120;
int unsignedInt = receiveData & 255;   //136
```

receiveData는 int 타입으로 변환되고, 다음과 같이 연산이 수행된다.

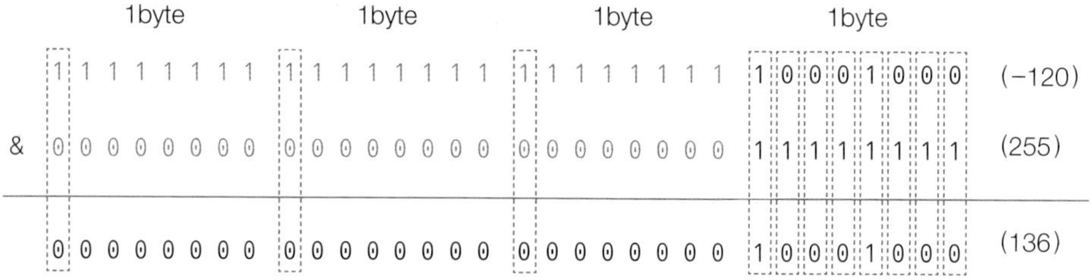

위와 같이 255와 비트 논리곱 연산을 수행하는 방법도 있지만, 자바는 개발자의 편리성을 위해 Byte.toUnsignedInt() 코드를 제공한다.

```
byte receiveData = -120;
int unsignedInt = Byte.toUnsignedInt(receiveData);   //136
```

>>> BitLogicExample.java

```
package ch03.sec08;

public class BitLogicExample {
  public static void main(String[] args) {
    System.out.println("45 & 25 = " + (45 & 25));
    System.out.println("45 | 25 = " + (45 | 25));
    System.out.println("45 ^ 25 = " + (45 ^ 25));
    System.out.println("~45 = " + (~45));
    System.out.println("-------------------------------");

    byte receiveData = -120;

    //방법1: 비트 논리곱 연산으로 Unsigned 정수 얻기
    int unsignedInt1 =  receiveData & 255;
    System.out.println(unsignedInt1);

    //방법2: 자바 API를 이용해서 Unsigned 정수 얻기
    int unsignedInt2 = Byte.toUnsignedInt(receiveData);
    System.out.println(unsignedInt2);

    int test = 136;
    byte btest = (byte) test;
    System.out.println(btest);
  }
}
```

실행 결과

```
45 & 25 = 9
45 | 25 = 61
45 ^ 25 = 52
~45 = -46
-------------------------------
136
136
-120
```

3.9 비트 이동 연산자

비트 연산자에는 논리 연산자 외에도 이동 연산자가 있다. 비트 이동 연산자는 비트를 좌측 또는 우측으로 밀어서 이동시키는 연산을 수행한다.

구분	연산식			설명
이동 (shift)	a	<<	b	정수 a의 각 비트를 b만큼 왼쪽으로 이동 오른쪽 빈자리는 0으로 채움 a x 2^b과 동일한 결과가 됨
	a	>>	b	정수 a의 각 비트를 b만큼 오른쪽으로 이동 왼쪽 빈자리는 최상위 부호 비트와 같은 값으로 채움 a / 2^b과 동일한 결과가 됨
	a	>>>	b	정수 a의 각 비트를 b만큼 오른쪽으로 이동 왼쪽 빈자리는 0으로 채움

좌측 이동 연산자(<<)를 사용하여 정수 1을 3비트만큼 왼쪽으로 이동시켜 보자.

```
int result = 1 << 3;
```

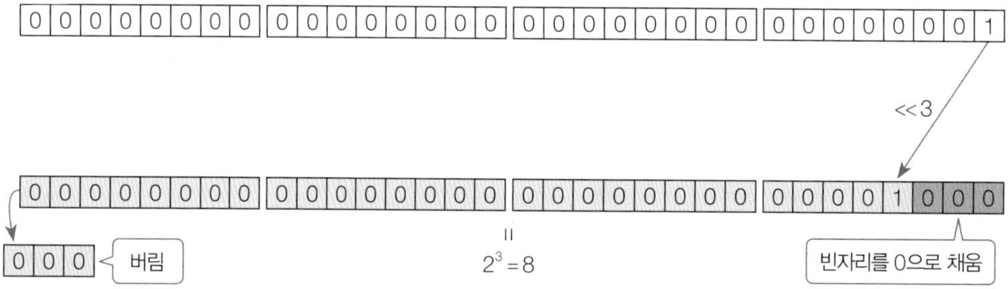

4byte(32bit) 전체를 왼쪽으로 3비트 이동하면 맨 왼쪽 3비트는 밀려서 버려지고, 맨 오른쪽에 새로 생기는 3비트는 0으로 채워진다. 따라서 result 변수에는 8이 저장된다. 좌측 이동 연산자(<<)는 다음과 같이 2의 거듭제곱을 곱한 결과와 동일하다.

```
1 << 3  =  1 x 2³  =  8
```

이번에는 우측 이동 연산자(>>)를 사용하여 정수 -8을 3비트만큼 오른쪽으로 이동시켜 보자.

```
int result = -8 >> 3;
```

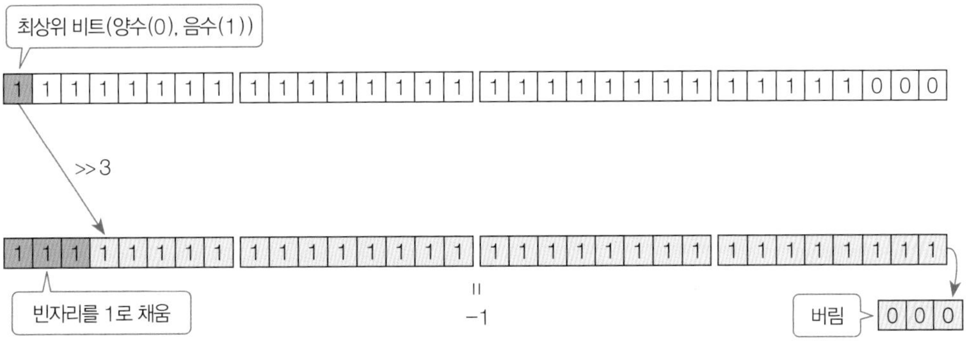

4byte(32bit) 전체를 오른쪽으로 3비트 이동할 때 맨 오른쪽 3비트는 밀려서 버려지고, 맨 왼쪽에 새로 생기는 3비트는 최상위 부호 비트와 동일한 값으로 채워진다. 4byte가 모두 1이면 정수 -1이므로 변수 result에는 -1이 저장된다. 우측 이동 연산자(>>)는 다음과 같이 2의 거듭제곱을 나눈 결과와 동일하다.

$$-8 >> 3 \ = \ -8 \ / \ 2^3 \ = \ -1$$

>>> **BitShiftExample1.java**

```java
package ch03.sec09;

public class BitShiftExample1 {
  public static void main(String[] args) {
    int num1 = 1;
    int result1 = num1 << 3;
    int result2 = num1 * (int) Math.pow(2, 3);
    System.out.println("result1: " + result1);
    System.out.println("result2: " + result2);

```

Math.pow(2, 3)은 2^3을 연산하고, double 값을 산출한다. int값으로 얻고 싶다면 (int)로 캐스팅해야 한다.

```java
        int num2 = -8;
        int result3 = num2 >> 3;
        int result4 = num2 / (int) Math.pow(2, 3);
        System.out.println("result3: " + result3);
        System.out.println("result4: " + result4);
    }
}
```

실행 결과

```
result1: 8
result2: 8
result3: -1
result4: -1
```

이번에는 우측 이동 연산자(>>>)를 사용하여 정수 -8을 3비트만큼 오른쪽으로 이동시켜 보자.

```java
int result = -8 >>> 3;
```

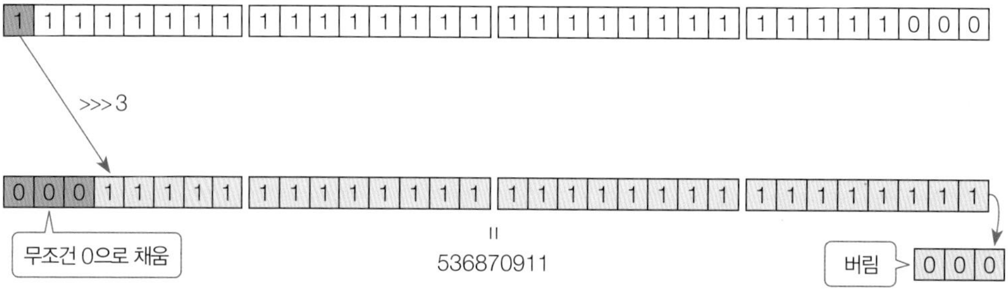

32비트 전체를 오른쪽으로 3비트 이동할 때 맨 오른쪽 3비트는 밀려서 버려지고, 맨 왼쪽에 새로 생기는 3비트는 무조건 0으로 채워진다. 이렇게 변환된 2진수를 10진수로 변환하면 536870911 값을 얻는다.

다음은 int 타입 값 772를 구성하는 4개의 byte를 각각 별도로 읽고, 부호 없는 정수(0~255)로 출력하는 예제이다. 772는 다음과 같이 4개의 byte로 구성되어 있다.

1byte	1byte	1byte	1byte	
0 0 0 0 0 0 0 0	0 0 0 0 0 0 0 0	0 0 0 0 0 0 1 1	0 0 0 0 0 1 0 0	(772)
॥	॥	॥	॥	
0	0	3	4	

>>> BitShiftExample2.java

```
package ch03.sec09;

public class BitShiftExample2 {
  public static void main(String[] args) {
    int value = 772;  //[00000000] [00000000] [00000011] [00000100]

    //우측으로 3byte(24bit) 이동하고 끝 1바이트만 읽음: [00000000]
    byte byte1 = (byte) (value >>> 24);
    int int1 = byte1 & 255;
    System.out.println("첫 번째 바이트 부호 없는 값: " + int1);

    //우측으로 2byte(16bit) 이동하고 끝 1바이트만 읽음: [00000000]
    byte byte2 = (byte)  (value >>> 16);
    int int2 = Byte.toUnsignedInt(byte2);
    System.out.println("두 번째 바이트 부호 없는 값: " + int2);

    //우측으로 1byte(8bit) 이동하고 끝 1바이트만 읽음: [00000011]
    byte byte3 = (byte) (value >>> 8);
    int int3 = byte3 & 255;
    System.out.println("세 번째 바이트 부호 없는 값: " + int3);

    //끝 1바이트만 읽음: [00000100]
    byte byte4 = (byte) value;
    int int4 = Byte.toUnsignedInt(byte4);
    System.out.println("네 번째 바이트 부호 없는 값: " + int4);
  }
}
```

실행 결과

```
첫 번째 바이트 부호 없는 값: 0
두 번째 바이트 부호 없는 값: 0
세 번째 바이트 부호 없는 값: 3
네 번째 바이트 부호 없는 값: 4
```

3.10 대입 연산자

대입 연산자는 우측 피연산자의 값을 좌측 피연산자인 변수에 대입한다. 우측 피연산자에는 리터럴 및 변수, 그리고 다른 연산식이 올 수 있다. 대입 연산자의 종류에는 단순히 값을 대입하는 단순 대입 연산자가 있고, 정해진 연산을 수행한 후 결과를 대입하는 복합 대입 연산자가 있다.

구분	연산식			설명
단순 대입 연산자	변수	=	피연산자	우측의 피연산자의 값을 변수에 저장
복합 대입 연산자	변수	+=	피연산자	우측의 피연산자의 값을 변수의 값과 더한 후에 다시 변수에 저장 (변수 = 변수 + 피연산자)
	변수	-=	피연산자	우측의 피연산자의 값을 변수의 값에서 뺀 후에 다시 변수에 저장 (변수 = 변수 - 피연산자)
	변수	*=	피연산자	우측의 피연산자의 값을 변수의 값과 곱한 후에 다시 변수에 저장 (변수 = 변수 * 피연산자)
	변수	/=	피연산자	우측의 피연산자의 값으로 변수의 값을 나눈 후에 다시 변수에 저장 (변수 = 변수 / 피연산자)
	변수	%=	피연산자	우측의 피연산자의 값으로 변수의 값을 나눈 후에 나머지를 변수에 저장 (변수 = 변수 % 피연산자)
	변수	&=	피연산자	우측의 피연산자의 값과 변수의 값을 & 연산 후 결과를 변수에 저장 (변수 = 변수 & 피연산자)
	변수	|=	피연산자	우측의 피연산자의 값과 변수의 값을 | 연산 후 결과를 변수에 저장 (변수 = 변수 | 피연산자)
	변수	^=	피연산자	우측의 피연산자의 값과 변수의 값을 ^ 연산 후 결과를 변수에 저장 (변수 = 변수 ^ 피연산자)
	변수	<<=	피연산자	우측의 피연산자의 값과 변수의 값을 << 연산 후 결과를 변수에 저장 (변수 = 변수 << 피연산자)
	변수	>>=	피연산자	우측의 피연산자의 값과 변수의 값을 >> 연산 후 결과를 변수에 저장 (변수 = 변수 >> 피연산자)
	변수	>>>=	피연산자	우측의 피연산자의 값과 변수의 값을 >>> 연산 후 결과를 변수에 저장 (변수 = 변수 >>> 피연산자)

>>> AssignmentOperatorExample.java

```java
package ch03.sec10;

public class AssignmentOperatorExample {
  public static void main(String[] args) {
    int result = 0;
    result += 10;
    System.out.println("result=" + result);
    result -= 5;
    System.out.println("result=" + result);
    result *= 3;
    System.out.println("result=" + result);
    result /= 5;
    System.out.println("result=" + result);
    result %= 3;
    System.out.println("result=" + result);
  }
}
```

실행 결과

```
result=10
result=5
result=15
result=3
result=0
```

3.11 삼항(조건) 연산자

삼항 연산자(피연산자 ? 피연산자 : 피연산자)는 총 3개의 피연산자를 가진다. ? 앞의 피연산자에는 boolean 변수 또는 조건식이 오므로 조건 연산자라고도 한다. 이 값이 true이면 콜론(:) 앞의 피연산자가 선택되고, false이면 콜론 뒤의 피연산자가 선택된다.

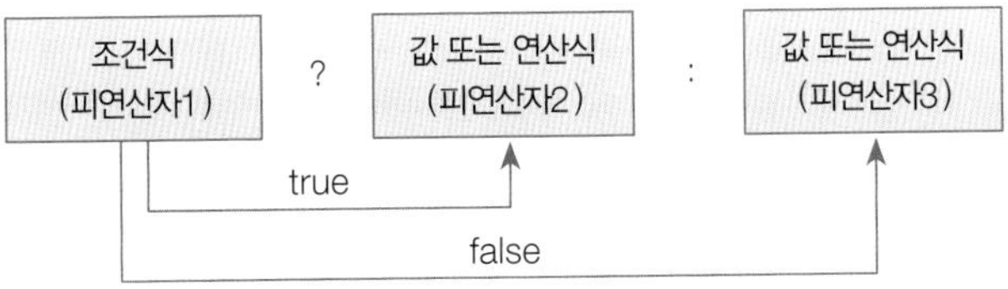

피연산자2와 3에는 주로 값이 오지만, 경우에 따라서는 다른 연산식이 올 수도 있다.

>>> ConditionalOperationExample.java

```java
package ch03.sec11;

public class ConditionalOperationExample {
  public static void main(String[] args) {
    int score = 85;
    char grade = (score > 90) ? 'A' : ( (score > 80) ? 'B' : 'C' );
    System.out.println(score + "점은 " + grade + "등급입니다.");
  }
}
```

실행 결과

```
85점은 B등급입니다.
```

3.12 연산의 방향과 우선순위

산술 연산식에서 덧셈(+), 뺄셈(−) 연산자보다는 곱셈(*), 나눗셈(/) 연산자가 우선 처리된다는 것을 우리는 이미 알고 있다. 그러면 다른 연산자들의 경우는 어떨까? 예를 들어 다음과 같은 연산식에서 && 연산자가 먼저 처리될까? 아니면 >, < 연산자가 먼저 처리될까?

```
x > 0 && y < 0
```

연산자는 우선순위가 정해져 있다. &&보다는 >, < 가 우선순위가 높기 때문에 x > 0과 y < 0이 먼저 처리되므로 &&는 x > 0과 y < 0의 산출값을 가지고 연산하게 된다.

그러면 우선순위가 같은 연산자들끼리는 어떤 순서로 처리될까? 이 경우는 연산의 방향에 따라 달라진다. 대부분의 연산자는 왼쪽에서부터 오른쪽으로(→) 연산을 수행한다. 예를 들어 다음 연산식을 보자.

```
100 * 2 / 3 % 5
```

*, /, %는 같은 우선순위를 갖고 있다. 이 연산자들은 연산 방향이 왼쪽에서 오른쪽으로 수행된다. 따라서 100 * 2가 제일 먼저 연산되어 200이 산출되고, 그 다음 200 / 3이 연산되어 66이 산출된다. 그 다음으로 66 % 5가 연산되어 결과값 1이 나온다.

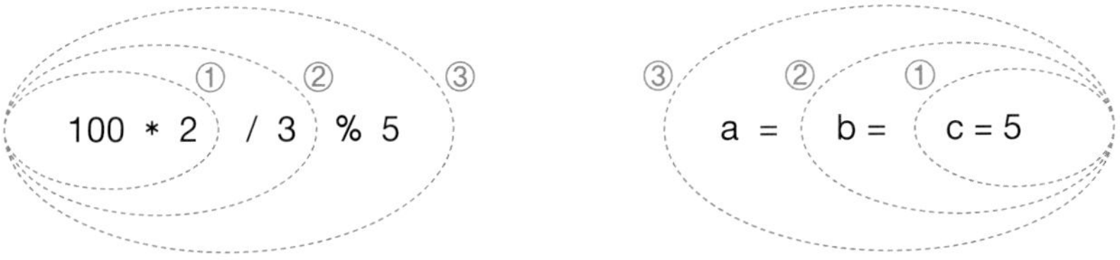

하지만 대입 연산자(=, +=, −=, …)는 오른쪽에서 왼쪽(←)으로 연산을 수행한다. 다음 연산식을 보자.

```
a = b = c = 5;
```

위 연산식은 c = 5, b = c, a = b 순서로 실행된다. 따라서 실행되고 난 후에는 a, b, c의 값이 모두 5가 된다. 이와 같이 연산자는 우선순위 및 연산 방향이 정해져 있기 때문에 복잡한 연산식에서는 주의가 필요하다. 다음은 연산자의 연산 방향과 우선순위를 정리한 표이다.

연산자	연산 방향	우선순위
증감(++, −−), 부호(+, −), 비트(~), 논리(!)	←	높음
산술(*, /, %)	→	
산술(+, −)	→	
쉬프트(<<, >>, >>>)	→	
비교(<, >, <=, >=, instanceof)	→	
비교(==, !=)	→	
논리(&)	→	
논리(^)	→	
논리(|)	→	
논리(&&)	→	
논리(||)	→	
조건(?:)	→	
대입(=, +=, −=, *=, /=, %=, &=, ^=, |=, <<=, >>=, >>>=)	←	낮음

위 표를 숙지했다 하더라도 여러 가지 연산자들이 섞여 있다면 어느 연산자가 먼저 처리될지 매우 혼란스러울 것이다. 그래서 먼저 처리해야 할 연산을 괄호()로 묶는 것을 추천한다. 괄호()는 최우선 순위를 가지기 때문이다.

예를 들어 다음 산술 연산식은 ①이 먼저 연산되고 ②가 나중에 연산된다.

```
int var1 = 1;
int var2 = 3;
int var3 = 2;
int result = var1 + var2 * var3;
```

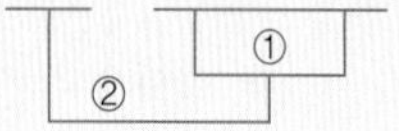

만약 var1 + var2를 먼저 연산하고 싶다면 괄호()로 묶어 준다. 괄호 부분의 연산은 최우선순위를 갖기 때문에 * 연산자보다 우선 연산된다.

```
int result = (var1 + var2) * var3;
```

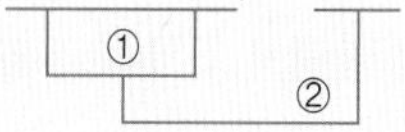

1. 다음 코드를 실행했을 때 출력 결과를 작성해 보세요.

```
int x = 10;
int y = 20;
int z = (++x) + (y--);
System.out.println(z);
```

2. 다음 코드를 실행했을 때 출력 결과를 작성해 보세요.

```
int score = 85;
String result = (!(score>90))? "가":"나";
System.out.println(result);
```

3. 534자루의 연필을 30명의 학생들에게 똑같은 개수로 나누어 줄 때 1인당 몇 개를 가질 수 있고, 마지막에 몇 개가 남는지를 구하는 코드입니다. ( )에 들어갈 알맞은 코드를 차례대로 작성해 보세요.

```
int pencils = 534;
int students = 30;

//학생 한 명이 가지는 연필 수
int pencilsPerStudent = (                          );
System.out.println(pencilsPerStudent);

//남은 연필 수
int pencilsLeft = (                        );
System.out.println(pencilsLeft);
```

4. 다음은 십의 자리 이하를 버리는 코드입니다. 변수 value의 값이 356이라면 300이 나올 수 있도록 ( )에 알맞은 코드를 작성하세요(산술 연산자만 사용).

```
int value = 356;
System.out.println(                 );
```

5. 다음 코드는 사다리꼴의 넓이를 구하는 코드입니다. 정확히 소수 자릿수가 나올 수 있도록 ( )에 들어갈 수 있는 코드를 모두 선택하세요.

```
int lengthTop = 5;
int lengthBottom = 10;
int height = 7;
double area = (                          );
System.out.println(area);
```

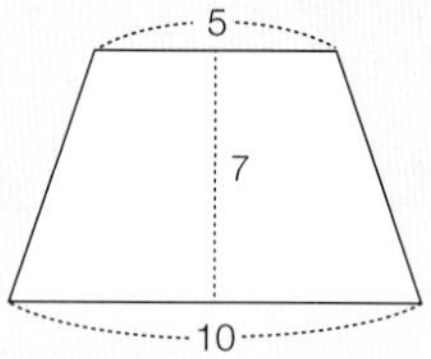

❶ (lengthTop+lengthBottom) * height / 2.0

❷ (lengthTop+lengthBottom) * height * 1.0 / 2

❸ (double)(lengthTop+lengthBottom) * height / 2

❹ (double)((lengthTop+lengthBottom) * height / 2)

6. 다음 코드는 비교 연산자와 논리 연산자의 복합 연산식입니다. 연산식의 출력 결과를 작성해 보세요.

```
int x = 10;
int y = 5;

System.out.println( (x>7) && (y<=5) );
System.out.println( (x%3 == 2) || (y%2 != 1) );
```

7. 다음은 % 연산을 수행한 결과값에 10을 더하는 코드입니다. NaN 값을 검사해서 올바른 결과가 출력될 수 있도록 ( )에 들어갈 코드를 작성해 보세요.

```
double x = 5.0;
double y = 0.0;
double z = 5 % y;
if (              ) {
  System.out.println("0.0으로 나눌 수 없습니다.");
} else {
  double result = z + 10;
  System.out.println("결과: " + result);
}
```

Chapter

04

조건문과 반복문

4.1 코드 실행 흐름 제어

자바 프로그램은 main() 메소드의 시작 중괄호({)에서 끝 중괄호(})까지 위에서부터 아래로 실행하는 흐름을 가지고 있다. 이러한 실행 흐름을 개발자가 원하는 방향으로 바꿀 수 있도록 해주는 것이 흐름 제어문(이하 제어문)이다. 다음 그림은 제어문을 사용할 경우 다양한 실행 흐름이 생성된다는 것을 보여 준다.

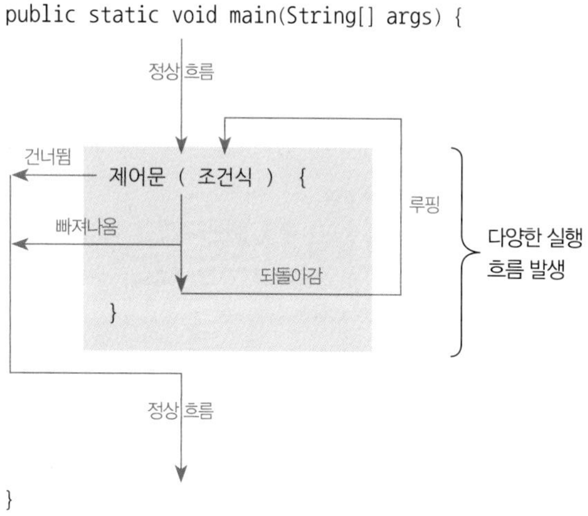

제어문은 조건식과 중괄호 {} 블록으로 구성되는데, 조건식의 연산 결과에 따라 블록 내부의 실행 여부가 결정된다. 제어문의 종류는 다음과 같다.

조건문	반복문
if 문, switch 문	for 문, while 문, do-while 문

제어문 블록이 실행 완료된 후 다시 제어문의 처음으로 돌아갈지, 아니면 제어문 블록을 빠져 나와 정상 흐름으로 다시 돌아올지는 어떤 제어문을 사용하느냐에 달려 있다. 조건문일 경우는 정상 흐름으로 돌아오지만, 반복문일 경우는 제어문의 처음으로 다시 되돌아가 반복 실행한다. 이것을 루핑looping이라고 한다.

제어문 블록 내부에는 또 다른 제어문을 사용할 수 있다. if 문 내부에 for 문이나 while 문도 가질 수 있기 때문에 개발자가 원하는 매우 복잡한 흐름 제어도 가능하다.

4.2 if 문

if 문은 조건식의 결과에 따라 블록 실행 여부가 결정된다. 다음은 if 문의 실행 흐름을 보여 준다.

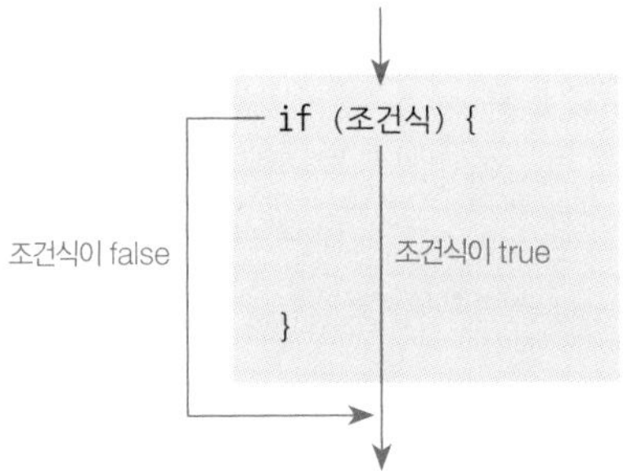

조건식에는 true 또는 false 값을 산출할 수 있는 연산식이나 boolean 변수가 올 수 있다. 조건식이 true이면 블록을 실행하고 false이면 블록을 실행하지 않는다. 중괄호 {} 블록 내에 실행문이 하나밖에 없다면 중괄호를 생략할 수 있다.

```
if ( 조건식 ) {
    실행문;
    실행문;
    ...
}
```

```
if ( 조건식 )
    실행문;
```

하지만 중괄호 {} 블록을 생략하지 않고 작성하는 것을 추천한다. 중괄호 블록을 작성하지 않으면 코드의 가독성(코드 해석)이 좋지 않고, 버그 발생의 원인이 될 수 있다. 다음 예제를 보자.

>>> **IfExample.java**

```java
package ch04.sec02;

public class IfExample {
  public static void main(String[] args) {
    int score = 93;

    if(score >= 90) {
```

```
8            System.out.println("점수가 90보다 큽니다.");
9            System.out.println("등급은 A입니다.");
10       }
11
12       if(score < 90)
13           System.out.println("점수가 90보다 작습니다.");
14           System.out.println("등급은 B입니다.");
15     }
16   }
```

if 문과는 상관없는 실행문

실행 결과

```
점수가 90보다 큽니다.
등급은 A입니다.
등급은 B입니다.
```

score 변수의 값이 93이므로 7라인의 if 조건식은 true가 되어 중괄호 블록 8~9라인이 실행된다. 그러나 12라인의 if 조건식은 false가 되어 13~14라인은 실행하지 않는 것이 의도였는데, 14라인은 무조건 실행된다. 12라인의 if 문에 중괄호 블록이 없기 때문에 13라인까지만 영향을 미치기 때문이다.

if 문은 else 블록과 함께 사용되어 조건식의 결과에 따라 실행 블록을 선택할 수 있다. if 문의 조건식이 true이면 if 문 블록이 실행되고, false이면 else 블록이 실행된다.

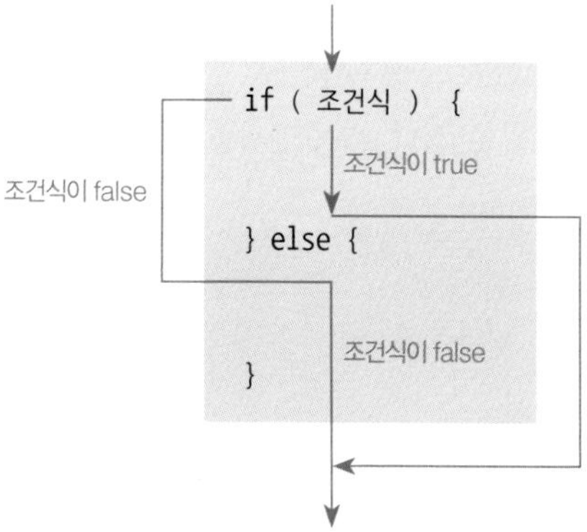

이전 예제는 두 개의 if 문을 이용하였는데, 이것보다는 다음과 같이 if-else문으로 간단히 처리하는 것이 더욱 간결한 코딩이 된다.

>>> IfElseExample.java

```java
package ch04.sec02;

public class IfElseExample {
  public static void main(String[] args) {
    int score = 85;

    if(score>=90) {
      System.out.println("점수가 90보다 큽니다.");
      System.out.println("등급은 A입니다.");
    } else {
      System.out.println("점수가 90보다 작습니다.");
      System.out.println("등급은 B입니다.");
    }
  }
}
```

score<90일 경우

실행 결과

```
점수가 90보다 작습니다.
등급은 B입니다.
```

조건문이 여러 개인 if 문도 있다. else if는 상위 조건식이 false일 경우 평가되고, else if가 true이면 해당 블록이 실행된다. else if의 수는 제한이 없으며, 여러 개의 조건식 중 true가 되는 else if 블록만 실행하고 전체 if 문을 벗어나게 된다.

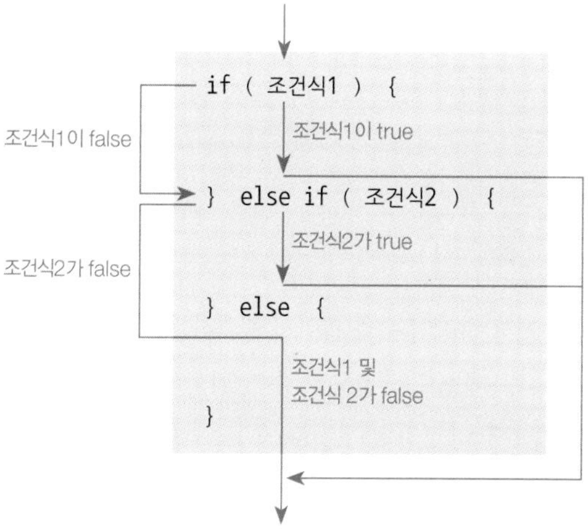

마지막에는 else 블록을 추가할 수 있는데, 모든 조건식이 false일 경우 else 블록을 실행하고 if 문을 벗어나게 된다.

이전 예제는 점수가 90점 이상이거나 미만일 경우에만 실행 흐름을 제어했는데, 이번 예제는 조건식 3개를 이용해서 실행 흐름을 제어한다.

>>> **IfElseIfElseExample.java**

```java
package ch04.sec02;

public class IfElseIfElseExample {
  public static void main(String[] args) {
    int score = 75;

    if(score>=90) {
      System.out.println("점수가 100~90입니다.");
      System.out.println("등급은 A입니다.");
    } else if(score>=80) {       // 80<= score<90일 경우
      System.out.println("점수가 80~89입니다.");
      System.out.println("등급은 B입니다.");
    } else if(score>=70) {       // 70<= score<80일 경우
      System.out.println("점수가 70~79입니다.");
      System.out.println("등급은 C입니다.");
    } else {                     // score<70일 경우
      System.out.println("점수가 70 미만입니다.");
      System.out.println("등급은 D입니다.");
    }
  }
}
```

실행 결과

```
점수가 70~79입니다.
등급은 C입니다.
```

주사위를 굴려서 나올 수 있는 1, 2, 3, 4, 5, 6 중에서 하나의 수를 뽑아서 출력하는 코드를 작성해 보자. 먼저 임의의 정수를 뽑기 위해 Math.random() 메소드를 활용할 수 있다. 이 메소드는 0.0 <= ~ < 1.0 사이의 double 타입 난수를 리턴한다.

```
0.0  <=  Math.random()  <  1.0
```

여기에서 각 변에 6을 곱하면 0.0 <= ~ < 6.0 사이의 double 타입 난수를 얻게 된다.

```
(0.0 * 6)  <=  (Math.random() * 6)  <  (1.0 * 6)
  (0.0)                                 (6.0)
```

그리고 각 변을 int 타입으로 강제 타입 변환하면 0, 1, 2, 3, 4, 5 중에서 하나의 정수 난수를 얻게 된다.

```
(int) 0.0  <=  (int) (Math.random() * 6)  <  (int) 6.0
   (0)           (0, 1, 2, 3, 4, 5)             (6)
```

마지막으로 각 변에 1을 더하면 비로소 1, 2, 3, 4, 5, 6 중에서 하나의 정수 난수를 얻게 된다.

```
(0+1)  <=  ((int) (Math.random() * 6) + 1)  <  (6+1)
 (1)             (1, 2, 3, 4, 5, 6)              (7)
```

그렇다면 start부터 시작하는 n개의 정수 중에서 하나의 정수를 얻기 위한 코드는 다음과 같이 작성할 수 있다.

```
int num = (int) (Math.random() * n) + start;
```

로또 번호(1, …, 45) 중 하나를 뽑기 위해서도 다음 코드를 사용할 수 있다.

```
int num = (int) (Math.random() * 45) + 1;
```

>>> **IfDiceExample.java**

```java
package ch04.sec02;

public class IfDiceExample {
  public static void main(String[] args) {
    int num = (int)(Math.random()*6) + 1;   // 주사위 번호 하나 뽑기

    if(num==1) {
      System.out.println("1번이 나왔습니다.");
    } else if(num==2) {
      System.out.println("2번이 나왔습니다.");
    } else if(num==3) {
      System.out.println("3번이 나왔습니다.");
    } else if(num==4) {
      System.out.println("4번이 나왔습니다.");
    } else if(num==5) {
      System.out.println("5번이 나왔습니다.");
    } else {
      System.out.println("6번이 나왔습니다.");
    }
  }
}
```

실행 결과

```
2번이 나왔습니다.
```

if 문의 블록 내부에는 또 다른 if 문을 사용할 수 있다. 이것을 중첩 if 문이라 부르는데, 중첩의 단계는 제한이 없다. 다음 그림은 중첩 if 문의 실행 흐름을 보여 준다.

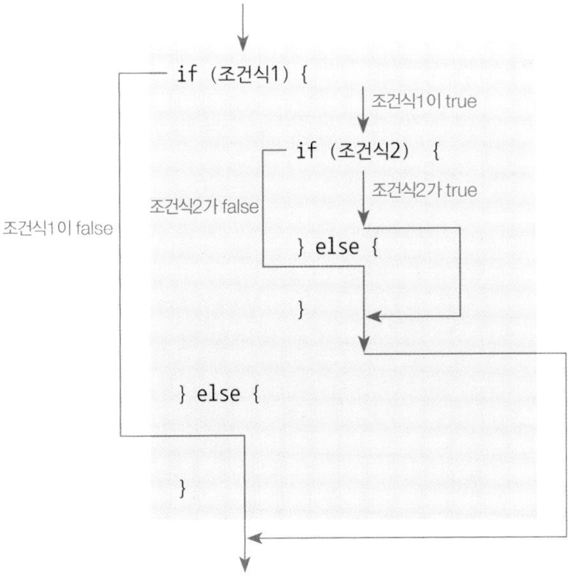

한 번 중첩되었을 뿐인데, 매우 복잡한 실행 흐름이 생긴다. 실제 프로그램에서는 여러 단계로 중첩되는 경우가 많기 때문에 코드의 실행 흐름을 이해하지 못한다면 프로그램 작성은 물론, 이미 작성된 프로그램도 분석이 어려워진다.

이번 예제는 81<= … <=100 중에서 하나의 점수를 뽑아 바깥 if 문은 90점과 80점을 기준으로 조건식을 작성하고, 중첩 if 문은 좀 더 세부적으로 95점과 85점을 기준으로 조건식을 작성해서 A+, A, B+, B를 출력한다.

>>> **IfNestedExample.java**

```java
package ch04.sec02;

public class IfNestedExample {
  public static void main(String[] args) {
    int score = (int)(Math.random()*20) + 81;
    System.out.println("점수: " + score);

    String grade;

    if(score>=90) {
```

```java
      if(score>=95) {
        grade = "A+";
      } else {
        grade = "A";
      }
    } else {
      if(score>=85) {
        grade = "B+";
      } else {
        grade = "B";
      }
    }

    System.out.println("학점: " + grade);
  }
}
```

중첩 if 문

중첩 if 문

실행 결과

```
점수: 93
학점: A
```

4.3 switch 문

if 문은 조건식의 결과가 true, false 두 가지밖에 없기 때문에 경우의 수가 많아질수록 else if를 반복적으로 추가해야 하므로 코드가 복잡해진다. 그러나 switch 문은 변수의 값에 따라서 실행문이 결정되기 때문에 같은 기능의 if 문보다 코드가 간결해진다. 다음은 switch 문의 실행 흐름을 도식화한 것이다.

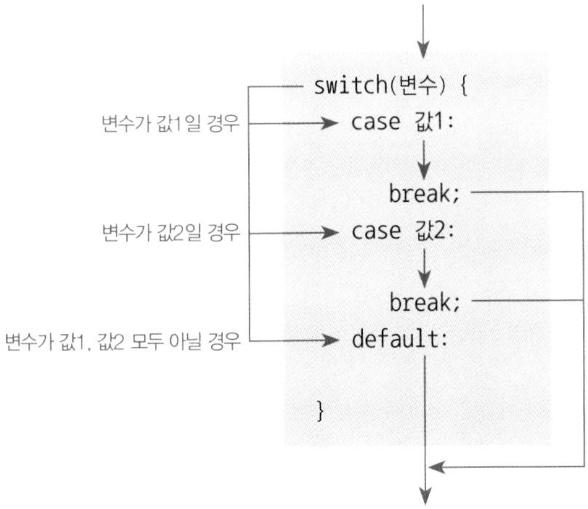

switch 문은 괄호 안의 변수값에 따라 해당 case로 가서 실행문을 실행시킨다. 만약 변수값과 동일한 값을 갖는 case가 없으면 default로 가서 실행문을 실행시킨다. default가 필요 없다면 생략 가능하다.

>>> **SwitchExample.java**

```
package ch04.sec03;

public class SwitchExample {
  public static void main(String[] args) {
    int num = (int)(Math.random()*6) + 1;

    switch(num) {
      case 1:
        System.out.println("1번이 나왔습니다.");
        break;
      case 2:
        System.out.println("2번이 나왔습니다.");
        break;
      case 3:
        System.out.println("3번이 나왔습니다.");
        break;
      case 4:
        System.out.println("4번이 나왔습니다.");
```

주사위 번호 하나 뽑기

```java
          break;
        case 5:
          System.out.println("5번이 나왔습니다.");
          break;
        default:
          System.out.println("6번이 나왔습니다.");
      }
    }
  }
```

실행 결과

```
2번이 나왔습니다.
```

case 끝에 있는 break는 다음 case를 실행하지 않고 switch 문을 빠져나가기 위해 필요하다. 만약 break가 없다면 다음 case가 연달아 실행되는데, 이때는 case 값과는 상관없이 실행된다.

>>> SwitchNoBreakCaseExample.java

```java
package ch04.sec03;

public class SwitchNoBreakCaseExample {
  public static void main(String[] args) {
    int time = (int)(Math.random()*4) + 8;   // 8<= … <=11 사이의 정수 뽑기
    System.out.println("[현재 시간 : " + time + "시]");

    switch(time) {
      case 8:
        System.out.println("출근합니다.");
      case 9:
        System.out.println("회의를 합니다.");
      case 10:
        System.out.println("업무를 봅니다.");
      default:
        System.out.println("외근을 나갑니다.");
    }
  }
}
```

실행 결과

```
[현재 시간 : 9시]
회의를 합니다.
업무를 봅니다.
외근을 나갑니다.
```

switch 문의 괄호에는 정수 타입(byte, char, short, int, long)과 문자열 타입(String) 변수를 사용할 수 있다. 다음은 char 타입 변수를 이용해서 영어 대소문자에 관계없이 똑같이 처리하는 예제이다.

>>> SwitchCharExample.java

```java
package ch04.sec03;

public class SwitchCharExample {
  public static void main(String[] args) {
    char grade = 'B';

    switch(grade) {
      case 'A':
      case 'a':
        System.out.println("우수 회원입니다.");
        break;
      case 'B':
      case 'b':
        System.out.println("일반 회원입니다.");
        break;
      default:
        System.out.println("손님입니다.");
    }
  }
}
```

실행 결과

```
일반 회원입니다.
```

Java 12 이후부터는 switch 문에서 Expressions(표현식)를 사용할 수 있다. break 문을 없애는 대신에 화살표와 중괄호를 사용해 가독성이 좋아졌다. 다음은 앞의 예제를 Switch Expressions로 다시 작성한 것이다.

>>> **SwitchExpressionsExample.java**

```java
package ch04.sec03;

public class SwitchExpressionsExample {
  public static void main(String[] args) {
    char grade = 'B';

    switch(grade) {
      case 'A', 'a' -> {
        System.out.println("우수 회원입니다.");
      }
      case 'B', 'b' -> {
        System.out.println("일반 회원입니다.");
      }
      default -> {
        System.out.println("손님입니다.");
      }
    }

    switch(grade) {
      case 'A', 'a' -> System.out.println("우수 회원입니다.");
      case 'B', 'b' -> System.out.println("일반 회원입니다.");
      default -> System.out.println("손님입니다.");
    }
  }
}
```

중괄호 안에 실행문이 하나만 있을 경우에는 중괄호를 생략할 수 있다.

실행 결과

```
일반 회원입니다.
일반 회원입니다.
```

Switch Expressions을 사용하면 스위치된 값을 변수에 바로 대입할 수도 있다. 단일 값일 경우에는 화살표 오른쪽에 값을 기술하면 되고, 중괄호를 사용할 경우에는 yield(Java 13부터 사용 가능) 키워드로 값을 지정하면 된다. 단, 이 경우에는 default가 반드시 존재해야 한다.

```
타입 변수 = switch(grade) {
  case "값1" -> 변수값;
  case "값2" -> {
    ...;
    yield 변수값;
  }
  default -> 변수값;
};
```

다음은 grade에 따라 스위치된 점수를 score 변수에 대입하는 예제이다.

>>> **SwitchValueExample.java**

```java
package ch04.sec03;

public class SwitchValueExample {
  public static void main(String[] args) {
    String grade = "B";

    //Java 11 이전 문법
    int score1 = 0;
    switch(grade) {
        case "A":
          score1 = 100;
          break;
        case "B":
          int result = 100 - 20;
          score1 = result;
          break;
        default:
          score1 = 60;
    }
    System.out.println("score1: " + score1);

    //Java 13부터 가능
    int score2 = switch(grade) {
      case "A" -> 100;
      case "B" -> {
        int result = 100 - 20;
        yield result;
```

```java
            }
            default -> 60;
        };
        System.out.println("score2: " + score2);
    }
}
```

실행 결과

```
score1: 80
score2: 80
```

NOTE 자바 21에서 switch 문의 표현식을 작성하는 방법이 강화되었다. 자세한 내용은 21장에서 설명하므로 20장까지 모두 학습한 후에 학습하길 권한다.

4.4 for 문

프로그램을 작성하다 보면 똑같은 실행문을 반복적으로 실행해야 할 경우가 많이 발생한다. 예를 들어 다음 코드처럼 1부터 5까지의 합을 구하는 데에만 5개의 실행문이 반복 사용되었다.

```java
int sum = 0;
sum = sum + 1;
sum = sum + 2;
sum = sum + 3;
sum = sum + 4;
sum = sum + 5;
System.out.println("1~5까지의 합:" + sum);
```

5개의 실행문

이렇게 1부터 100까지의 합을 구하는 코드를 같은 방법으로 작성한다면 코드 양이 엄청 늘어날 것이다. 이런 경우 for 문을 사용하면 코드를 획기적으로 줄일 수 있다.

```java
int sum = 0;
for (int i=1; i<=100; i++) {
    sum = sum + i;
}
System.out.println("1~100까지의 합:" + sum);
```

100번 반복

100개의 실행문을 단 3개의 행으로 압축했다. 이처럼 for 문은 실행문을 여러 번 반복 실행해주기 때문에 코드를 간결하게 만들어 준다. 다음은 for 문의 실행 흐름을 도식화한 것이다.

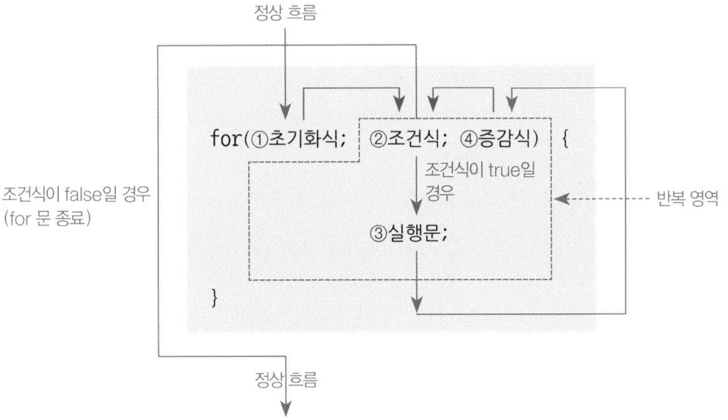

for 문이 처음 실행될 때 ①초기화식이 제일 먼저 실행된다. 그런 다음 ②조건식을 평가해서 true이면 ③실행문을 실행시키고, false이면 for 문을 종료하고 블록을 건너뛴다. ②조건식이 true가 되어 ③실행문을 모두 실행하면 ④증감식이 실행된다. 그리고 다시 ②조건식을 평가하게 된다. 평가 결과가 다시 true이면 ③ → ④ → ②로 다시 진행하고, false이면 for 문이 끝나게 된다.

다음은 가장 기본적인 for 문의 형태로 1부터 10까지 출력하는 코드이다.

>>> **PrintFrom1To10Example.java**

```java
package ch04.sec04;

public class PrintFrom1To10Example {
  public static void main(String[] args) {
    for(int i=1; i<=10; i++) {
      System.out.print(i + " ");
    }
  }
}
```

실행 결과

```
1 2 3 4 5 6 7 8 9 10
```

초기화식은 조건식과 실행문, 증감식에서 사용할 변수를 초기화하는 역할을 한다. 어떤 경우에는 초기화식이 둘 이상 있을 수도 있고, 증감식도 둘 이상 있을 수 있다. 이런 경우에는 다음과 같이 쉼표(,)로 구분해서 작성한다.

```
for (int i=0, j=100;  i<=50 && j>=50;  i++, j--) { ... }
         초기화식              조건식           증감식
```

초기화식에서 선언된 변수는 for 문 블록 안에서만 사용되는 로컬 변수다. for 문을 벗어나서도 사용하고 싶다면 초기화식에서 변수를 선언하지 말고 for 문 이전에 선언해야 한다.

```
int i;                                  //for 문 이전에 변수 i 선언
for (i=1; i<=100; i++) { ... }
System.out.println("최종 i값: " + i);    //for 문을 벗어나서 i를 사용
```

다음 예제는 1부터 100까지의 합을 구하는 코드이다. 변수 sum과 i를 for 문이 시작하기 전에 선언한 이유는 for 문을 끝내고 12라인에서 sum과 i를 사용하기 때문이다.

>>> SumFrom1To100Example.java

```
1   package ch04.sec04;
2
3   public class SumFrom1To100Example {
4     public static void main(String[] args) {
5       int sum = 0;     // 합계 변수
6       int i;           // 카운터 변수
7
8       for(i=1; i<=100; i++) {
9         sum += i;
10      }
11
12      System.out.println("1~" + (i-1) + " 합 : " + sum);
13    }
14  }
```

실행 결과

```
1~100 합 : 5050
```

for 문을 작성할 때 주의할 점은 초기화식에서 부동 소수점을 쓰는 float 타입을 사용하지 말아야 한다는 것이다. 다음 예를 보자. 이론적으로 5라인의 for 문은 10번 반복해야 한다.

>>> **FloatCounterExample.java**

```java
1  package ch04.sec04;
2
3  public class FloatCounterExample {
4    public static void main(String[] args) {
5      for(float x=0.1f; x<=1.0f; x+=0.1f) {
6        System.out.println(x);
7      }
8    }
9  }
```

실행 결과

```
0.1
0.2
0.3
0.4
0.5
0.6
0.70000005
0.8000001
0.9000001
```

부동 소수점 방식의 float 타입은 연산 과정에서 정확히 0.1을 표현하지 못하기 때문에 증감식에서 x에 더해지는 실제 값은 0.1보다 약간 클 수 있다. 따라서 최종 반복 횟수는 9번이 된다.

for 문은 또 다른 for 문을 내포할 수 있는데, 이것을 중첩된 for 문이라고 한다. 이 경우 바깥 for 문이 한 번 실행될 때마다 중첩된 for 문은 지정 횟수만큼 반복하고 다시 바깥 for 문으로 돌아간다. 중첩 for 문이 필요한 가장 간단한 예제는 구구단을 출력하는 코드이다.

>>> **MultiplicationTableExample.java**

```java
package ch04.sec04;

public class MultiplicationTableExample {
  public static void main(String[] args) {
```

```
5       for (int m=2; m<=9; m++) {
6         System.out.println("*** " + m + "단 ***");
7         for (int n=1; n<=9; n++) {
8           System.out.println(m + " x " + n + " = " + (m*n));
9         }
10      }
11    }
12  }
```

실행 결과

```
*** 2단 ***
2 x 1 = 2
2 x 2 = 4
2 x 3 = 6
2 x 4 = 8
2 x 5 = 10
2 x 6 = 12
2 x 7 = 14
2 x 8 = 16
2 x 9 = 18
*** 3단 ***
3 x 1 = 3
3 x 2 = 6
3 x 3 = 9
3 x 4 = 12
… (중략)
*** 9단 ***
9 x 6 = 54
9 x 7 = 63
9 x 8 = 72
9 x 9 = 81
```

5라인의 바깥 for 문은 m이 2에서 9까지 변하면서 8번 반복 실행된다. 바깥 for 문이 한 번 실행될 때마다 7라인의 중첩 for 문은 n이 1에서 9까지 변하면서 9번 반복 실행된다. 즉 m=2일 때 n은 1~9까지 변하면서 2×n = 2*n을 출력하게 된다.

4.5 while 문

for 문을 정해진 횟수만큼 반복한다면, while 문은 조건식이 true일 경우에 계속해서 반복하고, false가 되면 반복을 멈추고 while 문을 종료한다. 다음은 while 문의 실행 흐름을 보여 준다.

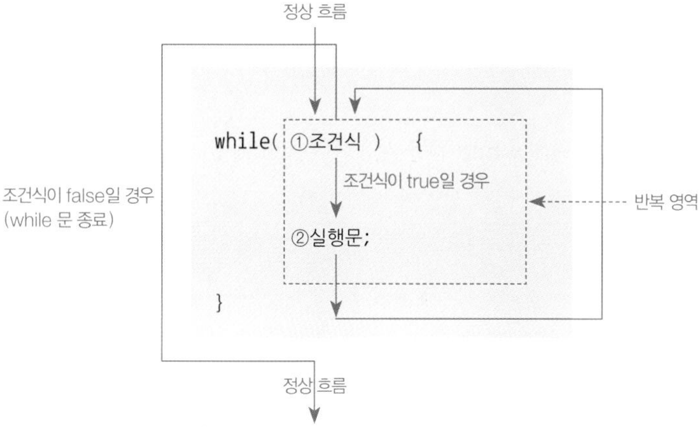

while 문이 처음 실행될 때 ①조건식을 평가한다. 평가 결과가 true이면 ②실행문을 실행한다. ② 실행문이 모두 실행되면 조건식으로 되돌아가서 ①조건식을 다시 평가한다. 다시 조건식이 true라면 ② → ①로 진행하고, false라면 while 문을 종료한다.

다음 예제는 while 문으로 1부터 10까지 출력한다. 한 번 실행할 때 i 값을 출력하고 i를 1 증가시킨다. 조건문은 i가 10 이하일 때까지 true가 되므로 while 문은 총 10번을 반복 실행한다.

>>> **PrintFrom1To10Example.java**

```
package ch04.sec05;

public class PrintFrom1To10Example {
  public static void main(String[] args) {
    int i = 1;
    while (i<=10) {
      System.out.print(i + " ");
      i++;
```

```
        }
    }
}
```

실행 결과

```
1 2 3 4 5 6 7 8 9 10
```

다음 예제는 1부터 100까지 합을 구하기 위해 while 문을 사용한다. while 문 내에서 계속 누적되는 값을 갖는 sum 변수는 while 문 시작 전에 미리 선언해 놓아야 한다.

>>> SumFrom1To100Example.java

```java
package ch04.sec05;

public class SumFrom1To100Example {
  public static void main(String[] args) {
    int sum = 0;

    int i = 1;

    while(i<=100) {
      sum += i;
      i++;
    }

    System.out.println("1~" + (i-1) + " 합 : " + sum);
  }
}
```

합계 변수

카운터 변수

실행 결과

```
1~100 합 : 5050
```

만약 조건식에 true를 사용하면 while(true) {...}가 되어서 무한 반복하게 된다. 이 경우, 언젠가는 while 문을 빠져나가기 위한 코드가 필요하다. 다음은 키보드에서 1, 2를 입력했을 때 속도를 증속, 감속시키고, 3을 입력하면 프로그램을 종료시키는 예제이다.

>>> **KeyControlExample.java**

```java
package ch04.sec05;

import java.util.Scanner;

public class KeyControlExample {
  public static void main(String[] args) {
    Scanner scanner = new Scanner(System.in);
    boolean run = true;
    int speed = 0;

    while(run) {
      System.out.println("-----------------------------");
      System.out.println("1. 증속 | 2. 감속 | 3. 중지");
      System.out.println("-----------------------------");
      System.out.print("선택: ");

      String strNum = scanner.nextLine();

      if(strNum.equals("1")) {
        speed++;
        System.out.println("현재 속도 = " + speed);
      } else if(strNum.equals("2")) {
        speed--;
        System.out.println("현재 속도 = " + speed);
      } else if(strNum.equals("3")) {
        run = false;
      }
    }

    System.out.println("프로그램 종료");
  }
}
```

Scanner를 사용하기 위해 필요

Scanner 생성

while 문의 조건식을 위한 변수 선언

메뉴 생성

키보드에서 입력한 내용을 읽음

while 문의 조건식을 false로 만듦

실행 결과

```
-----------------------------
1. 증속 | 2. 감속 | 3. 중지
-----------------------------
선택: 1
```

```
현재 속도 = 1
-----------------------------
1. 증속 | 2. 감속 | 3. 중지
-----------------------------
선택: 2
현재 속도 = 0
-----------------------------
1. 증속 | 2. 감속 | 3. 중지
-----------------------------
선택: 3
프로그램 종료
```

- 11라인의 while 조건식을 보면 run 변수의 값에 따라 while 문의 반복 여부가 결정된다.
- 처음 run 변수의 값은 true이므로 while 문은 무한 반복된다.
- 키보드로 3을 입력하면 run 변수의 값이 false가 되어 while 문의 조건식이 false가 된다. 이때 무한 반복을 종료하고 while 문을 빠져나간다.
- while 문을 빠져나가는 또 다른 방법으로 break 문을 이용할 수도 있다. break 문은 4.7절에서 다시 설명하도록 하겠다.

4.6 do-while 문

do-while 문은 조건식에 의해 반복 실행한다는 점에서는 while 문과 동일하다. while 문은 시작할 때부터 조건식을 평가하여 블록 내부를 실행할지 결정하지만, 경우에 따라서는 블록 내부를 먼저 실행시키고, 실행 결과에 따라서 반복 실행을 계속할지 결정하는 경우도 있다. 이때 do-while 문을 사용한다. 다음은 do-while 문의 실행 흐름을 보여 준다.

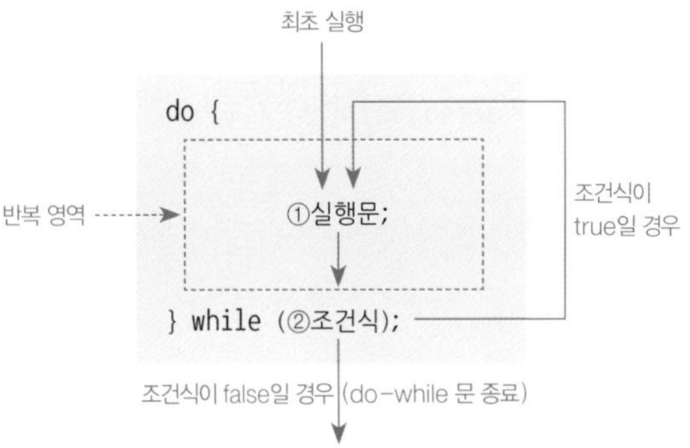

작성 시 주의할 점은 while() 뒤에 반드시 세미콜론(;)을 붙여야 한다. do-while 문이 처음 실행될 때 ①실행문을 우선 실행한다. ①실행문이 모두 실행되면 ②조건식을 평가하는데, 그 결과가 true이면 ① → ②와 같이 반복 실행을 하고, 조건식의 결과가 false이면 do-while 문을 종료한다.

다음 예제는 키보드로 입력받은 내용을 조사하여 계속 반복할 것인지를 판단한다. 조건식은 키보드로 입력받은 이후에 평가되어야 하므로 우선 키보드로부터 입력된 내용을 받아야 한다.

>>> DoWhileExample.java

```java
package ch04.sec06;

import java.util.Scanner;

public class DoWhileExample {
  public static void main(String[] args) {
    System.out.println("메시지를 입력하세요.");
    System.out.println("프로그램을 종료하려면 q를 입력하세요.");

    Scanner scanner = new Scanner(System.in);
    String inputString;

    do {
      System.out.print(">");
      inputString = scanner.nextLine();
      System.out.println(inputString);
    } while( ! inputString.equals("q") );

    System.out.println();
    System.out.println("프로그램 종료");
  }
}
```

Scanner를 사용하기 위해 필요

Scanner 생성

키보드로부터 읽기

입력된 내용이 q가 아니라면 계속 반복

실행 결과

```
메시지를 입력하세요.
프로그램을 종료하려면 q를 입력하세요.
>안녕하세요.
안녕하세요.
>반갑습니다.
반갑습니다.
>q
q

프로그램 종료
```

4.7 break 문

break 문은 반복문인 for 문, while 문, do-while 문을 실행 중지하거나 조건문인 switch 문을 종료할 때 사용한다. 다음은 반복문에서 break 문을 사용할 때의 실행 흐름을 보여 준다.

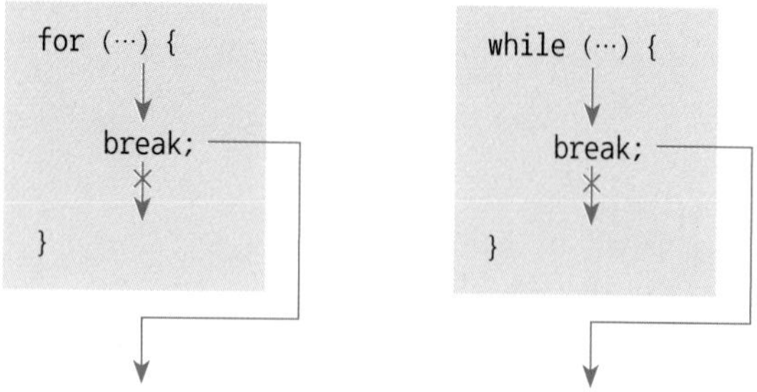

break 문은 대개 if 문과 같이 사용되어 조건식에 따라 for 문과 while 문을 종료한다. 다음 예제는 while 문을 이용해서 주사위 번호 중 하나를 반복적으로 뽑되, 6이 나오면 while 문을 종료시킨다.

>>> BreakExample.java

```
package ch04.sec07;

public class BreakExample {
  public static void main(String[] args) throws Exception {
    while(true) {
      int num = (int)(Math.random()*6) + 1;
      System.out.println(num);
      if(num == 6) {
        break;
      }
    }
    System.out.println("프로그램 종료");
  }
}
```

실행 결과

```
4
2
6
프로그램 종료
```

만약 반복문이 중첩되어 있을 경우 break 문은 가장 가까운 반복문만 종료하고 바깥쪽 반복문은 종료시키지 않는다. 중첩된 반복문에서 바깥쪽 반복문까지 종료시키려면 바깥쪽 반복문에 이름(레이블)을 붙이고, 'break 이름;'을 사용하면 된다.

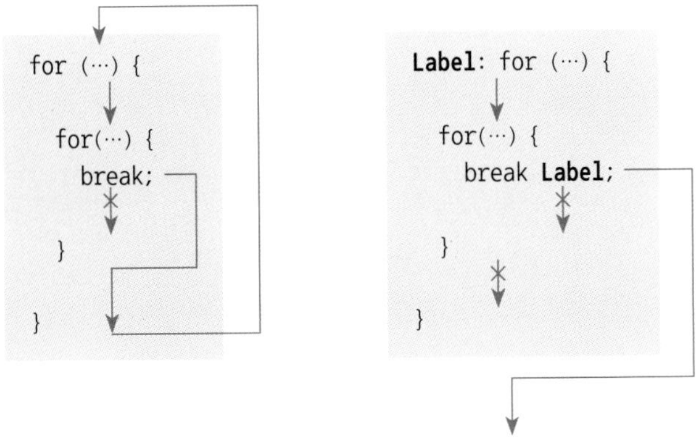

다음 예제를 보면 바깥쪽 for 문은 'A~Z'까지 반복하고, 중첩된 for 문은 'a~z'까지 반복한다. 중첩된 for 문에서 lower 변수가 'g'를 갖게 되면 바깥쪽 for 문까지 빠져나오도록 바깥쪽 for 문에 Outter라는 라벨을 붙였다.

>>> **BreakOutterExample.java**

```java
package ch04.sec07;

public class BreakOutterExample {
  public static void main(String[] args) throws Exception {
   Outter: for(char upper='A'; upper<='Z'; upper++) {
           for(char lower='a'; lower<='z'; lower++) {
             System.out.println(upper + "-" + lower);
             if(lower=='g') {
               break Outter;
             }
           }
         }
      System.out.println("프로그램 실행 종료");
  }
}
```

실행 결과

```
A-a
A-b
A-c
A-d
A-e
A-f
A-g
프로그램 실행 종료
```

4.8 continue 문

continue 문은 반복문인 for 문, while 문, do-while 문에서만 사용되는데, 블록 내부에서 continue 문이 실행되면 for 문의 증감식 또는 while 문, do-while 문의 조건식으로 바로 이동한다. 다음은 continue 문의 실행 흐름을 보여 준다.

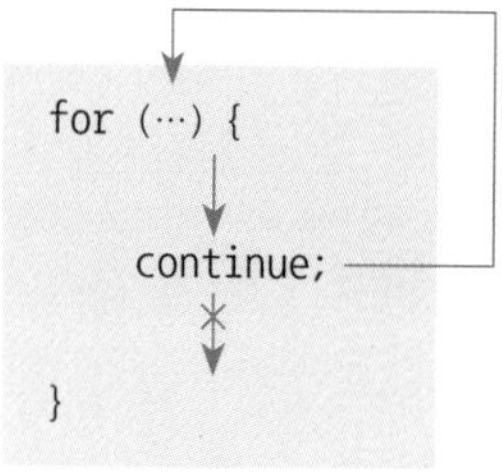

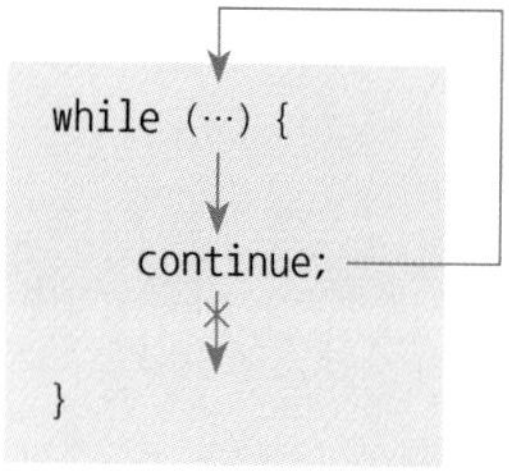

continue 문은 반복문을 종료하지 않고 계속 반복을 수행한다는 점이 break 문과 다르다. break 문과 마찬가지로 continue 문도 대개 if 문과 같이 사용되는데, 특정 조건을 만족하는 경우에 continue 문을 실행해서 그 이후의 문장을 실행하지 않고 다음 반복으로 넘어간다.

다음 예제는 1에서 10 사이의 수 중에서 짝수만 출력하고 홀수인 경우에는 다음 반복으로 넘어간다.

>>> **ContinueExample.java**

```java
package ch04.sec08;

public class ContinueExample {
  public static void main(String[] args) throws Exception {
    for(int i=1; i<=10; i++) {
      if(i%2 != 0) {
        continue;
      }
      System.out.print(i + " ");
    }
  }
}
```

2로 나눈 나머지가 0이 아닐 경우, 즉 홀수인 경우

홀수는 실행되지 않는다.

실행 결과

```
2 4 6 8 10
```

확인문제

1. 조건문과 반복문에 대해 잘못 설명한 것은 무엇입니까?

❶ if 문은 조건식의 결과에 따라 실행 흐름을 달리할 수 있다.

❷ switch 문에서 사용할 수 있는 변수의 타입은 int, double이 될 수 있다.

❸ for 문은 카운터 변수로 지정한 횟수만큼 반복시킬 때 사용할 수 있다.

❹ break 문은 switch 문, for 문, while 문을 종료할 때 사용할 수 있다.

2. 왼쪽 switch 문을 Expression(표현식)으로 변경해서 오른쪽에 작성해 보세요.

```
String grade = "B";

int score1 = 0;
switch (grade) {
case "A":
  score1 = 100;
  break;
  case "B":
  int result = 100 - 20;
  score1 = result;
  break;
default:
  score1 = 60;
}
```

3. for 문을 이용해서 1부터 100까지의 정수 중에서 3의 배수의 총합을 출력하는 코드를 작성해 보세요.

4. while 문과 Math.random() 메소드를 이용해서 두 개의 주사위를 던졌을 때 나오는 눈을 (눈1, 눈2) 형태로 출력하고, 눈의 합이 5가 아니면 계속 주사위를 던지고, 눈의 합이 5이면 실행을 멈추는 코드를 작성해 보세요. 눈의 합이 5가 되는 경우는 (1, 4), (4, 1), (2, 3), (3, 2)입니다.

5. 중첩 for 문을 이용하여 방정식 $4x + 5y = 60$의 모든 해를 구해서 (x, y) 형태로 출력하는 코드를 작성해 보세요. 단, x와 y는 10 이하의 자연수입니다.

6. for 문을 이용해서 다음과 같은 실행 결과가 나오는 코드를 작성해 보세요.

```
*
**
***
****
*****
```

7. while 문과 Scanner의 nextLine() 메소드를 이용해서 다음 실행 결과와 같이 키보드로부터 입력된 데이터로 예금, 출금, 조회, 종료 기능을 제공하는 코드를 작성해 보세요.

```
-----------------------------------
1.예금 | 2.출금 | 3.잔고 | 4.종료
-----------------------------------
선택> 1
예금액>10000

-----------------------------------
1.예금 | 2.출금 | 3.잔고 | 4.종료
-----------------------------------
선택> 2
출금액>2000

-----------------------------------
1.예금 | 2.출금 | 3.잔고 | 4.종료
-----------------------------------
선택> 3
잔고>8000

-----------------------------------
1.예금 | 2.출금 | 3.잔고 | 4.종료
-----------------------------------
선택> 4

프로그램 종료
```

Part 02

객체지향 프로그래밍

두 번째 파트는 객체지향 프로그래밍의 특징을 이해하고, 자바 언어로 객체지향 프로그래밍을 어떻게 하는지에 대해 다룬다. 클래스, 상속, 인터페이스, 다형성 등 객체지향 프로그래밍의 핵심 기술과 라이브러리 및 모듈을 생성하는 방법을 학습한다. 또한 프로그램에서 예외가 발생했을 때 처리하는 방법도 익힌다. 본 파트를 이해하고 나면, 자바 프로그램 소스를 분석할 수 있는 능력이 한층 더 업그레이드될 것이다.

Chapter

05

참조 타입

5.1 데이터 타입 분류

자바의 데이터 타입은 크게 기본 타입primitive type과 참조 타입reference type으로 분류된다. 2장에서 기본 타입에 대해서 알아보았으니, 이번 장에서는 참조 타입에 대해 알아보자. 참조 타입이란 객체object의 번지를 참조하는 타입으로 배열, 열거, 클래스, 인터페이스 타입이 있다.

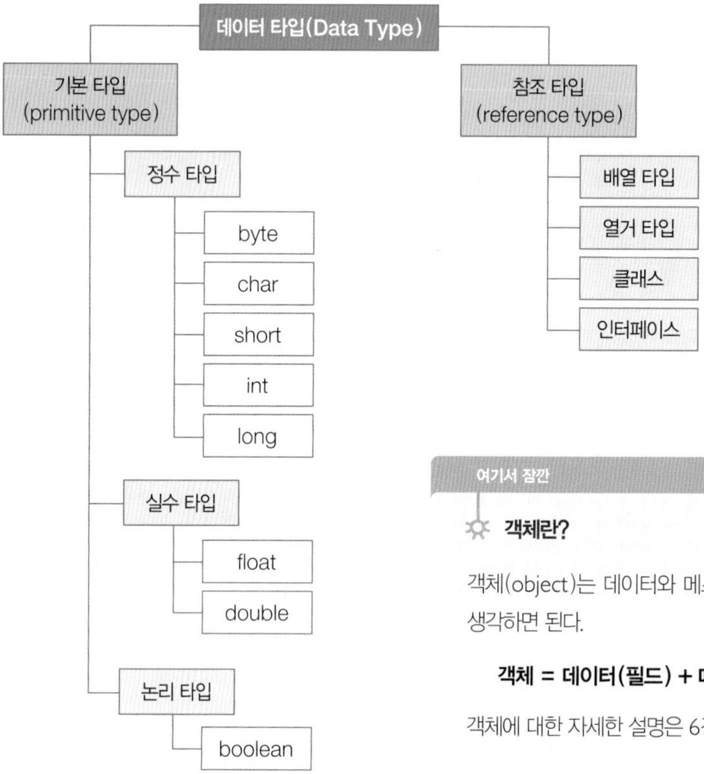

> **여기서 잠깐**
>
> **객체란?**
>
> 객체(object)는 데이터와 메소드로 구성된 덩어리라고 생각하면 된다.
>
> **객체 = 데이터(필드) + 메소드**
>
> 객체에 대한 자세한 설명은 6장에서 살펴본다.

기본 타입으로 선언된 변수와 참조 타입으로 선언된 변수의 차이점은 저장되는 값이다. 기본 타입으로 선언된 변수는 값 자체를 저장하고 있지만, 참조 타입으로 선언된 변수는 객체가 생성된 메모리 번지를 저장한다.

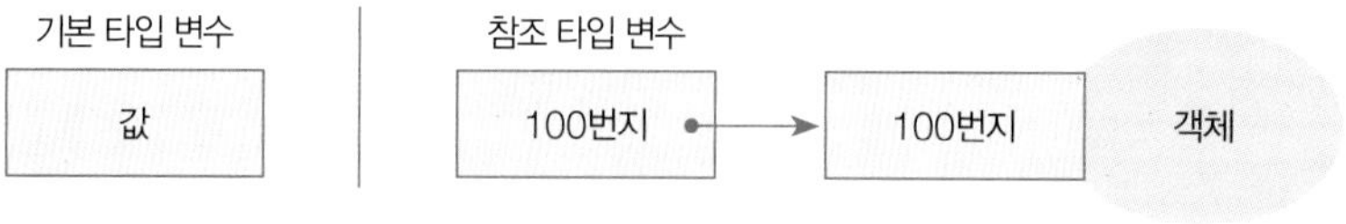

다음은 기본 타입인 int와 double로 선언된 변수 age와 price에 값을 대입하고, 참조 타입인 String 클래스로 선언된 변수 name과 hobby에 문자열을 대입하는 코드이다.

```
[기본 타입 변수]
int age = 25;
double price = 100.5;
```

```
[참조 타입 변수]
String name = "신용권";
String hobby = "독서";
```

메모리상에서 이 변수들이 갖는 값을 그림으로 표현하면 다음과 같다.

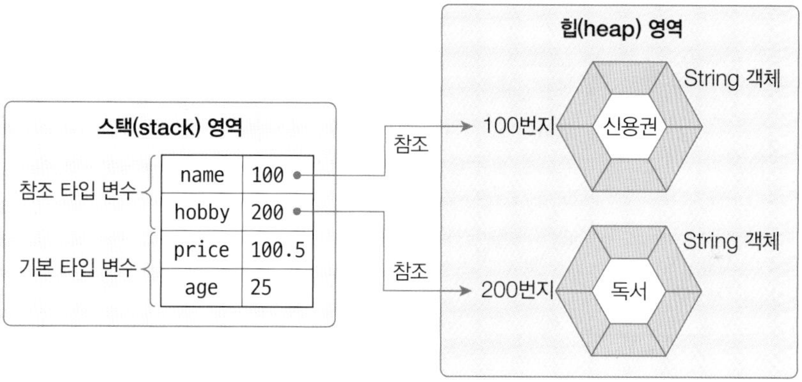

변수들은 모두 스택stack이라는 메모리 영역에 생성된다. 기본 타입 변수인 age와 price는 직접 값을 저장하고 있지만, 참조 타입 변수인 name과 hobby는 힙 메모리 영역의 String 객체 번지를 저장하고 이 번지를 통해 String 객체를 참조한다.

5.2 메모리 사용 영역

자바에서 사용하는 메모리 영역에 대해 간단히 알아보자. java 명령어로 JVM이 구동되면 JVM은 운영체제에서 할당받은 메모리 영역Runtime Data Area을 다음과 같이 구분해서 사용한다.

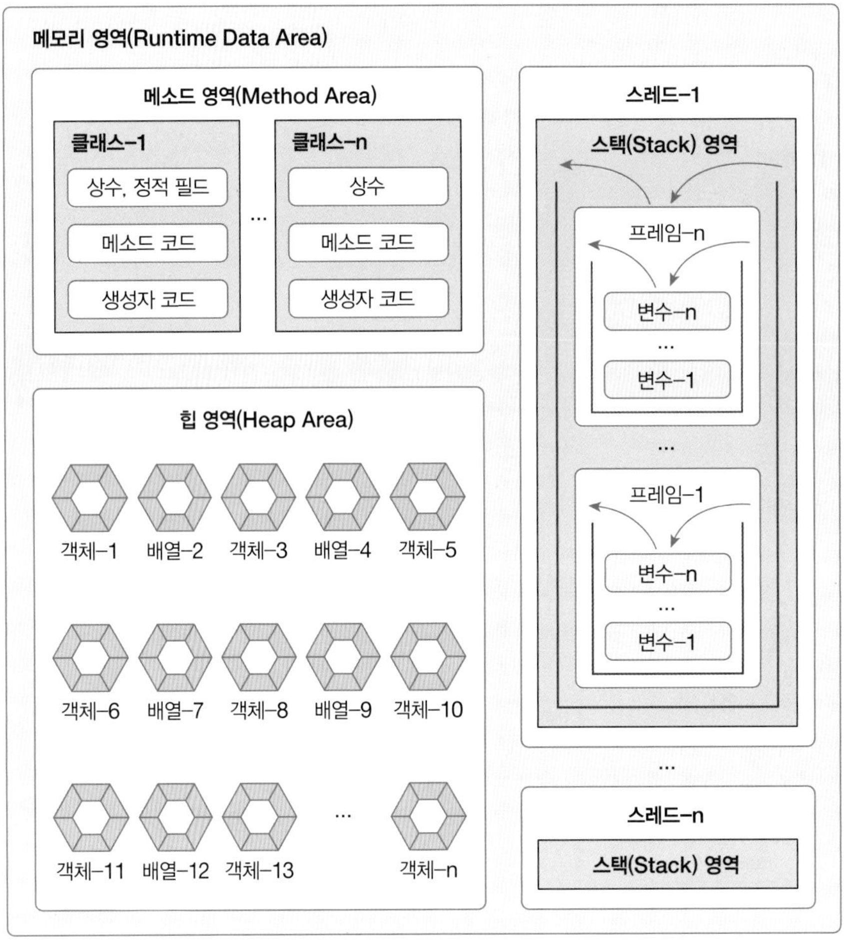

메소드 영역

메소드Method 영역은 바이트코드 파일을 읽은 내용이 저장되는 영역으로 클래스별로 상수, 정적 필드, 메소드 코드, 생성자 코드 등이 저장된다. 아직 이 용어들을 몰라도 상관없다. 단순히 바이트코드 파일의 내용이 저장되는 영역이라고만 알고 있자.

힙 영역

힙Heap 영역은 객체가 생성되는 영역이다. 객체의 번지는 메소드 영역과 스택 영역의 상수와 변수에서 참조할 수 있다.

스택 영역

스택Stack 영역은 메소드를 호출할 때마다 생성되는 프레임Frame이 저장되는 영역이다. 메소드 호출이 끝나면 프레임은 자동 제거된다. 프레임 내부에는 로컬 변수 스택이 있다. 여기에서 기본 타입 변수와 참조 타입 변수가 생성되고 제거된다.

5.3 참조 타입 변수의 ==, != 연산

==, != 연산자는 변수의 값이 같은지, 아닌지를 조사한다. 참조 타입 변수의 값은 객체의 번지이므로 참조 타입 변수의 ==, != 연산자는 번지를 비교하는 것이 된다. 번지가 같다면 동일한 객체를 참조하는 것이고, 다르다면 다른 객체를 참조하는 것이다.

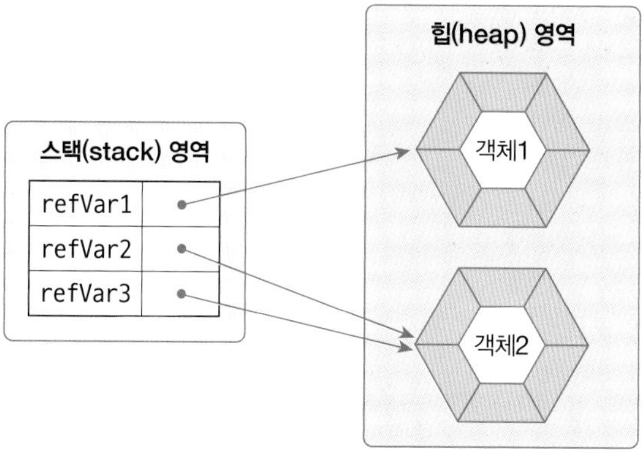

위 그림에서 refVar1과 refVar2는 서로 다른 객체를 참조하고 있으므로 == 및 != 연산의 결과는 다음과 같다.

```
refVar1 == refVar2    //결과: false
refVar1 != refVar2    //결과: true
```

refVar2와 refVar3은 동일한 객체2를 참조하고 있으므로 == 및 != 연산의 결과는 다음과 같다.

```
refVar2 == refVar3    //결과: true
refVar2 != refVar3    //결과: false
```

==, != 연산자로 객체를 비교하는 코드는 if 문에서 많이 사용한다. 다음은 refVar2와 refVar3 변수가 같은 객체를 참조할 경우 if 블록을 실행하는 코드이다.

```
if( refVar2 == refVar3 ) { ... }
```

5.6절에서 학습하게 될 배열은 여러 개의 값을 저장하는 객체이다. 따라서 배열 변수는 참조 타입 변수가 된다. 다음 예제는 두 배열 변수를 ==, != 연산으로 같은 배열을 참조하는지 검사한다.

>>> **ReferenceVariableCompareExample.java**

```java
package ch05.sec03;

public class ReferenceVariableCompareExample {
  public static void main(String[] args) {
    int[] arr1;   //배열 변수 arr1 선언
    int[] arr2;   //배열 변수 arr2 선언
    int[] arr3;   //배열 변수 arr3 선언

    arr1 = new int[] { 1, 2, 3 }; //배열 { 1, 2, 3 }을 생성하고 arr1 변수에 대입
    arr2 = new int[] { 1, 2, 3 }; //배열 { 1, 2, 3 }을 생성하고 arr2 변수에 대입
    arr3 = arr2;   //배열 변수 arr2의 값을 배열 변수 arr3에 대입

    System.out.println(arr1 == arr2); //arr1과 arr2 변수가 같은 배열을 참조하는지 검사
    System.out.println(arr2 == arr3); //arr2와 arr3 변수가 같은 배열을 참조하는지 검사
  }
}
```

실행 결과

```
false
true
```

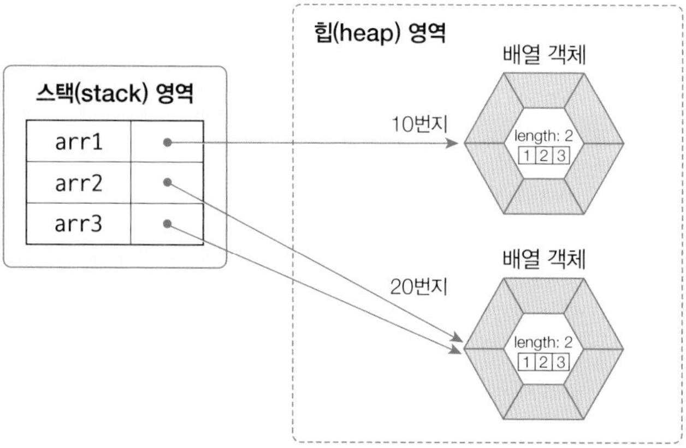

9라인에서 생성한 배열과 10라인에서 생성한 배열은 저장 항목은 같지만 서로 다른 배열 객체로 생성되므로 arr1과 arr2 변수에 대입되는 번지는 다르다. 따라서 13라인의 결과는 false, 14라인의 결과는 true가 출력된다. arr3은 11라인에서 arr2 변수의 번지가 대입되었기 때문에 두 변수는 동일한 번지를 가지며 같은 배열을 참조한다.

5.4 null과 NullPointerException

참조 타입 변수는 아직 번지를 저장하고 있지 않다는 뜻으로 null(널) 값을 가질 수 있다. null도 초기값으로 사용할 수 있기 때문에 null로 초기화된 참조 변수는 스택 영역에 생성된다.

```
String refVar1 = "자바";
String refVar2 = null;
```

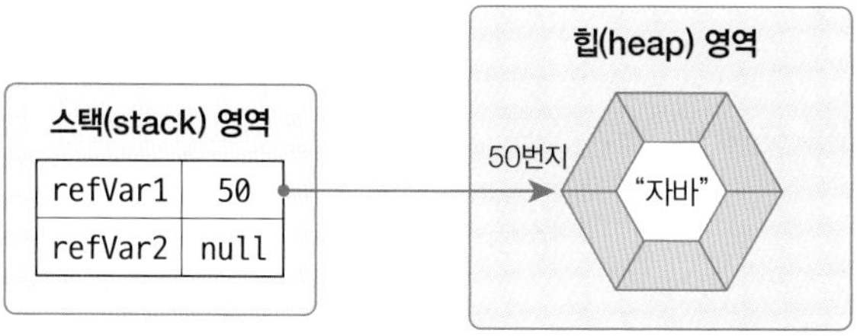

참조 타입 변수가 null 값을 가지는지 확인하려면 다음과 같이 ==, != 연산을 수행할 수 있다.

```
refVar1 == null    //결과: false
refVar1 != null    //결과: true
```

```
refVar2 == null    //결과: true
refVar2 != null    //결과: false
```

자바는 프로그램 실행 도중에 발생하는 오류를 예외Exception라고 부른다. 참조 변수를 사용하면서 가장 많이 발생하는 예외 중 하나는 NullPointerException이다. 변수가 null인 상태에서 객체의 데이터나 메소드를 사용하려 할 때 이 예외가 발생한다. 다음 코드를 보자.

```
int[] intArray = null;
intArray[0] = 10;    //NullPointerException
```

배열 변수 intArray에 null을 대입한 상태에서 배열 객체의 0 인덱스 항목에 10을 대입하는 코드(intArray[0] = 10)를 실행하면 NullPointerException이 발생한다. 이유는 intArray가 참조하는 배열 객체가 없으므로 10을 저장할 수 없기 때문이다. 다음 코드도 보자.

```
String str = null;
System.out.println("총 문자 수: " + str.length());    //NullPointerException
```

str 변수에 null을 대입한 상태에서 문자열의 길이를 얻기 위해 length() 메소드를 호출하면 NullPointerException이 발생한다. 이유는 str 변수가 참조하는 String 객체가 없으므로 문자열의 길이를 구할 수 없기 때문이다.

다음 예제에서 6라인과 9라인을 번갈아 가며 주석 처리하고 실행해 보면 NullPointerException이 발생하는 것을 알 수 있다.

>>> **NullPointerExceptionExample.java**

```java
package ch05.sec04;

public class NullPointerExceptionExample {
  public static void main(String[] args) {
    int[] intArray = null;
    //intArray[0] = 10;    //NullPointerException

    String str = null;
    //System.out.println("총 문자 수: " + str.length() );//NullPointerException
  }
}
```

실행 결과

```
Exception in thread "main" java.lang.NullPointerException: Cannot store to int
array because "intArray" is null at ...NullPointerExceptionExample.main(NullPointer
ExceptionExample.java:6)
-----------------------------------------------------------------------------------
Exception in thread "main" java.lang.NullPointerException: Cannot invoke "String.
length()" because "str" is null at ...NullPointerExceptionExample.main(NullPointerE
xceptionExample.java:9)
```

앞으로 NullPointerException이 발생하면 예외가 발생된 곳에서 null인 상태의 참조 변수가 사용되고 있음을 알아야 한다. 이것을 해결하려면 참조 변수가 객체를 정확히 참조하도록 번지를 대입해야 한다.

경우에 따라서는 참조 타입 변수에 일부러 null을 대입하기도 한다. 프로그램에서 객체를 사용하려면 해당 객체를 참조하는 변수를 이용해야 하는데, 변수에 null을 대입하면 번지를 잃게 되므로 더 이상 객체를 사용할 수 없게 된다.

```java
String hobby = "여행";
hobby = null;
```

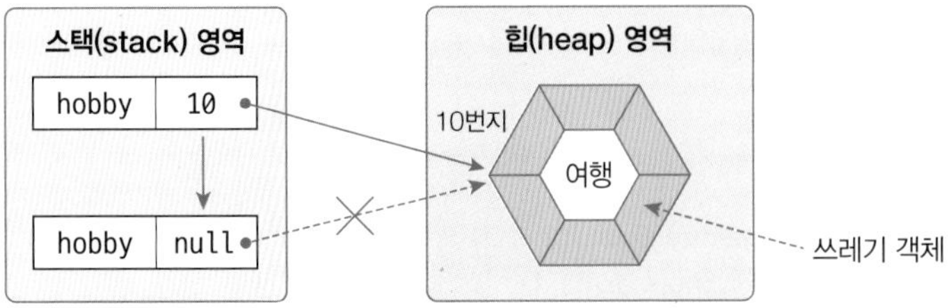

어떤 변수에서도 객체를 참조하지 않으면 해당 객체는 프로그램에서 사용할 수 없는 객체가 된다. 즉 힙 메모리에는 있지만, 위치 정보를 모르기 때문에 사용할 수 없게 된다. 자바는 이러한 객체를 쓰레기로 취급하고, 쓰레기 수집기Garbage Collector를 실행시켜 자동으로 제거한다.

사실 자바는 코드를 이용해서 객체를 직접 제거하는 방법을 제공하지 않는다. 객체를 제거하는 유일한 방법은 객체의 모든 참조를 없애는 것이다.

다음 코드에서 "여행"에 해당하는 String 객체는 쓰레기가 된다. hobby 변수에 "영화"가 대입되면서 다른 String 객체의 번지가 대입되어 이전 번지를 잃어버리기 때문이다.

```
String hobby = "여행";
hobby = "영화";
```

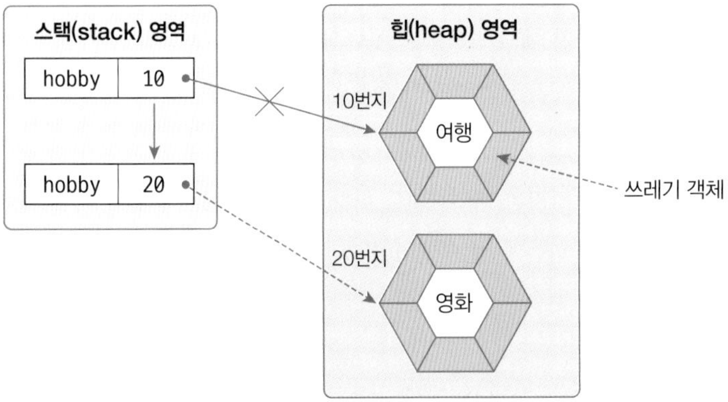

>>> GarbageObjectExample.java

```
1  package ch05.sec04;
2
3  public class GarbageObjectExample {
4    public static void main(String[] args) {
5      String hobby = "여행";
6      hobby = null;   // "여행"에 해당하는 String 객체를 쓰레기로 만듦
7
8      String kind1 = "자동차";
9      String kind2 = kind1;  // kind1 변수에 저장되어 있는 번지를 kind2 변수에 대입
10     kind1 = null;   // "자동차"에 해당하는 String 객체는 쓰레기가 아님
11     System.out.println("kind2: " + kind2);
12   }
13 }
```

실행 결과

```
kind2: 자동차
```

10라인에서 kind1 변수에 null을 대입한다고 해서 "자동차"에 해당하는 String 객체가 쓰레기가 되지는 않는다. 그 이유는 kind2 변수가 여전히 참조하고 있기 때문이다.

5.5 문자열(String) 타입

자바의 문자열은 String 객체로 생성된다. 다음은 두 개의 String 변수 name과 hobby를 선언하고 문자열 리터럴을 대입한 것이다. name 변수와 hobby 변수에 문자열 리터럴이 대입되면 문자열은 String 객체로 생성되고, 객체의 번지가 각각 대입된다.

```
String name;            //String 타입 변수 name 선언
name = "홍길동";         //name 변수에 문자열 대입
String hobby = "여행";   //String 타입 변수 hobby를 선언하고 문자열 대입
```

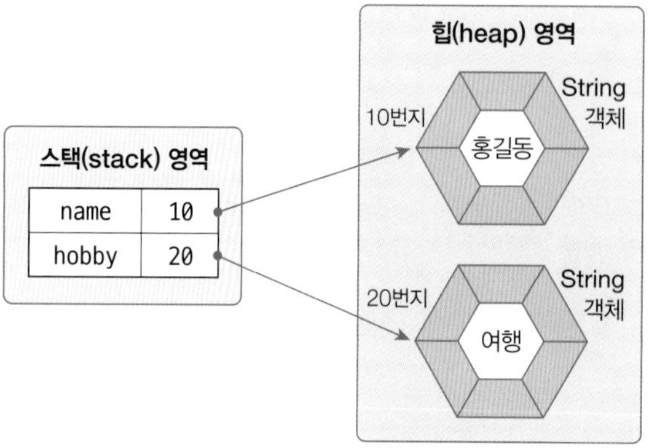

문자열 비교

자바는 문자열 리터럴이 동일하다면 String 객체를 공유하도록 설계되어 있다. 다음과 같이 name1과 name2 변수에 "홍길동"을 대입할 경우, name1과 name2 변수에는 동일한 String 객체의 번지가 저장된다.

```
String name1 = "홍길동";
String name2 = "홍길동";
```

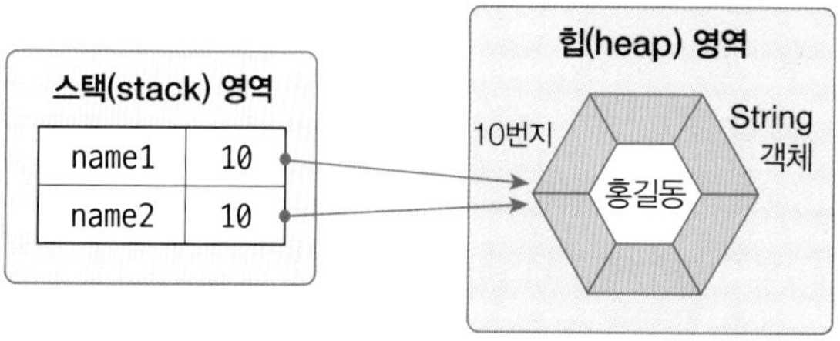

String 변수에 문자열 리터럴을 대입하는 것이 일반적이지만, new 연산자로 직접 String 객체를 생성하고 대입할 수도 있다. new 연산자는 새로운 객체를 만드는 연산자로 객체 생성 연산자라고 한다.

```
String name1 = new String("홍길동");
String name2 = new String("홍길동");
```

이 경우 name1과 name2 변수는 서로 다른 String 객체의 번지를 가지게 된다.

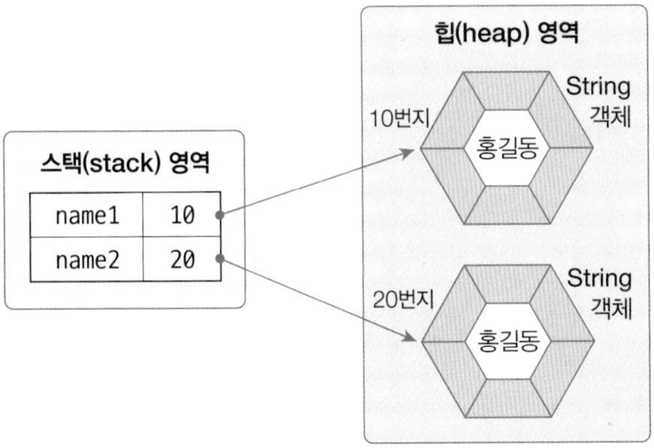

그렇기 때문에 문자열 리터럴로 생성하느냐 new 연산자로 생성하느냐에 따라 비교 연산자의 결과가 달라질 수 있다.

```
String name1 = "홍길동";
String name2 = "홍길동";
String name3 = new String("홍길동");
```

name1과 name2는 동일한 문자열 리터럴로 생성된 객체를 참조하기 때문에 name1 == name2의 결과는 true가 나오지만, name3은 new 연산자로 String 객체를 별도로 생성했기 때문에 name1 == name3의 결과는 false가 나온다.

```
name1 == name2   //결과: true
name1 == name3   //결과: false
```

동일한 String 객체든 다른 String 객체든 상관없이 내부 문자열만을 비교할 경우에는 String 객체의 equals() 메소드를 사용한다.

```
boolean result = str1.equals(str2);      //문자열이 같은지 검사(대소문자 구분)
                 원본 문자열  비교 문자열

boolean result = ! str1.equals(str2);    //문자열이 다른지 검사
```

>>> **EqualsExample.java**

```java
package ch05.sec05;

public class EqualsExample {
  public static void main(String[] args) {
    String strVar1 = "홍길동";
    String strVar2 = "홍길동";

    if(strVar1 == strVar2) {
      System.out.println("strVar1과 strVar2는 참조가 같음");
    } else {
      System.out.println("strVar1과 strVar2는 참조가 다름");
    }

    if(strVar1.equals(strVar2)) {
      System.out.println("strVar1과 strVar2는 문자열이 같음");
    }

    String strVar3 = new String("홍길동");
    String strVar4 = new String("홍길동");

    if(strVar3 == strVar4) {
      System.out.println("strVar3과 strVar4는 참조가 같음");
    } else {
      System.out.println("strVar3과 strVar4는 참조가 다름");
    }

    if(strVar3.equals(strVar4)) {
      System.out.println("strVar3과 strVar4는 문자열이 같음");
    }
  }
}
```

실행 결과

```
strVar1과 strVar2는 참조가 같음
strVar1과 strVar2는 문자열이 같음
strVar3과 strVar4는 참조가 다름
strVar3과 strVar4는 문자열이 같음
```

String 변수에 빈 문자열(" ")을 대입할 수도 있다. 빈 문자열도 String 객체로 생성되기 때문에 변수가 빈 문자열을 참조하는지 조사하려면 다음과 같이 equals() 메소드를 사용해야 한다.

>>> **EmptyStringExample.java**

```java
package ch05.sec05;

public class EmptyStringExample {
  public static void main(String[] args) {
    String hobby = "";
    if(hobby.equals("")) {
       System.out.println("hobby 변수가 참조하는 String 객체는 빈 문자열");
    }
  }
}
```

실행 결과

```
hobby 변수가 참조는 String 객체는 빈 문자열
```

문자 추출

문자열에서 특정 위치의 문자를 얻고 싶다면 charAt() 메소드를 이용할 수 있다. charAt() 메소드는 매개값으로 주어진 인덱스의 문자를 리턴한다. 여기서 인덱스란 0에서부터 '문자열의 길이-1'까지의 번호를 말한다. 다음 코드를 보자.

```java
String subject = "자바 프로그래밍";
char charValue = subject.charAt(3);
```

"자바 프로그래밍"이라는 문자열은 다음과 같이 인덱스를 매길 수 있다. 따라서 charAt(3)은 3번 인덱스 위치에 있는 문자, 즉 '프'가 해당된다.

자	바		프	로	그	래	밍
0	1	2	3	4	5	6	7

다음 예제는 주민등록번호에서 성별에 해당하는 7번째 문자를 읽고 남자 또는 여자인지를 출력한다.

>>> CharAtExample.java

```java
package ch05.sec05;

public class CharAtExample {
  public static void main(String[] args) {
    String ssn = "9506241230123";
    char sex = ssn.charAt(6);
    switch (sex) {
      case '1':
      case '3':
        System.out.println("남자입니다.");
        break;
      case '2':
      case '4':
        System.out.println("여자입니다.");
        break;
    }
  }
}
```

실행 결과

```
남자입니다.
```

문자열 길이

문자열에서 문자의 개수를 얻고 싶다면 length() 메소드를 사용한다. 다음 코드를 보자.

```java
String subject = "자바 프로그래밍";
int length = subject.length();
```

length 변수에는 8이 저장된다. subject 객체의 문자열 길이는 공백을 포함해서 8개이기 때문이다.

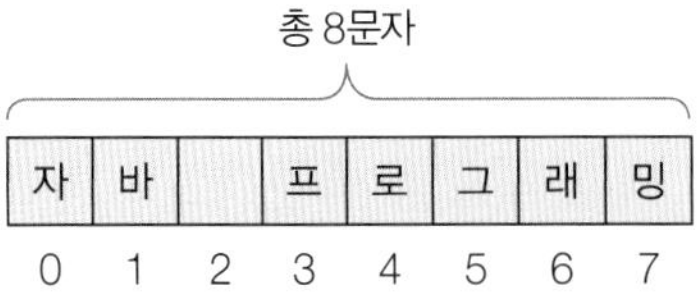

>>> **LengthExample.java**

```java
package ch05.sec05;

public class LengthExample {
  public static void main(String[] args) {
    String ssn = "9506241230123";
    int length = ssn.length();
    if(length == 13) {
      System.out.println("주민등록번호 자릿수가 맞습니다.");
    } else {
      System.out.println("주민등록번호 자릿수가 틀립니다.");
    }
  }
}
```

실행 결과

```
주민등록번호 자릿수가 맞습니다.
```

문자열 대체

문자열에서 특정 문자열을 다른 문자열로 대체하고 싶다면 replace() 메소드를 사용한다. replace() 메소드는 기존 문자열은 그대로 두고, 대체한 새로운 문자열을 리턴한다. 다음 코드를 보자.

```java
String oldStr = "자바 프로그래밍";
String newStr = oldStr.replace("자바", "JAVA");
```

String 객체의 문자열은 변경이 불가한 특성을 갖기 때문에 replace() 메소드가 리턴하는 문자열은 원래 문자열의 수정본이 아니라 완전히 새로운 문자열이다. 따라서 newStr 변수는 다음 그림과 같이 새로 생성된 "JAVA 프로그래밍" 문자열을 참조한다.

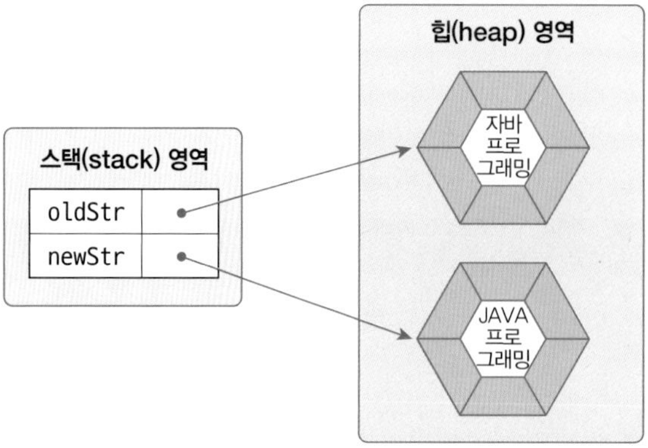

>>> ReplaceExample.java

```java
package ch05.sec05;

public class ReplaceExample {
  public static void main(String[] args) {
    String oldStr = "자바 문자열은 불변입니다. 자바 문자열은 String입니다.";
    String newStr = oldStr.replace("자바", "JAVA");

    System.out.println(oldStr);
    System.out.println(newStr);
  }
}
```

실행 결과

```
자바 문자열은 불변입니다. 자바 문자열은 String입니다.
JAVA 문자열은 불변입니다. JAVA 문자열은 String입니다.
```

문자열 잘라내기

문자열에서 특정 위치의 문자열을 잘라내어 가져오고 싶다면 substring() 메소드를 사용한다.

메소드	설명
substring(int beginIndex)	beginIndex에서 끝까지 잘라내기
substring(int beginIndex, int endIndex)	beginIndex에서 endIndex 앞까지 잘라내기

다음 코드를 보자.

```
String ssn = "880815-1234567";
String firstNum = ssn.substring(0, 6);
String secondNum = ssn.substring(7);
```

주어진 ssn의 문자열을 인덱싱하면 다음과 같다.

8	8	0	8	1	5	-	1	2	3	4	5	6	7
0	1	2	3	4	5	6	7	8	9	10	11	12	13

따라서 firstNum 변수는 "880815" 문자열을 참조하고, secondNum 변수는 "1234567"을 참조한다.

>>> SubStringExample.java

```
package ch05.sec05;

public class SubStringExample {
  public static void main(String[] args) {
    String ssn = "880815-1234567";

    String firstNum = ssn.substring(0, 6);
    System.out.println(firstNum);

    String secondNum = ssn.substring(7);
    System.out.println(secondNum);
  }
}
```

실행 결과

```
880815
1234567
```

문자열 찾기

문자열에서 특정 문자열의 위치를 찾고자 할 때에는 indexOf() 메소드를 사용한다. indexOf() 메소드는 주어진 문자열이 시작되는 인덱스를 리턴한다. 다음 코드를 보자.

```
String subject = "자바 프로그래밍";
int index = subject.indexOf("프로그래밍");
```

index 변수에는 3이 저장되는데, 다음과 같이 "자바 프로그래밍"에서 "프로그래밍" 문자열의 인덱스 위치가 3번이기 때문이다.

자	바		프	로	그	래	밍
0	1	2	3	4	5	6	7

만약 주어진 문자열이 포함되어 있지 않으면 indexOf() 메소드는 −1을 리턴한다. 주어진 문자열이 포함되어 있는지 여부에 따라 실행 코드를 달리하고 싶다면 if 조건식을 사용해서 다음과 같이 코드를 작성할 수 있다.

```
int index = subject.indexOf("프로그래밍");
if(index == -1) {
  //포함되어 있지 않은 경우
} else {
  //포함되어 있는 경우
}
```

주어진 문자열이 단순히 포함되어 있는지만 조사하고 싶다면 contains() 메소드를 사용하면 편리하다. 원하는 문자열이 포함되어 있으면 contains() 메소드는 true를 리턴하고, 그렇지 않으면 false를 리턴한다.

```
boolean result = subject.contains("프로그래밍");
```

>>> **IndexOfContainsExample.java**

```java
package ch05.sec05;

public class IndexOfContainsExample {
  public static void main(String[] args) {
    String subject = "자바 프로그래밍";

    int location = subject.indexOf("프로그래밍");
    System.out.println(location);
    String substring = subject.substring(location);
    System.out.println(substring);

    location = subject.indexOf("자바");
    if(location != -1) {
      System.out.println("자바와 관련된 책이군요.");
    } else {
      System.out.println("자바와 관련 없는 책이군요.");
    }

    boolean result = subject.contains("자바");
    if(result) {
      System.out.println("자바와 관련된 책이군요.");
    } else {
      System.out.println("자바와 관련 없는 책이군요.");
    }
  }
}
```

실행 결과

```
3
프로그래밍
자바와 관련된 책이군요.
자바와 관련된 책이군요.
```

문자열 분리

문자열이 구분자를 사용하여 여러 개의 문자열로 구성되어 있을 경우, 이를 따로 분리해서 얻고 싶다면 split() 메소드를 사용한다. 다음 코드를 보자.

```
String board = "번호,제목,내용,성명";
String[] arr = board.split(",");
```

board는 쉼표로 구분된 문자열을 가지고 있다. split() 메소드를 호출할 때 쉼표를 제공하면 분리된 문자열로 구성된 배열(array)을 얻을 수 있다. 배열은 5.6절에서 학습한다.

arr[0]	arr[1]	arr[2]	arr[3]
"번호"	"제목"	"내용"	"성명"

>>> SplitExample.java

```
package ch05.sec05;

public class SplitExample {
  public static void main(String[] args) {
    String board = "1,자바 학습,참조 타입 String을 학습합니다.,홍길동";

    //문자열 분리
    String[] tokens = board.split(",");

    //인덱스별로 읽기
    System.out.println("번호: " + tokens[0]);
    System.out.println("제목: " + tokens[1]);
    System.out.println("내용: " + tokens[2]);
    System.out.println("성명: " + tokens[3]);
    System.out.println();

    //for 문을 이용한 읽기
    for(int i=0; i<tokens.length; i++) {
      System.out.println(tokens[i]);
    }
  }
}
```

실행 결과

```
번호: 1
제목: 자바 학습
내용: 참조 타입 String을 학습합니다.
성명: 홍길동

1
자바 학습
참조 타입 String을 학습합니다.
홍길동
```

5.6 배열(Array) 타입

변수는 하나의 값만 저장할 수 있다. 따라서 저장해야 할 값의 수가 많아지면 그만큼 많은 변수가 필요하다. 예를 들어 학생 30명의 성적을 저장하고 평균값을 구한다고 가정해 보자. 먼저 학생 30명의 성적을 저장하기 위해 변수 30개를 선언해야 한다.

```
int score1 =  83;
int score2 =  90;
int score3 =  87;
 :
int score30 = 75;
```

그리고 평점을 구하기 위해 변수들을 아래와 같이 모두 더해야 한다. 이와 같은 방법은 매우 비효율적이고 지루한 코딩이 된다. 만약 전교 학생들에 대한 성적을 처리한다면 수백 개의 변수 선언으로 인해 코드는 끔찍해진다.

```
int sum = score1;
sum += score2;
sum += score3;
 :
sum += score30;
int avg = sum / 30;
```

따라서 많은 양의 값을 다루는 좀 더 효율적인 방법이 필요한데, 이것이 배열이다. 배열은 연속된 공간에 값을 나열시키고, 각 값에 인덱스index를 부여해 놓은 자료구조이다. 앞의 예에서 학생들의 성적은 다음과 같이 score 배열로 생성할 수 있다.

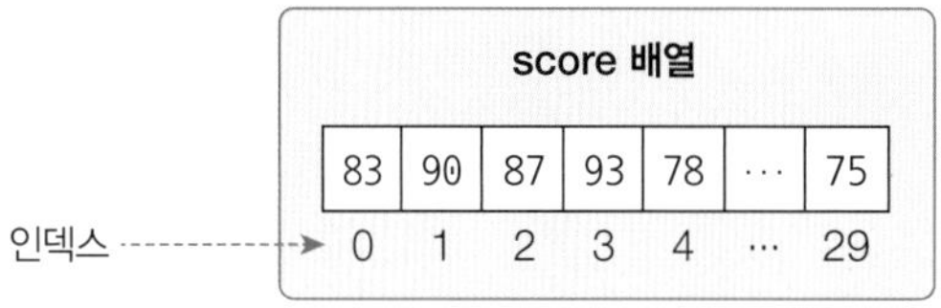

인덱스는 대괄호 [ ]와 함께 사용하여 각 항목의 값을 읽거나 저장하는데 사용한다. 예를 들어 score[0]은 83, score[1]은 90, score[2]는 87 값을 가진다. 이렇게 성적을 배열에 저장하면 평균값은 배열의 인덱스를 이용해서 for 문으로 쉽게 구할 수 있다.

```
int sum = 0;
for(int i=0; i<30; i++) {
  sum += score[i];
}
int avg = sum / 30;
```

for 문이 30번 반복 실행하면서 i는 0~29까지 변한다. 따라서 sum 변수에는 score[0]~score[29]까지의 값이 더해지고, 마지막으로 얻은 sum을 배열의 길이 30으로 나누면 평균 avg를 얻을 수 있다. 이렇게 하면 학생 수가 30명이 아니라 수백 명이 되어도 for 문의 i<30만 변경하면 되므로 많은 양의 데이터를 적은 코드로 손쉽게 처리할 수 있다.

배열은 다음과 같은 특징을 가지고 있다.

- 배열은 같은 타입의 값만 관리한다.
- 배열의 길이는 늘리거나 줄일 수 없다.

int 배열은 int 타입의 값만 관리하고, String 배열은 문자열만 관리한다. 배열은 생성과 동시에 길이가 결정된다. 또한 한 번 결정된 배열의 길이는 늘리거나 줄일 수 없다.

배열 변수 선언

배열을 사용하기 위해서는 우선 배열 변수를 선언해야 한다. 배열 변수 선언은 다음과 같이 두 가지 형태로 작성할 수 있지만, 관례적으로 첫 번째 방법을 주로 사용한다.

```
타입[] 변수;                                    타입 변수[];
```

타입은 배열에 저장될 값의 타입을 말하는데, 다음은 타입별로 배열을 선언하는 방법이다.

```
int[] intArray;                                 int intArray[];
double[] doubleArray;                           double doubleArray[];
String[] strArray;                              String strArray[];
```

배열 변수는 참조 변수이다. 배열도 객체이므로 힙 영역에 생성되고 배열 변수는 힙 영역의 배열 주소를 저장한다. 참조할 배열이 없다면 배열 변수도 null로 초기화할 수 있다.

```
타입[] 변수 = null;
```

만약 배열 변수가 null 값을 가진 상태에서 변수[인덱스]로 값을 읽거나 저장하게 되면 NullPointerException이 발생한다.

값 목록으로 배열 생성

배열에 저장될 값의 목록이 있다면, 다음과 같이 간단하게 배열을 생성할 수 있다.

```
타입[] 변수 = { 값0, 값1, 값2, 값3, ... };
```

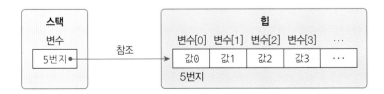

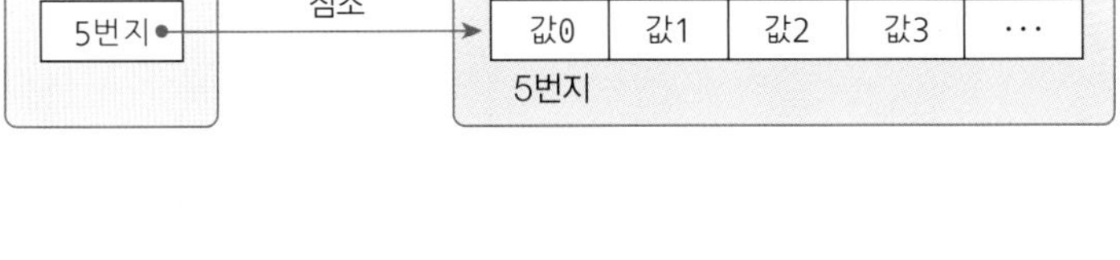

중괄호 { }는 나열된 값들을 항목으로 가지는 배열을 힙에 생성하고, 번지를 리턴한다. 배열 변수는 리턴된 번지를 저장함으로써 참조가 이루어진다. "Spring", "Summer", "Fall", "Winter" 문자열을 갖는 배열은 다음과 같이 생성할 수 있다.

```
String[] season = { "Spring", "Summer", "Fall", "Winter" };
```

이렇게 생성된 배열에서 "Spring"은 season[0], "Fall"은 season[2]로 읽을 수 있다. season[1]의 "Summer"을 "여름"으로 바꾸고 싶다면 다음과 같이 대입 연산자를 사용하면 된다.

```
season[1] = "여름";
```

››› **ArrayCreateByValueListExample1.java**

```java
package ch05.sec06;

public class ArrayCreateByValueListExample1 {
  public static void main(String[] args) {
    //배열 변수 선언과 배열 생성
    String[] season = { "Spring", "Summer", "Fall", "Winter" };

    //배열의 항목값 읽기
    System.out.println("season[0] : " + season[0]);
    System.out.println("season[1] : " + season[1]);
    System.out.println("season[2] : " + season[2]);
    System.out.println("season[3] : " + season[3]);

    //인덱스 1번 항목의 값 변경
    season[1] = "여름";
    System.out.println("season[1] : " + season[1]);
    System.out.println();

    //배열 변수 선언과 배열 생성
    int[] scores = { 83, 90, 87 };

    //총합과 평균 구하기
```

```
    int sum = 0;
    for(int i=0; i<3; i++) {
      sum += scores[i];
    }
    System.out.println("총합 : " + sum);
    double avg = (double) sum / 3;
    System.out.println("평균 : " + avg);
  }
}
```

실행 결과

```
season[0] : Spring
season[1] : Summer
season[2] : Fall
season[3] : Winter
season[1] : 여름

총합 : 260
평균 : 86.66666666666667
```

중괄호 { }로 감싼 값의 목록을 배열 변수에 대입할 때 주의할 점이 있다. 배열 변수를 미리 선언한 후에는 값 목록을 변수에 대입할 수 없다.

```
타입[] 변수;
변수 = { 값0, 값1, 값2, 값3, ... };    //컴파일 에러
```

배열 변수를 선언한 시점과 값 목록이 대입되는 시점이 다르다면 다음과 같이 new 타입[ ]을 중괄호 앞에 붙여 주면 된다. 타입은 배열 변수를 선언할 때 사용한 타입과 동일하게 주면 된다.

```
변수 = new 타입[] { 값0, 값1, 값2, 값3, ... };
```

예를 들어 String 배열 변수 names를 선언한 후에 값 목록을 대입할 경우에는 new String[ ]을 중괄호 앞에 붙여 줘야 한다.

```
String[] names = null;
names = new String[] { "신용권", "홍길동", "김자바" };
```

메소드의 매개변수가 배열 타입일 경우에도 마찬가지다. 아래와 같이 매개변수로 int[ ] 배열 타입을 갖는 printItem() 메소드가 있다고 가정해 보자. printItem() 메소드를 호출할 때 매개값으로 중괄호로 감싼 값 목록을 주면 컴파일 에러가 발생한다.

```
//메소드 선언
void printItem(int[] scores) { … }

//잘못된 메소드 호출
printItem( {95, 85, 90} );    //컴파일 에러
```

매개변수가 이미 선언되어 있고, 호출 시 값 목록을 제공하므로 다음과 같이 호출해야 한다.

```
//올바른 메소드 호출
printItem( new int[] {95, 85, 90} );
```

여기서 잠깐

메소드 선언과 호출

메소드 선언과 호출은 6장에서 자세히 설명한다. 간단히 말하면 메소드 선언은 이름 있는 중괄호 블록을 만드는 것이고, 메소드 호출은 해당 이름으로 중괄호 블록을 실행하는 것이다.

››› **ArrayCreateByValueListExample2.java**

```
package ch05.sec06;

public class ArrayCreateByValueListExample2 {
  public static void main(String[] args) {
    //배열 변수 선언
    int[] scores;
```

```
    //배열 변수에 배열을 대입
    scores = new int[] { 83, 90, 87 };
    //배열 항목의 총합을 구하고 출력
    int sum1 = 0;
    for(int i=0; i<3; i++) {
      sum1 += scores[i];
    }
    System.out.println("총합 : " + sum1);

    //배열을 매개값으로 주고, printItem() 메소드 호출
    printItem( new int[] { 83, 90, 87 } );
  }

  //printItem() 메소드 선언
  public static void printItem( int[] scores ) {
    //매개변수가 참조하는 배열의 항목을 출력
    for(int i=0; i<3; i++) {
      System.out.println("score[" + i + "]: " + scores[i]);
    }
  }
}
```

실행 결과

```
총합 : 260
score[0]: 83
score[1]: 90
score[2]: 87
```

new 연산자로 배열 생성

값의 목록은 없지만 향후 값들을 저장할 목적으로 배열을 미리 생성할 수도 있다. new 연산자를 다음과 같이 사용하면 배열 객체를 생성시킨다. 길이는 배열이 저장할 수 있는 항목 수를 말한다.

```
타입[] 변수 = new 타입[길이];
```

new 연산자는 해당 길이의 배열을 생성하고 배열의 번지를 리턴하기 때문에 배열 변수에 대입할 수 있다. 이미 배열 변수가 선언된 후에도 다음과 같이 대입이 가능하다.

```
타입[] 변수 = null;
변수 = new 타입[길이];
```

다음은 길이 5인 int[ ] 배열을 생성하고, 배열 번지를 intArray 변수에 대입한다.

```
int[] intArray = new int[5];
```

new 연산자로 배열을 처음 생성하면 배열 항목은 기본값으로 초기화된다. 다음 표는 타입별 배열의 초기값을 보여 준다.

데이터 타입		초기값
기본 타입	byte[ ] char[ ] short[ ] int[ ] long[ ]	0 '\u0000' 0 0 0L
	float[ ] double[ ]	0.0F 0.0
	boolean[ ]	false
참조 타입	클래스[ ] 인터페이스[ ]	null null

NOTE 정수 배열은 0, 실수 배열은 0.0, 논리 배열은 false, 참조 배열은 null로 초기화된다.

int[ ] 배열을 다음과 같이 생성했다면 항목은 모두 0으로 초기화된다.

```
int[] scores = new int[30];
```

인덱스:	0	1	2	3	4	5	6	7	…	23	24	25	26	27	28	29
scores	0	0	0	0	0	0	0	0	…	0	0	0	0	0	0	0

String 배열을 다음과 같이 생성했다면 항목은 모두 null로 초기화된다.

```
String[] names = new String[30];
```

인덱스:	0	1	2	3	4	5	6	7	…	23	24	25	26	27	28	29
names	null	null	null	null	null	null	null	null	…	null	null	null	null	null	null	null

배열을 생성하고 난 후 특정 인덱스 항목을 새로운 값으로 변경하는 방법은 동일하다.

```
변수[인덱스] = 값;
```

>>> ArrayCreateByNewExample.java

```java
package ch05.sec06;

public class ArrayCreateByNewExample {
  public static void main(String[] args) {
    //배열 변수 선언과 배열 생성
    int[] arr1 = new int[3];
    //배열 항목의 초기값 출력
    for(int i=0; i<3; i++) {
      System.out.print("arr1[" + i + "] : " + arr1[i] + ", ");
    }
    System.out.println();
    //배열 항목의 값 변경
    arr1[0] = 10;
    arr1[1] = 20;
    arr1[2] = 30;
    //배열 항목의 변경 값 출력
    for(int i=0; i<3; i++) {
      System.out.print("arr1[" + i + "] : " + arr1[i] + ", ");
    }
    System.out.println("\n");

    //배열 변수 선언과 배열 생성
    double[] arr2 = new double[3];
```

```
        //배열 항목의 초기값 출력
        for(int i=0; i<3; i++) {
          System.out.print("arr2[" + i + "] : " + arr2[i] + ", ");
        }
        System.out.println();
        //배열 항목의 값 변경
        arr2[0] = 0.1;
        arr2[1] = 0.2;
        arr2[2] = 0.3;
        //배열 항목의 변경 값 출력
        for(int i=0; i<3; i++) {
          System.out.print("arr2[" + i + "] : " + arr2[i] + ", ");
        }
        System.out.println("\n");

        //배열 변수 선언과 배열 생성
        String[] arr3 = new String[3];
        //배열 항목의 초기값 출력
        for(int i=0; i<3; i++) {
          System.out.print("arr3[" + i + "] : " + arr3[i] + ", ");
        }
        System.out.println();
        //배열 항목의 값 변경
        arr3[0] = "1월";
        arr3[1] = "2월";
        arr3[2] = "3월";
        //배열 항목의 변경값 출력
        for(int i=0; i<3; i++) {
          System.out.print("arr3[" + i + "] : " + arr3[i] + ", ");
        }
      }
    }
```

실행 결과

```
arr1[0] : 0, arr1[1] : 0, arr1[2] : 0,
arr1[0] : 10, arr1[1] : 20, arr1[2] : 30,

arr2[0] : 0.0, arr2[1] : 0.0, arr2[2] : 0.0,
arr2[0] : 0.1, arr2[1] : 0.2, arr2[2] : 0.3,
```

```
arr3[0] : null, arr3[1] : null, arr3[2] : null,
arr3[0] : 1월, arr3[1] : 2월, arr3[2] : 3월,
```

배열 길이

배열의 길이란 배열에 저장할 수 있는 항목 수를 말한다. 코드에서 배열의 길이를 얻으려면 도트(.) 연산자를 사용해서 참조하는 배열의 length 필드를 읽으면 된다.

```
배열변수.length;
```

배열의 length 필드는 읽기만 가능하므로 다음과 같이 값을 변경할 수는 없다.

```
intArray.length = 10;   //컴파일 에러 발생
```

배열 길이는 for 문을 사용해서 전체 배열 항목을 반복할 때 많이 사용된다.

>>> **ArrayLengthExample.java**

```java
package ch05.sec06;

public class ArrayLengthExample {
  public static void main(String[] args) {
    //배열 변수 선언과 배열 대입
    int[] scores = { 84, 90, 96 };

    //배열 항목의 총합 구하기
    int sum = 0;
    for(int i=0; i<scores.length; i++) {
      sum += scores[i];
    }
    System.out.println("총합 : " + sum);

    //배열 항목의 평균 구하기
    double avg = (double) sum / scores.length;
```

```
            System.out.println("평균 : " + avg);
        }
    }
```

실행 결과

```
총합 : 270
평균 : 90.0
```

for 문의 조건식에서 < 연산자를 사용한 이유는 배열의 마지막 인덱스는 배열 길이보다 1이 적기 때문이다. 인덱스를 초과해서 사용하면 ArrayIndexOutOfBoundsException이 발생한다.

5.7 다차원 배열

배열 항목에는 또 다른 배열이 대입될 수 있는데, 이러한 배열을 다차원 배열이라고 부른다. 다음은 2차원과 3차원 배열의 모양을 보여 준다.

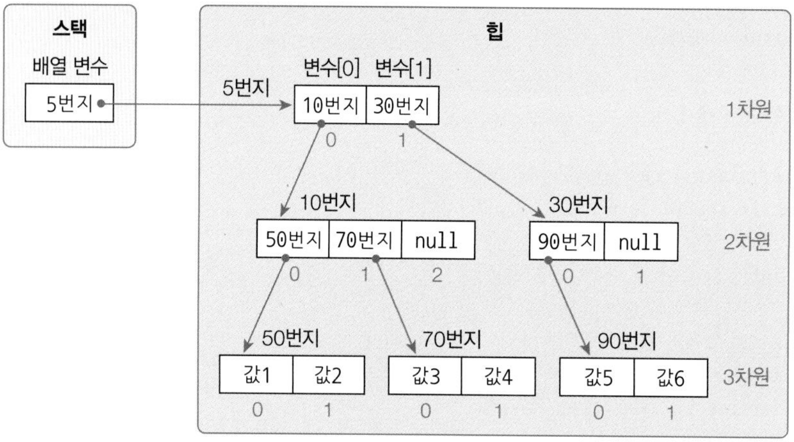

배열 변수는 5번지의 1차원 배열을 참조하고, 변수[0]은 다시 10번지 배열을 참조하고, 변수[1]은 30번지 배열을 참조한다. 위 그림처럼 다차원 배열은 1차원 배열을 서로 연결한 것이라고 볼 수 있다. 다차원 배열에서 각 차원의 항목에 접근하는 방법은 다음과 같다.

```
변수[1차원인덱스][2차원인덱스]...[N차원인덱스]
```

위 그림에서 값1, 값3, 값6을 읽는 방법은 다음과 같다.

```
변수[0][0][0]    //값1
변수[0][1][0]    //값3
변수[1][0][1]    //값6
```

값 목록으로 다차원 배열 생성

값 목록으로 다차원 배열을 생성하려면 배열 변수 선언 시 타입 뒤에 대괄호 [ ]를 차원의 수만큼 붙이고, 값 목록도 마찬가지로 차원의 수만큼 중괄호를 중첩시킨다. 다음은 값 목록으로 2차원 배열을 생성하고 변수에 대입하는 방법을 보여 준다.

```
타입[][] 변수 = {
  {값1, 값2, ...},            1차원 배열의 0 인덱스
  {값3, 값4, ...},            1차원 배열의 1 인덱스
  ...
};
```

두 반의 학생 점수를 저장하는 배열을 생성해 보자. 각 반은 1차원 배열이고, 해당 반의 학생 점수는 2차원 배열이라고 볼 수 있다.

```
int[ ][ ] scores = {
  { 80, 90, 96 },         1차원 배열의 0 인덱스: 첫 번째 반 성적
  { 76, 88 }              1차원 배열의 1 인덱스: 두 번째 반 성적
};
```

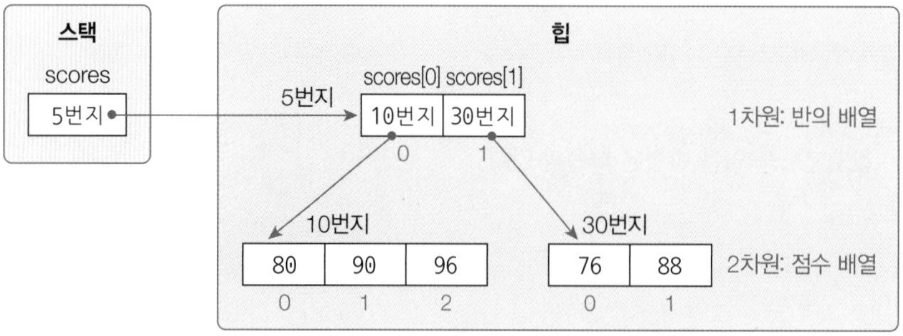

각 반의 학생 점수는 다음과 같이 읽을 수 있다.

```
int score = scores[0][2];    //96
int score = scores[1][1];    //88
```

반의 개수는 1차원 배열의 길이와 동일하고, 각 반의 학생 수는 2차원 배열의 길이와 동일하기 때문에 다음과 같이 배열의 length 필드로 반의 개수와 학생 수를 알 수 있다.

```
scores.length        //반의 수: 2
scores[0].length     //첫 번째 반의 학생 수: 3
scores[1].length     //두 번째 반의 학생 수: 2
```

>>> **MultidimensionalArrayByValueListExample.java**

```java
package ch05.sec07;

public class MultidimensionalArrayByValueListExample {
  public static void main(String[] args) {
    //2차원 배열 생성
    int[][] scores = {
        { 80, 90, 96 },
        { 76, 88 }
    };

    //배열의 길이
    System.out.println("1차원 배열 길이(반의 수): " + scores.length);
```

```java
    System.out.println("2차원 배열 길이(첫 번째 반의 학생 수): " + scores[0].length);
    System.out.println("2차원 배열 길이(두 번째 반의 학생 수): " + scores[1].length);

    //첫 번째 반의 세 번째 학생의 점수 읽기
    System.out.println("scores[0][2]: " + scores[0][2]);

    //두 번째 반의 두 번째 학생의 점수 읽기
    System.out.println("scores[1][1]: " + scores[1][1]);

    //첫 번째 반의 평균 점수 구하기
    int class1Sum = 0;
    for(int i=0; i<scores[0].length; i++) {
      class1Sum += scores[0][i];
    }
    double class1Avg = (double) class1Sum / scores[0].length;
    System.out.println("첫 번째 반의 평균 점수: " + class1Avg);

    //두 번째 반의 평균 점수 구하기
    int class2Sum = 0;
    for(int i=0; i<scores[1].length; i++) {
      class2Sum += scores[1][i];
    }
    double class2Avg = (double) class2Sum / scores[1].length;
    System.out.println("두 번째 반의 평균 점수: " + class2Avg);

    //전체 학생의 평균 점수 구하기
    int totalStudent = 0;
    int totalSum = 0;
    for(int i=0; i<scores.length; i++) {          //반의 수만큼 반복
      totalStudent += scores[i].length;           //반의 학생 수 합산
      for(int k=0; k<scores[i].length; k++) {     //해당 반의 학생 수만큼 반복
        totalSum += scores[i][k];                 //학생 점수 합산
      }
    }
    double totalAvg = (double) totalSum / totalStudent;
    System.out.println("전체 학생의 평균 점수: " + totalAvg);
  }
}
```

실행 결과

```
1차원 배열 길이(반의 수): 2
2차원 배열 길이(첫 번째 반의 학생 수): 3
2차원 배열 길이(두 번째 반의 학생 수): 2
scores[0][2]: 96
scores[1][1]: 88
첫 번째 반의 평균 점수: 88.66666666666667
두 번째 반의 평균 점수: 82.0
전체 학생의 평균 점수: 86.0
```

new 연산자로 다차원 배열 생성

new 연산자로 다차원 배열을 생성하려면 배열 변수 선언 시 타입 뒤에 대괄호 [ ]를 차원의 수만큼 붙이고, new 타입 뒤에도 차원의 수만큼 대괄호 [ ]를 작성하면 된다. 다음은 2차원 배열을 생성하고 변수에 대입하는 방법을 보여 준다.

```
타입[][] 변수 = new 타입[1차원수][2차원수];
```

마지막 차원의 항목의 값은 5.6절에서 설명한 것과 같이 초기값을 가지는데, 정수 타입은 0, 실수 타입은 0.0, 논리 타입은 false, 참조 타입은 null이 된다.

두 반의 학생 점수들을 저장하는 2차원 int 배열을 다음과 같이 생성하면 2차원 배열의 길이는 모두 3이고, 항목들은 0으로 초기화된다.

```
int[][] scores = new int[2][3];
```

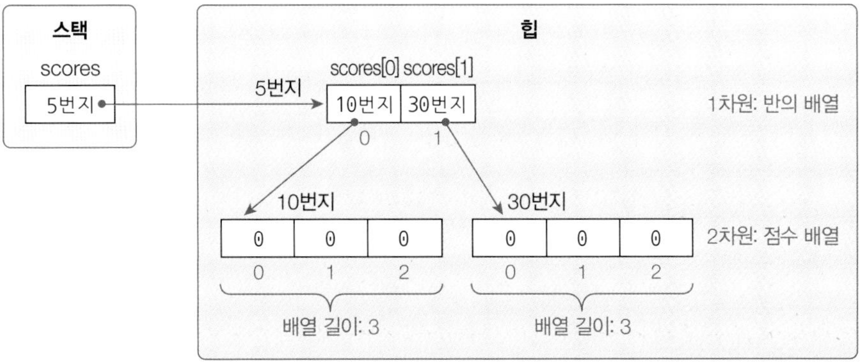

두 반의 학생 이름을 저장하는 2차원 String 배열을 다음과 같이 생성하면 2차원 배열의 길이는 모두 3이고 항목들은 null로 초기화된다.

```
String[][] names = new String[2][3];
```

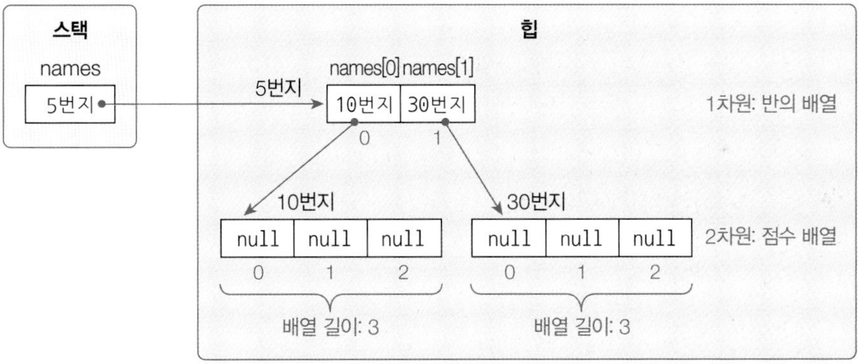

만약 두 반의 학생 수가 다를 경우 2차원 배열의 길이를 다르게 줄 수 있다. 1차원 배열의 길이를 2로 해서 배열 객체를 우선 생성하고, 각각의 항목 값으로 길이가 다른 2차원 배열을 대입하면 된다.

```
int[][] scores = new int[2][];
scores[0] = new int[3];  //첫 번째 반의 학생 수가 3명
scores[1] = new int[2];  //두 번째 반의 학생 수가 2명
```

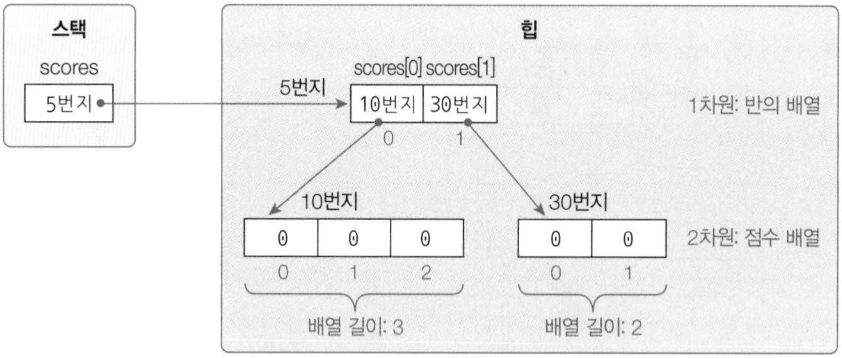

>>> **MultidimensionalArrayByNewExample.java**

```java
package ch05.sec07;

public class MultidimensionalArrayByNewExample {
  public static void main(String[] args) {
    //각 반의 학생 수가 3명으로 동일할 경우 점수 저장을 위한 2차원 배열 생성
    int[][] mathScores = new int[2][3];
    //배열 항목 초기값 출력
    for (int i = 0; i < mathScores.length; i++) {          //반의 수만큼 반복
      for (int k = 0; k < mathScores[i].length; k++) { //해당 반의 학생 수만큼 반복
        System.out.println("mathScores[" + i + "][" + k + "]: " + mathScores[i][k]);
      }
    }
    System.out.println();
    //배열 항목 값 변경
    mathScores[0][0] = 80;
    mathScores[0][1] = 83;
    mathScores[0][2] = 85;
    mathScores[1][0] = 86;
    mathScores[1][1] = 90;
    mathScores[1][2] = 92;
    //전체 학생의 수학 평균 구하기
    int totalStudent = 0;
    int totalMathSum = 0;
    for (int i = 0; i < mathScores.length; i++) {          //반의 수만큼 반복
```

```
            totalStudent += mathScores[i].length;            //반의 학생 수 합산
            for (int k = 0; k < mathScores[i].length; k++) { //해당 반의 학생 수만큼 반복
                totalMathSum += mathScores[i][k];            //학생 점수 합산
            }
        }
        double totalMathAvg = (double) totalMathSum / totalStudent;
        System.out.println("전체 학생의 수학 평균 점수: " + totalMathAvg);
        System.out.println();

        //각 반의 학생 수가 다를 경우 점수 저장을 위한 2차원 배열 생성
        int[][] englishScores = new int[2][];
        englishScores[0] = new int[2];
        englishScores[1] = new int[3];
        //배열 항목 초기값 출력
        for (int i = 0; i < englishScores.length; i++) {        //반의 수만큼 반복
            for (int k = 0; k < englishScores[i].length; k++) { //해당 반의 학생 수만큼 반복
                System.out.println("englishScores[" + i + "][" + k + "]: " +
                englishScores[i][k]);
            }
        }
        System.out.println();
        //배열 항목 값 변경
        englishScores[0][0] = 90;
        englishScores[0][1] = 91;
        englishScores[1][0] = 92;
        englishScores[1][1] = 93;
        englishScores[1][2] = 94;
        //전체 학생의 영어 평균 구하기
        totalStudent = 0;
        int totalEnglishSum = 0;
        for (int i = 0; i < englishScores.length; i++) {        //반의 수만큼 반복
            totalStudent += englishScores[i].length;            //반의 학생 수 합산
            for (int k = 0; k < englishScores[i].length; k++) { //해당 반의 학생 수만큼 반복
                totalEnglishSum += englishScores[i][k];         //학생 점수 합산
            }
        }
```

```java
        double totalEnglishAvg = (double) totalEnglishSum / totalStudent;
        System.out.println("전체 학생의 영어 평균 점수: " + totalEnglishAvg);
    }
}
```

실행 결과

```
mathScores[0][0]: 0
mathScores[0][1]: 0
mathScores[0][2]: 0
mathScores[1][0]: 0
mathScores[1][1]: 0
mathScores[1][2]: 0

전체 학생의 수학 평균 점수: 86.0

englishScores[0][0]: 0
englishScores[0][1]: 0
englishScores[1][0]: 0
englishScores[1][1]: 0
englishScores[1][2]: 0

전체 학생의 영어 평균 점수: 92.0
```

5.8 객체를 참조하는 배열

기본 타입(byte, char, short, int, long, float, double, boolean) 배열은 각 항목에 값을 직접 저장하지만, 참조 타입(클래스, 인터페이스) 배열은 각 항목에 객체의 번지를 저장한다. 다음과 같이 String 타입의 배열을 생성하고, 각 항목에 문자열을 대입했다고 가정해 보자.

```java
String[] strArray = new String[3];
strArray[0] = "Java";
strArray[1] = "C++";
strArray[2] = "C#";
```

strArray 변수와 String[] 배열을 그림으로 표현하면 다음과 같다. String[] 배열의 항목은 String 변수와 동일하게 참조 타입 변수로 취급된다.

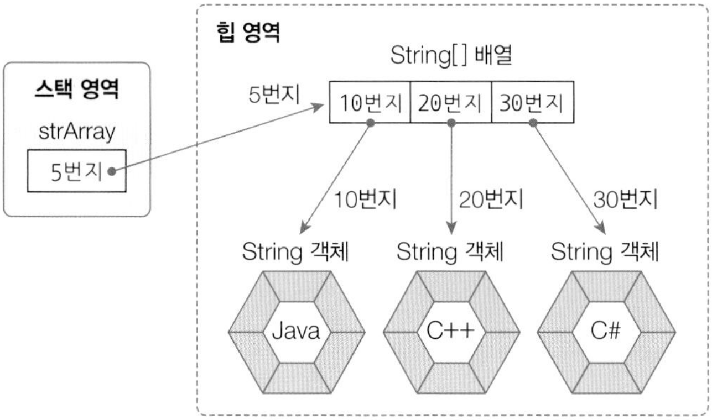

==, != 연산자를 사용하면 배열 항목이 참조하는 객체가 같은 객체인지 다른 객체인지를 확인할 수 있고, 문자열만 비교할 때는 equals() 메소드를 사용한다.

```
String[] languages = new String[3];
languages[0] = "Java";
languages[1] = "Java";
languages[2] = new String("Java");

System.out.println( languages[0] == languages[1]);         //true: 같은 객체를 참조
System.out.println( languages[0] == languages[2] );        //false: 다른 객체를 참조
System.out.println( languages[0].equals(languages[2]) );   //true: 문자열이 동일
```

languages 변수와 String[] 배열을 그림으로 표현하면 다음과 같다.

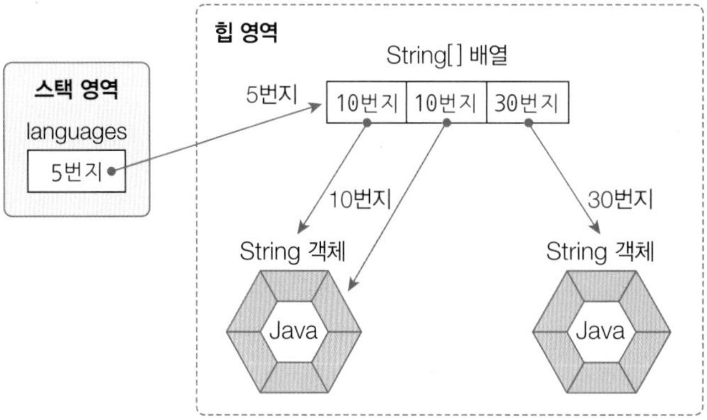

리터럴 문자열이 같기 때문에 language[0]과 language[1] 항목은 동일한 번지에 저장된다. 하지만 language[2] 항목은 new 연산자로 생성된 String 객체가 대입되므로 다른 번지가 저장된다.

>>> **ArrayReferenceObjectExample.java**

```java
package ch05.sec08;

public class ArrayReferenceObjectExample {
  public static void main(String[] args) {
    String[] strArray = new String[3];
    strArray[0] = "Java";
    strArray[1] = "Java";
    strArray[2] = new String("Java");

    System.out.println( strArray[0] == strArray[1] ); //true: 같은 객체 참조
    System.out.println( strArray[0] == strArray[2] ); //false: 다른 객체를 참조
    System.out.println( strArray[0].equals(strArray[2]) ); //true: 문자열이 동일
  }
}
```

실행 결과

```
true
false
true
```

5.9 배열 복사

배열은 한 번 생성하면 길이를 변경할 수 없다. 더 많은 저장 공간이 필요하다면 더 큰 길이의 배열을 새로 만들고 이전 배열로부터 항목들을 복사해야 한다.

예를 들어 길이 3인 배열의 항목을 길이 5인 배열로 다음과 같이 복사할 수 있다.

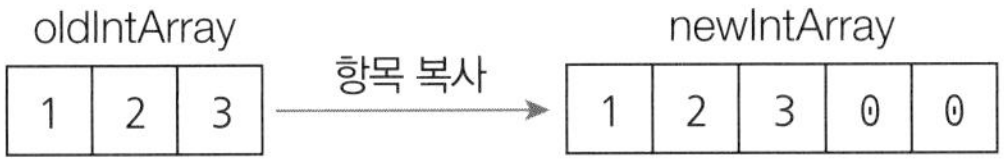

가장 기본적인 복사 방법은 for 문을 이용해서 항목을 하나씩 읽고 새로운 배열에 저장하는 것이다.

>>> ArrayCopyByForExample.java

```
package ch05.sec09;

public class ArrayCopyByForExample {
  public static void main(String[] args) {
    //길이 3인 배열
    int[] oldIntArray = { 1, 2, 3 };
    //길이 5인 배열을 새로 생성
    int[] newIntArray = new int[5];
    //배열 항목 복사
    for(int i=0; i<oldIntArray.length; i++) {
      newIntArray[i] = oldIntArray[i];
    }
    //배열 항목 출력
    for(int i=0; i<newIntArray.length; i++) {
      System.out.print(newIntArray[i] + ", ");
    }
  }
}
```

실행 결과

```
1, 2, 3, 0, 0,
```

위 예제에서 newIntArray 변수가 참조하는 배열의 항목 초기값은 0이므로 복사되지 않은 3번 인덱스와 4번 인덱스 항목은 0을 유지하고 있다.

배열 복사를 위한 좀 더 간단한 방법이 있다. System의 arraycopy() 메소드를 이용하면 한 줄만으로도 배열 복사를 할 수 있다.

```
System.arraycopy(Object src, int srcPos, Object dest, int destPos, int length);
```

Object src	원본 배열
int srcPos	원본 배열 복사 시작 인덱스
Object dest	새 배열
int destPos	새 배열 붙여넣기 시작 인덱스
int length	복사 항목 수

원본 배열이 arr1이고 새 배열이 arr2일 경우 arr1의 모든 항목을 arr2에 복사하려면 다음과 같이 System.arraycopy() 메소드를 호출하면 된다.

```
System.arraycopy(arr1, 0, arr2, 0, arr1.length);
```

››› **ArrayCopyExample.java**

```java
package ch05.sec09;

public class ArrayCopyExample {
  public static void main(String[] args) {
    //길이 3인 배열
    String[] oldStrArray = { "java", "array", "copy" };
    //길이 5인 배열을 새로 생성
    String[] newStrArray = new String[5];
    //배열 항목 복사
    System.arraycopy( oldStrArray, 0, newStrArray, 0, oldStrArray.length);
    //배열 항목 출력
    for(int i=0; i<newStrArray.length; i++) {
      System.out.print(newStrArray[i] + ", ");
    }
  }
}
```

실행 결과

```
java, array, copy, null, null,
```

위 예제에서 newStrArray 변수가 참조하는 배열의 항목 초기값은 null이므로 복사되지 않은 3번 인덱스와 4번 인덱스 항목은 null을 유지하고 있다. 그리고 항목의 값이 String 객체의 번지이므로 번지 복사가 되어 참조하는 String 객체는 변함이 없다.

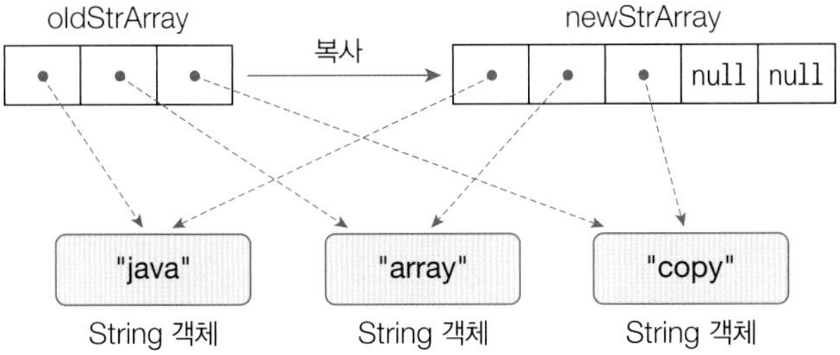

5.10 배열 항목 반복을 위한 향상된 for 문

자바는 배열 및 컬렉션을 좀 더 쉽게 처리할 목적으로 다음과 같은 for 문을 제공한다. 카운터 변수와 증감식을 사용하지 않고, 항목의 개수만큼 반복한 후 자동으로 for 문을 빠져나간다.

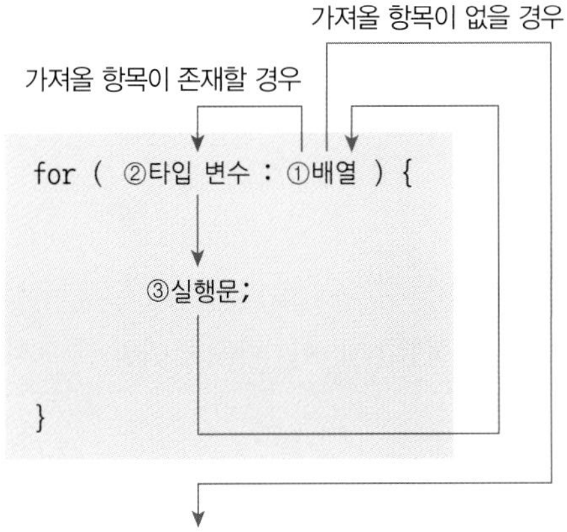

for 문이 실행되면 ①배열에서 가져올 항목이 있을 경우 ②변수에 항목을 저장하고, ③실행문을 실행한다. 다시 반복해서 ①배열에서 가져올 다음 항목이 존재하면 ② → ③ → ①로 진행하고, 가져올 다음 항목이 없으면 for 문을 종료한다.

>>> AdvancedForExample.java

```java
package ch05.sec10;

public class AdvancedForExample {
  public static void main(String[] args) {
    //배열 변수 선언과 배열 생성
    int[] scores = { 95, 71, 84, 93, 87 };
    //배열 항목 전체 합 구하기
    int sum = 0;
    for (int score : scores) {
      sum = sum + score;
    }
    System.out.println("점수 총합 = " + sum);
    //배열 항목 전체 평균 구하기
    double avg = (double) sum / scores.length;
    System.out.println("점수 평균 = " + avg);
  }
}
```

5개의 항목이 한 번씩 score 변수에 저장되고 sum에 누적됨 (반복 횟수: 5)

실행 결과

```
점수 총합 = 430
점수 평균 = 86.0
```

5.11 main() 메소드의 String[] 매개변수 용도

자바 프로그램을 실행하기 위해 지금까지 main() 메소드를 작성했는데, 여기에서 문자열 배열 형태인 String[] args 매개변수가 왜 필요한지 알아보자.

윈도우의 명령 프롬프트나 맥OS의 터미널에서 프로그램을 실행할 때는 요구하는 값이 있을 수 있다. 예를 들어 두 수를 입력받고 덧셈을 수행하는 Sum 프로그램은 실행할 때 다음과 같이 두 수를 요구할 수 있다.

```
java Sum 10 20
```

공백으로 구분된 10과 20은 문자열로 취급되며 String[] 배열의 항목 값으로 구성된다. 그리고 main() 메소드 호출 시 매개값으로 전달된다.

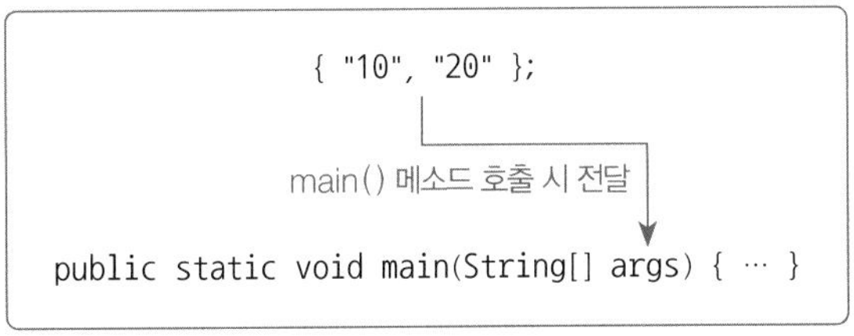
{ "10", "20" };
main() 메소드 호출 시 전달
public static void main(String[] args) { … }

main() 메소드 중괄호 {} 내에서 문자열 "10"과 "20"은 다음과 같이 얻을 수 있다.

```
String x = args[0];
String y = args[1];
```

문자열 "10"과 "20"을 int 타입으로 변환하려면 다음과 같이 강제 타입 변환을 한다.

```
int x = Integer.parseInt(args[0]);
int y = Integer.parseInt(args[1]);
```

Sum을 실행할 때 몇 개의 값이 입력되었는지 확인하려면 main() 메소드에서 배열의 length 필드를 읽으면 된다. 두 개의 값이 입력되지 않았다면 다음과 같이 출력 메시지를 보여줄 수도 있다.

```
if(args.length != 2) {
  System.out.println("실행 시 두 개의 값이 필요합니다.");
}
```

만약 다음과 같이 값을 주지 않고 실행하면 args.length는 0이 된다.

```
java Sum
```

다음 예제는 Sum 실행 입력값이 2개가 아닐 경우 입력값이 부족함을 알리고 강제 종료한다. 그리고 2개의 값이 입력되었을 때만 덧셈의 결과를 출력한다.

>>> **MainStringArrayArgument.java**

```java
1   package ch05.sec11;
2
3   public class MainStringArrayArgument {
4     public static void main(String[] args) {
5       if(args.length != 2) {
6         System.out.println("프로그램 입력값이 부족");
7         System.exit(0);
8       }
9
10      String strNum1 = args[0];
11      String strNum2 = args[1];
12
13      int num1 = Integer.parseInt(strNum1);
14      int num2 = Integer.parseInt(strNum2);
15
16      int result = num1 + num2;
17      System.out.println(num1 + " + " + num2 + " = " + result);
18    }
19  }
```

- 5라인: 입력된 데이터 개수가 두 개가 아닐 경우
- 7라인: 프로그램 강제 종료
- 10라인: 첫 번째 데이터 얻기
- 11라인: 두 번째 데이터 얻기
- 13라인: 문자열을 정수로 변환
- 14라인: 문자열을 정수로 변환

실행 결과

```
프로그램 입력값이 부족
------------------------
10 + 20 = 30
```

이클립스에서 바로 실행하면 '프로그램 입력값이 부족'이라고 출력된다. 실행 시 입력값을 주지 않았기 때문에 args는 길이 0인 String 배열을 참조한다. 따라서 5라인의 if 조건식이 true가 되어 if 블록이 실행된다. 이클립스에서 입력값을 주고 실행하려면 다음 순서대로 진행하면 된다.

01 이클립스 상단 메뉴에서 [Run] – [Run Configurations]을 선택하면 나오는 대화상자에서 Project 입력란에 'thisisjava', Main class 입력란에 'ch05.sec11.MainStringArrayArgument'로 되어 있는지 확인한다.

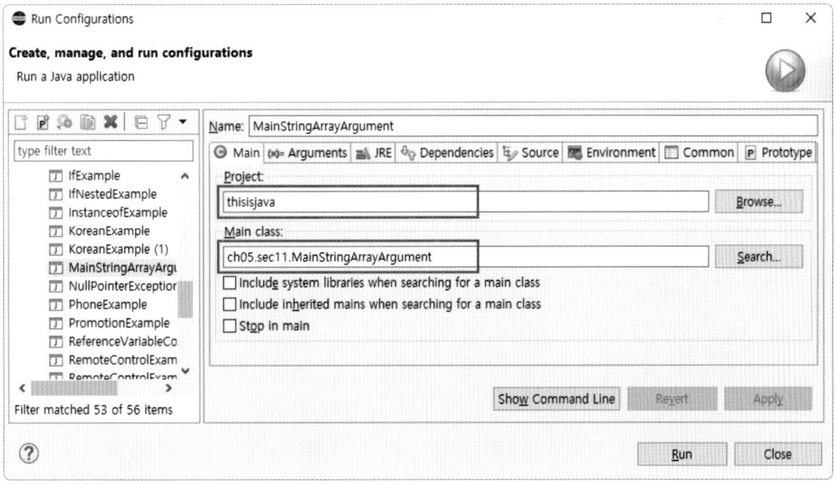

02 [Arguments] 탭을 클릭하고 Program arguments 입력란에 10과 20을 입력한다. 그리고 [Run] 버튼을 클릭한다.

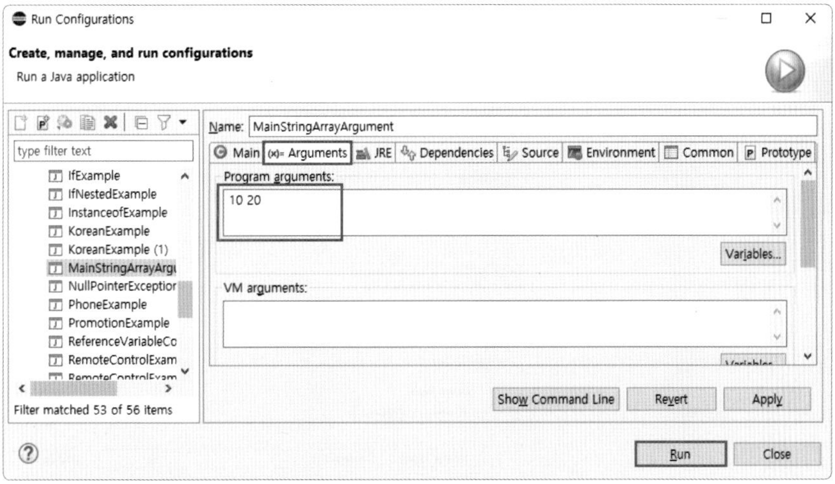

여기서 잠깐

명령 프롬프트나 터미널에서 입력값 주기

윈도우의 명령 프롬프트 또는 터미널에서 입력값을 주고 실행하고 싶다면 cd 명령을 사용해서 'thisisjava' 프로젝트 디렉토리 밑에 있는 bin 폴더까지 이동 후 다음과 같이 java 명령어를 실행하면 된다.

```
C:₩ThisIsJava₩workspace\thisisjava\bin> java ch05.sec11.MainStringArrayArgument 10 20
```

5.12 열거(Enum) 타입

데이터 중에는 몇 가지로 한정된 값을 갖는 경우가 있다. 예를 들어 요일은 월, 화, 수, 목, 금, 토, 일이라는 7개의 값을, 계절은 봄, 여름, 가을, 겨울이라는 4개의 값을 갖는다. 이와 같이 한정된 값을 갖는 타입을 열거 타입enumeration type이라고 한다.

열거 타입을 사용하기 위해서는 먼저 열거 타입 이름으로 소스 파일(.java)을 생성하고 한정된 값을 코드로 정의해야 한다. 열거 타입 이름은 첫 문자를 대문자로 하고 다음과 같이 캐멀camel 스타일로 지어 주는 것이 관례이다.

```
Week.java
MemberGrade.java
ProductKind.java
```

요일을 저장할 수 있는 열거 타입인 Week를 이클립스에서 생성해 보자.

01 먼저 ch05.sec12 패키지를 생성 및 선택한 후 마우스 오른쪽 버튼으로 클릭하여 [New] – [Enum]을 선택한다.

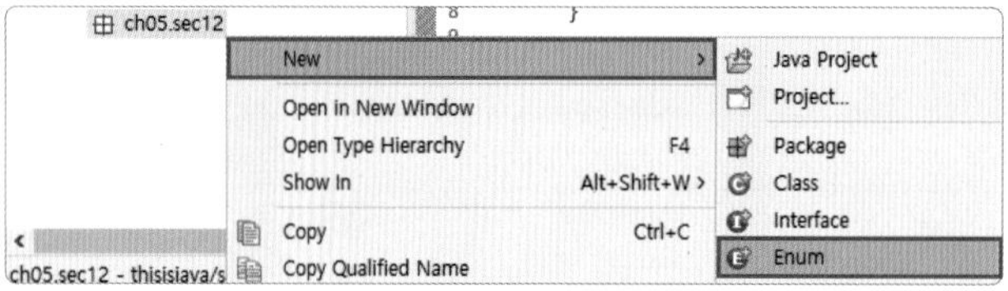

02 [New Enum Type] 대화상자에서 Name 입력란에 'Week'라고 입력하고 [Finish] 버튼을 클릭한다.

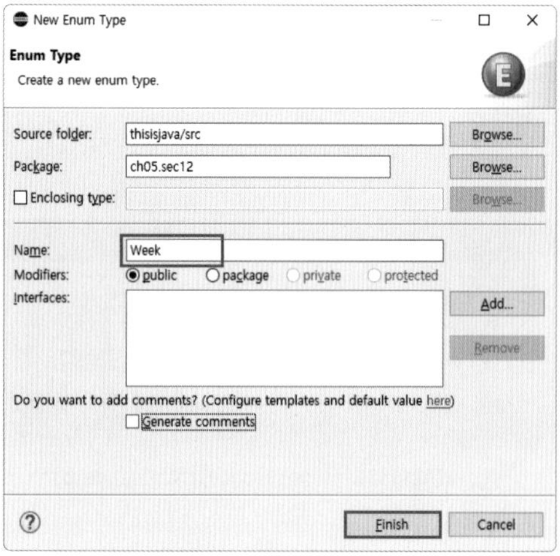

03 요일 값은 7개이므로 다음과 같이 열거 상수 목록을 작성한다.

>>> **Week.java**

```java
package ch05.sec12;

public enum Week {
  MONDAY,
  TUESDAY,
  WEDNESDAY,
  THURSDAY,
  FRIDAY,
  SATURDAY,
  SUNDAY
}
```

열거 타입 이름

열거 상수 목록(한정된 값 목록)

열거 상수는 열거 타입으로 사용할 수 있는 한정된 값을 말한다. 관례적으로 알파벳으로 정의하며, 모두 대문자로 작성한다. 만약 열거 상수가 여러 단어로 구성될 경우에는 다음과 같이 단어와 단어 사이를 언더바(_)로 연결하는 것이 관례이다.

```java
public enum LoginResult {
    LOGIN_SUCCESS,
    LOGIN_FAILED
}
```

열거 타입도 하나의 데이터 타입이므로 변수를 선언하고 사용해야 한다. 열거 타입 Week로 변수를 선언하면 다음과 같다.

```java
Week today;
Week reservationDay;
```

열거 타입 변수에는 열거 상수를 대입할 수 있는데, '열거타입.열거상수' 형태로 작성한다. Week 변수에 열거 상수인 SUNDAY를 대입하는 코드는 다음과 같다.

```
Week today = Week.SUNDAY;
```

열거 타입은 참조 타입이므로 Week 변수에 다음과 같이 null도 대입할 수 있다.

```
Week birthday = null;
```

열거 변수의 값이 특정 열거 상수인지 비교할 때는 ==와 != 연산자를 사용한다. Week 변수값이 SUNDAY인지 비교하는 코드는 다음과 같다.

```
Week today = Week.SUNDAY;
today == Week.SUNDAY    //결과: true
```

컴퓨터의 날짜 및 요일, 시간을 얻을 때는 Calendar를 이용한다. Calendar에 대해서는 10장에서 자세히 알아보기로 하고, 여기서는 오늘의 연, 월, 일, 요일, 시간, 분, 초를 다음과 같이 얻을 수 있다는 것만 알아두자.

```
Calendar now = Calendar.getInstance();            //Calendar 객체 얻기
int year     = now.get(Calendar.YEAR);            //연
int month    = now.get(Calendar.MONTH) + 1;       //월(1~12)
int day      = now.get(Calendar.DAY_OF_MONTH);    //일
int week     = now.get(Calendar.DAY_OF_WEEK);     //요일(1~7)
int hour     = now.get(Calendar.HOUR);            //시간
int minute   = now.get(Calendar.MINUTE);          //분
int second   = now.get(Calendar.SECOND);          //초
```

다음은 Calendar를 이용해서 오늘의 요일을 얻는 예제이다. 요일은 1~7 사이의 숫자이므로 코드 가독성을 위해 열거 상수로 변환해서 Week 변수에 대입하고 사용하는 방법을 보여 준다.

>>> **WeekExample.java**

```java
package ch05.sec12;

import java.util.Calendar;

public class WeekExample {
  public static void main(String[] args) {
    //Week 열거 타입 변수 선언
    Week today = null;

    //Calendar 얻기
    Calendar cal = Calendar.getInstance();

    //오늘의 요일 얻기(1~7)
    int week = cal.get(Calendar.DAY_OF_WEEK);

    //숫자를 열거 상수로 변환해서 변수에 대입
    switch(week) {
      case 1: today = Week.SUNDAY ;     break;
      case 2: today = Week.MONDAY ;     break;
      case 3: today = Week.TUESDAY ;    break;
      case 4: today = Week.WEDNESDAY ;  break;
      case 5: today = Week.THURSDAY ;   break;
      case 6: today = Week.FRIDAY ;     break;
      case 7: today = Week.SATURDAY ;   break;
    }

    //열거 타입 변수를 사용
    if(today == Week.SUNDAY) {
      System.out.println("일요일에는 축구를 합니다.");
    } else {
      System.out.println("열심히 자바를 공부합니다.");
    }
  }
}
```

Calendar는 java.util 패키지에 있으므로 import가 필요

Week 타입 변수 today 선언

컴퓨터 날짜 및 시간 정보를 가진 Calendar 객체를 얻고 번지를 cal 변수에 대입, Calendar 얻기

일(1) ~ 토(7)까지의 숫자를 얻고 week 변수에 대입

실행 결과

```
열심히 자바를 공부합니다.
```

확인문제

1. 참조 타입에 대한 설명으로 틀린 것은 무엇입니까?

❶ 참조 타입에는 배열, 열거, 클래스, 인터페이스가 있다.

❷ 참조 타입 변수의 메모리 생성 위치는 스택이다.

❸ 참조 타입에서 ==, != 연산자는 객체 번지를 비교한다.

❹ 참조 타입은 null 값으로 초기화할 수 없다.

2. 자바에서 메모리 사용에 대한 설명으로 틀린 것은 무엇입니까?

❶ 로컬 변수는 스택 영역에 생성되며 실행 블록이 끝나면 소멸된다.

❷ 메소드 코드나 상수, 열거 상수는 정적(메소드) 영역에 생성된다.

❸ 참조되지 않는 객체는 프로그램에서 직접 소멸 코드를 작성하는 것이 좋다.

❹ 배열 및 객체는 힙 영역에 생성된다.

3. String 타입에 대한 설명으로 틀린 것은 무엇입니까?

❶ String은 클래스이므로 참조 타입이다.

❷ String 타입의 문자열 비교는 ==를 사용해야 한다.

❸ 동일한 문자열 리터럴을 저장하는 변수는 동일한 String 객체를 참조한다.

❹ new String ("문자열")은 문자열이 동일하더라도 다른 String 객체를 생성한다.

4. 배열을 생성하는 방법으로 틀린 것은 무엇입니까?

❶ int[ ] array = { 1, 2, 3 };

❷ int[ ] array; array = { 1, 2, 3 };

❸ int[ ] array = new int[3];

❹ int[ ][ ] array = new int[3][2];

5. 배열의 기본 초기값에 대한 설명으로 틀린 것은 무엇입니까?

❶ 정수 타입 배열 항목의 기본 초기값은 0이다.

❷ 실수 타입 배열 항목의 기본 초기값은 0.0f 또는 0.0이다.

❸ boolean 타입 배열 항목의 기본 초기값은 true이다.

❹ 참조 타입 배열 항목의 기본 초기값은 null이다.

6. 다음은 배열 길이를 출력하는 코드입니다. 실행 결과를 작성해 보세요.

```
int[][] array = {
    {95, 86},
    {83, 92, 96},
    {78, 83, 93, 87, 88}
};

System.out.println(array.length);
System.out.println(array[2].length);
```

7. 주어진 배열 항목에서 최대값을 출력하는 코드를 작성해 보세요(for 문 이용).

```
int[] array = { 1, 5, 3, 8, 2 };
```

8. 주어진 배열 항목의 전체 합과 평균을 구해 출력하는 코드를 작성해 보세요(중첩 for 문 이용).

```
int[][] array = {
    {95, 86},
    {83, 92, 96},
    {78, 83, 93, 87, 88}
};
```

9. 학생들의 점수를 분석하는 프로그램을 만들려고 합니다. 키보드로부터 학생 수와 각 학생들의 점수를 입력받고, while 문과 Scanner의 nextLine() 메소드를 이용해서 최고 점수 및 평균 점수를 출력하는 코드를 작성해 보세요.

```
-----------------------------------------------------
1.학생수 | 2.점수입력 | 3.점수리스트 | 4.분석 | 5.종료
-----------------------------------------------------
선택> 1
학생수> 3
```

확인문제

```
--------------------------------------------------------
1.학생수 | 2.점수입력 | 3.점수리스트 | 4.분석 | 5.종료
--------------------------------------------------------
선택> 2
scores[0]> 85
scores[1]> 95
scores[2]> 93
--------------------------------------------------------
1.학생수 | 2.점수입력 | 3.점수리스트 | 4.분석 | 5.종료
--------------------------------------------------------
선택> 3
scores[0]: 85
scores[1]: 95
scores[2]: 93
--------------------------------------------------------
1.학생수 | 2.점수입력 | 3.점수리스트 | 4.분석 | 5.종료
--------------------------------------------------------
선택> 4
최고 점수: 95
평균 점수: 91.0
--------------------------------------------------------
1.학생수 | 2.점수입력 | 3.점수리스트 | 4.분석 | 5.종료
--------------------------------------------------------
선택> 5
프로그램 종료
```

Chapter

06

클래스

6.1 객체지향 프로그래밍

현실 세계에서 어떤 제품을 만들 때는 부품을 먼저 만들고, 이 부품들을 하나씩 조립해서 완성품을 만든다. 소프트웨어를 개발할 때에도 부품에 해당하는 객체들을 먼저 만들고, 이 객체들을 하나씩 조립해서 완성된 프로그램을 만드는 기법을 객체지향 프로그래밍Object Oriented Programming, OOP이라고 한다.

객체란?

객체object란 물리적으로 존재하거나 개념적인 것 중에서 다른 것과 식별 가능한 것을 말한다. 예를 들어 물리적으로 존재하는 자동차, 자전거, 책, 사람은 물론, 개념적인 학과나 강의, 주문 등도 모두 객체가 될 수 있다.

객체는 속성과 동작으로 구성된다. 사람은 이름, 나이 등의 속성과 웃다, 걷다 등의 동작이 있고, 자동차는 색상, 모델명 등의 속성과 달린다, 멈춘다 등의 동작이 있다. 자바는 이러한 속성과 동작을 각각 필드field와 메소드method라고 부른다.

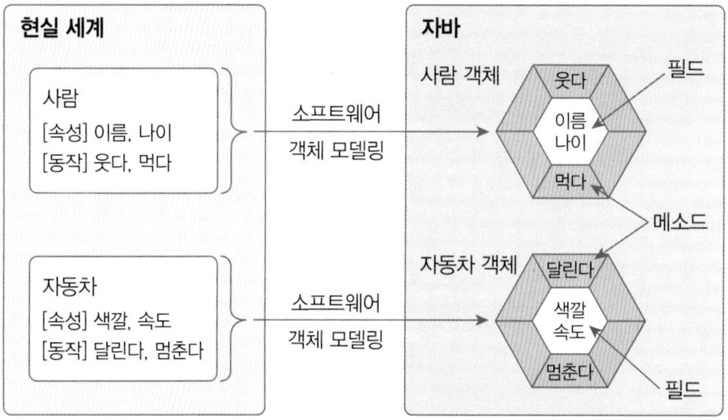

현실 세계의 객체를 소프트웨어 객체로 설계하는 것을 객체 모델링object modeling이라고 한다. 객체 모델링은 현실 세계 객체의 대표 속성과 동작을 추려 내어 소프트웨어 객체의 필드와 메소드로 정의하는 과정이라고 볼 수 있다.

객체의 상호작용

현실 세계에서 일어나는 모든 현상은 객체와 객체 간의 상호작용으로 이루어져 있다. 예를 들어 사람은 전자계산기의 기능을 이용하고, 전자계산기는 계산 결과를 사람에게 리턴하는 상호작용을 한다.

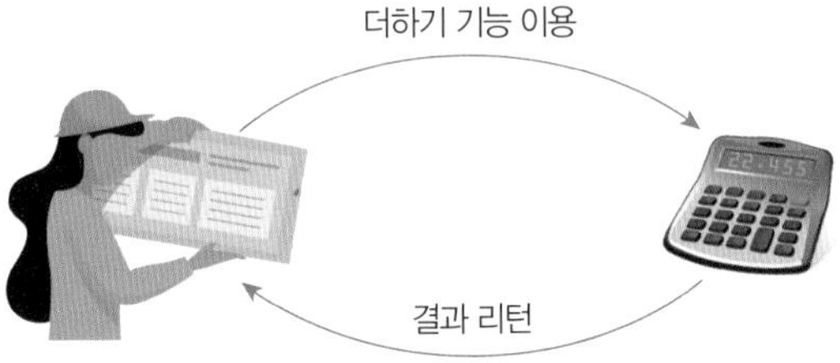

객체지향 프로그램에서도 객체들은 다른 객체와 서로 상호작용하면서 동작한다. 객체들 사이의 상호작용 수단은 메소드이다. 객체가 다른 객체의 기능을 이용할 때 이 메소드를 호출한다.

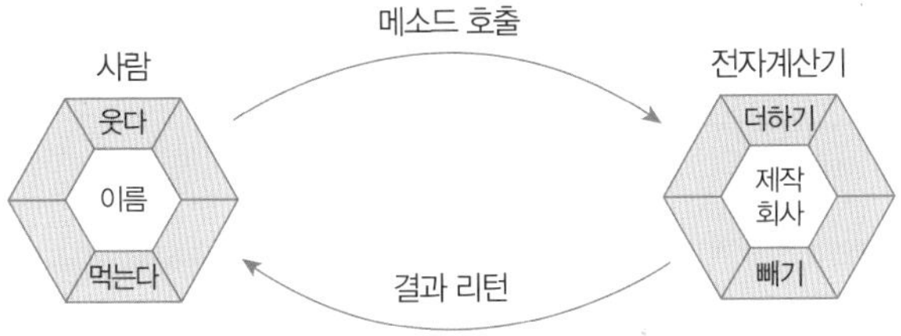

메소드 호출은 다음과 같은 형태를 가지고 있다.

```
메소드(매개값1, 매개값2, …);
```

메소드 호출을 통해 객체들은 데이터를 서로 주고받는다. 메소드 이름과 함께 전달하고자 하는 데이터를 괄호() 안에 기술하는데, 이러한 데이터를 매개값이라고 한다. 매개값은 메소드가 실행할 때 필요한 값이다. 리턴값은 메소드의 실행의 결과이며, 호출한 곳으로 돌려주는 값이다.

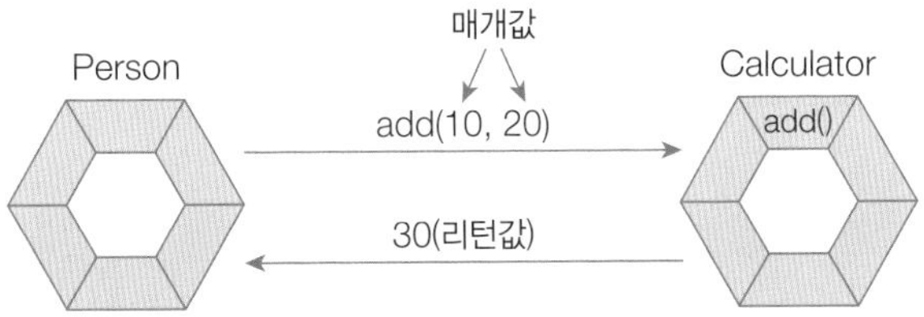

메소드의 리턴값은 다음과 같이 호출한 곳에서 변수로 대입받아 사용한다.

```
int result = add(10, 20);
```

리턴한 값을 int 변수에 저장

객체 간의 관계

객체는 단독으로 존재할 수 있지만 대부분 다른 객체와 관계를 맺고 있다. 관계의 종류에는 집합 관계, 사용 관계, 상속 관계가 있다.

집합 관계

완성품과 부품의 관계를 말한다. 예를 들어 자동차는 엔진, 타이어, 핸들 등으로 구성되므로 자동차와 부품들은 집합 관계라고 볼 수 있다.

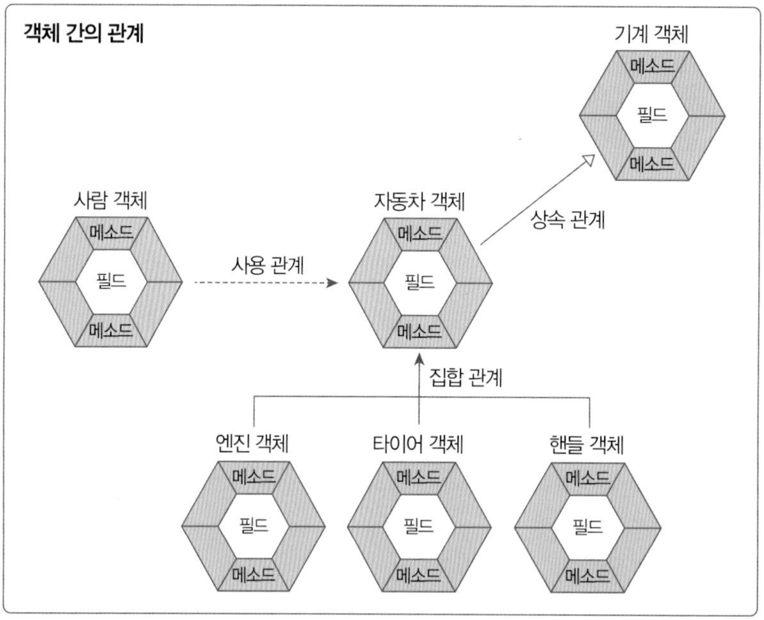

사용 관계

다른 객체의 필드를 읽고 변경하거나 메소드를 호출하는 관계를 말한다. 예를 들어 사람이 자동

차에게 달린다, 멈춘다 등의 메소드를 호출하면 사람과 자동차는 사용 관계라고 볼 수 있다.

상속 관계

부모와 자식 관계를 말한다. 자동차가 기계의 특징(필드, 메소드)을 물려받는다면 기계(부모)와 자동차(자식)는 상속 관계에 있다고 볼 수 있다.

객체지향 프로그래밍의 특징

객체지향 프로그램의 특징은 캡슐화, 상속, 다형성이다. 이 특징들은 자바 언어를 학습하면서 자연스럽게 알게 되는데, 여기서는 개념만 간단히 살펴보기로 하자.

캡슐화

캡슐화Encapsulation란 객체의 데이터(필드), 동작(메소드)을 하나로 묶고 실제 구현 내용을 외부에 감추는 것을 말한다. 외부 객체는 객체 내부의 구조를 알지 못하며 객체가 노출해서 제공하는 필드와 메소드만 이용할 수 있다.

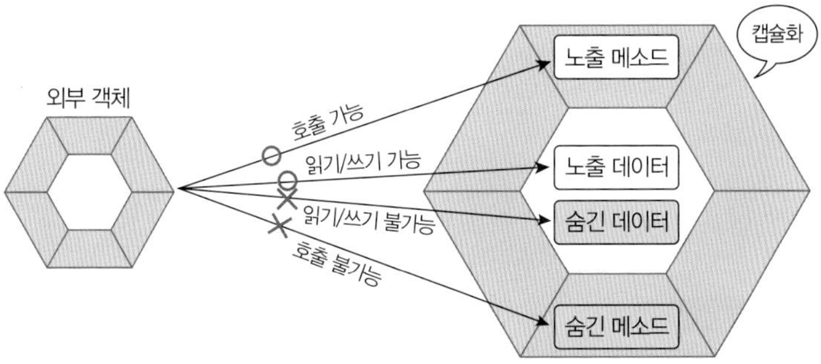

필드와 메소드를 캡슐화하여 보호하는 이유는 외부의 잘못된 사용으로 인해 객체가 손상되지 않도록 하는 데 있다. 자바 언어는 캡슐화된 멤버를 노출시킬 것인지 숨길 것인지를 결정하기 위해 접근 제한자Access Modifier를 사용한다.

상속

객체지향 프로그래밍에서는 부모 역할의 상위 객체와 자식 역할의 하위 객체가 있다. 부모 객체는 자기가 가지고 있는 필드와 메소드를 자식 객체에게 물려주어 자식 객체가 사용할 수 있도록 한다. 이것이 상속Inheritance이다. 상속을 하는 이유는 다음과 같다.

- **코드의 재사용성을 높여 준다.**

  잘 개발된 부모 객체의 필드와 메소드를 자식이 그대로 사용할 수 있어 자식 객체에서 중복 코딩을 하지 않아도 된다.

- **유지 보수 시간을 최소화시켜 준다.**

  부모 객체의 필드와 메소드를 수정하면 모든 자식 객체들은 수정된 필드와 메소드를 사용할 수 있다.

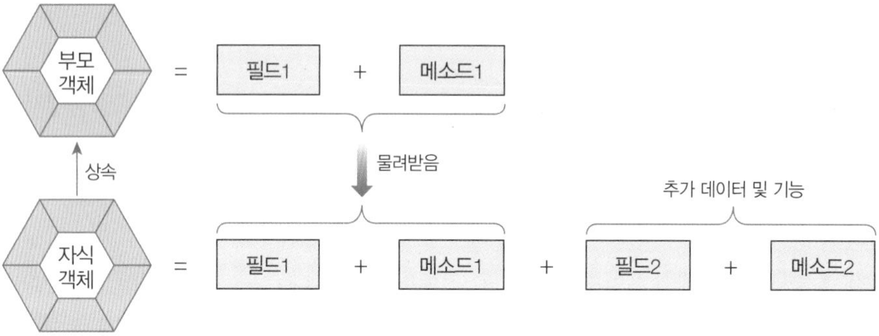

다형성

다형성多形性, Polymorphism이란 사용 방법은 동일하지만 실행 결과가 다양하게 나오는 성질을 말한다. 자동차의 부품을 교환하면 성능이 다르게 나오듯이 프로그램을 구성하는 객체(부품)를 바꾸면 프로그램의 실행 성능이 다르게 나올 수 있다.

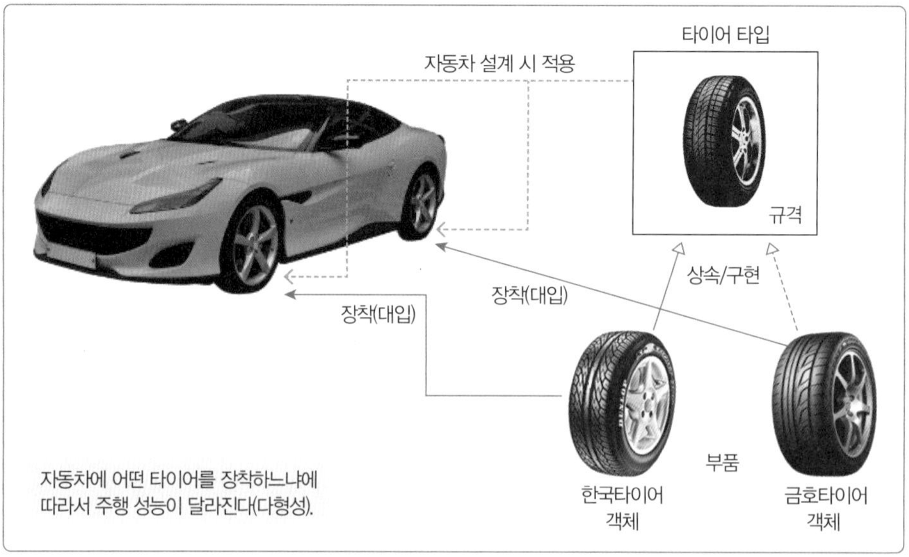

다형성을 구현하기 위해서는 자동 타입 변환과 재정의 기술이 필요하다. 이 기술들은 상속과 인터페이스 구현을 통해 얻어진다. 자세한 설명은 7장 상속과 8장 인터페이스에서 설명하겠다.

6.2 객체와 클래스

객체를 생성할 때에는 설계도가 필요하다. 현실 세계에서 자동차를 생성하려면 자동차의 설계도가 필요하듯이, 객체지향 프로그래밍에서도 객체를 생성하려면 설계도에 해당하는 클래스class가 필요하다.

클래스로부터 생성된 객체를 해당 클래스의 인스턴스instance라고 부른다. 그리고 클래스로부터 객체를 만드는 과정을 인스턴스화라고 한다. 동일한 클래스로부터 여러 개의 인스턴스를 만들 수 있는데, 이것은 동일한 설계도로 여러 대의 자동차를 만드는 것과 동일하다.

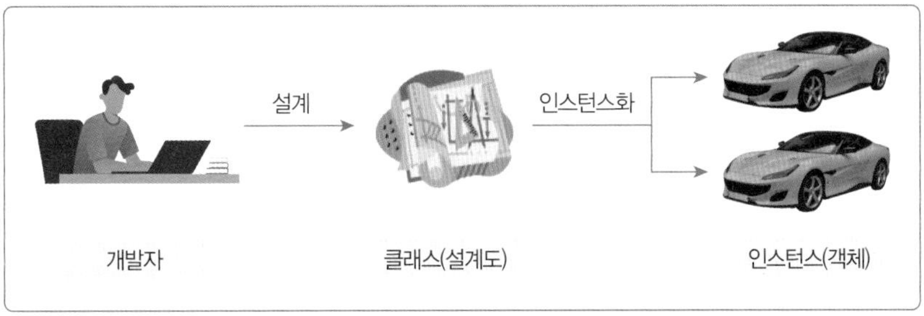

우리는 지금까지 많은 클래스를 선언해보았다. 클래스는 객체를 생성하기 위한 설계도이지만 객체를 만들지는 않았고, main() 메소드만 작성해서 실행할 목적으로 클래스를 이용했다. 6.3절부터는 main() 메소드가 없는 클래스를 선언하고 객체를 생성하는 방법을 배워 보도록 하자.

6.3 클래스 선언

클래스 선언은 객체 생성을 위한 설계도를 작성하는 작업이다. 어떻게 객체를 생성(생성자)하고, 객체가 가져야 할 데이터(필드)가 무엇이고, 객체의 동작(메소드)은 무엇인지를 정의하는 내용이 포함된다. 클래스 선언은 소스 파일명과 동일하게 다음과 같이 작성한다.

[클래스명.java]

```
//클래스 선언
public class 클래스명 {
}
```

public class는 공개 클래스를 선언한다는 뜻이다. 클래스명은 첫 문자를 대문자로 하고 캐멀 스타일로 작성한다. 숫자를 포함해도 되지만 첫 문자는 숫자가 될 수 없고, 특수문자 중 $, _를 포함할 수 있다.

이클립스의 Package Explorer 뷰에서 클래스가 포함될 패키지를 선택하고 마우스 오른쪽 버튼으로 클릭한 후 [New] – [Class]를 선택해서 클래스를 생성하면 패키지 선언과 클래스 선언이 자동 포함된다.

예를 들어 SportsCar 클래스를 생성하면 다음과 같은 소스 파일이 생성된다.

≫ SportsCar.java

```
1    package ch06.sec03;         •----------  패키지 선언
2
3    public class SportsCar {     •----------  클래스 선언
4    }
```

패키지 선언은 6.12절에서 따로 살펴보기로 하고, 여기서는 클래스 선언에 우선 집중하자. 하나의 소스 파일은 다음과 같이 복수 개의 클래스 선언을 포함할 수 있다.

≫ SportsCar.java

```
1    package ch06.sec03;
2
3    public class SportsCar {
```

```
}

class Tire {
}
```

복수 개의 클래스 선언이 포함된 소스 파일을 컴파일하면 바이트코드 파일(.class)은 클래스 선언 수만큼 생긴다. 위 소스 파일을 저장(컴파일)하고 〈thisisjava〉/bin/ch06/sec03 디렉토리를 열어 보면 SportsCar.class와 Tire.class가 생성된 것을 볼 수 있다.

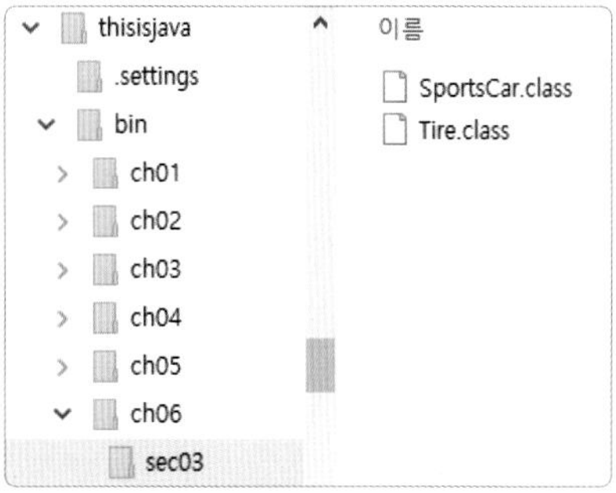

하나의 소스 파일에 복수 개의 클래스를 선언할 때 주의할 점은 소스 파일명과 동일한 클래스만 공개 클래스public class로 선언할 수 있다는 것이다.

여기서 잠깐

공개 클래스란?

공개 클래스(public class)는 어느 위치에 있든지 패키지와 상관없이 사용할 수 있는 클래스를 말한다. public은 접근 제한자 중 하나로, 접근 제한자에 대해서는 6.13절에서 설명한다.

Tire 클래스도 공개 클래스public class로 선언하고 싶다면 Tire.java 소스 파일을 별도로 생성해야 한다. 그렇기 때문에 특별한 이유가 없다면 소스 파일 하나당 클래스 하나를 선언하는 것이 좋다.

6.4 객체 생성과 클래스 변수

클래스로부터 객체를 생성하려면 객체 생성 연산자인 new가 필요하다.

```
new 클래스()
```

new 연산자 뒤에는 생성자 호출 코드가 오는데, 클래스() 형태를 가진다. new 연산자는 객체를 생성시킨 후 객체의 주소를 리턴하기 때문에 클래스 변수에 다음과 같이 대입할 수 있다.

```
클래스 변수 = new 클래스();
```

다음 그림은 클래스 변수가 생성된 객체를 참조하는 모양을 보여 준다.

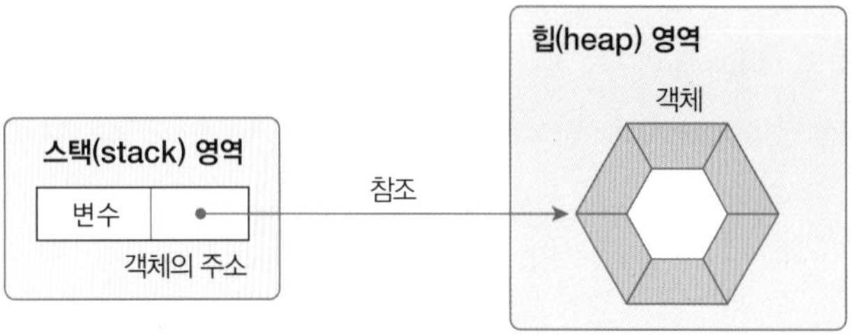

Student 클래스를 선언하고 StudentExample 클래스의 main() 메소드에서 Student 객체를 생성해 보자.

>>> Student.java

```java
package ch06.sec04;

public class Student {
}
```

>>> StudentExample.java

```java
package ch06.sec04;

public class StudentExample {
  public static void main(String[] args) {
    Student s1 = new Student();
    System.out.println("s1 변수가 Student 객체를 참조합니다.");

    Student s2 = new Student();
```

```
        System.out.println("s2 변수가 또 다른 Student 객체를 참조합니다.");
    }
}
```

실행 결과

```
s1 변수가 Student 객체를 참조합니다.
s2 변수가 또 다른 Student 객체를 참조합니다.
```

다음 그림은 예제를 실행했을 때 클래스 변수가 객체를 참조하는 모양을 보여 준다.

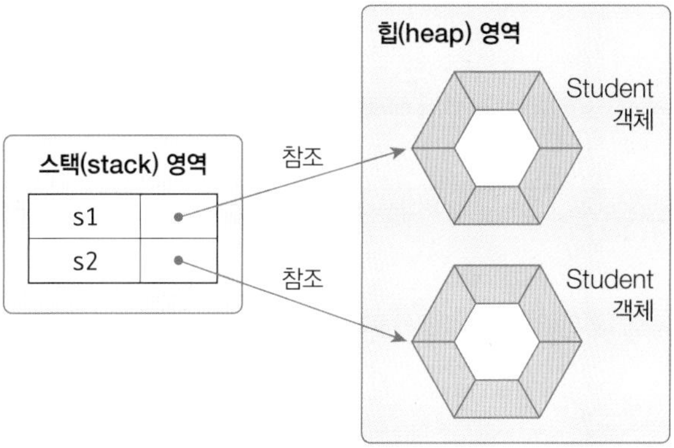

여기서 잠깐

클래스의 두 가지 용도

클래스에는 다음 두 가지 용도가 있다.

- 라이브러리(library) 클래스: 실행할 수 없으며 다른 클래스에서 이용하는 클래스
- 실행 클래스: main() 메소드를 가지고 있는 실행 가능한 클래스

앞의 예제에서 Student는 라이브러리 클래스이고 StudentExample은 실행 클래스라고 볼 수 있다. 일반적으로 자바 프로그램은 하나의 실행 클래스와 여러 개의 라이브러리 클래스들로 구성된다. 실행 클래스는 실행하면서 라이브러리 클래스를 내부에서 이용한다.

6.5 클래스의 구성 멤버

클래스 선언에는 객체 초기화 역할을 담당하는 생성자와 객체에 포함될 필드와 메소드를 선언하는 코드가 포함된다. 그래서 생성자, 필드, 메소드를 클래스 구성 멤버라고 한다. 다음은 각 클래스 구성 멤버의 선언 형태이다.

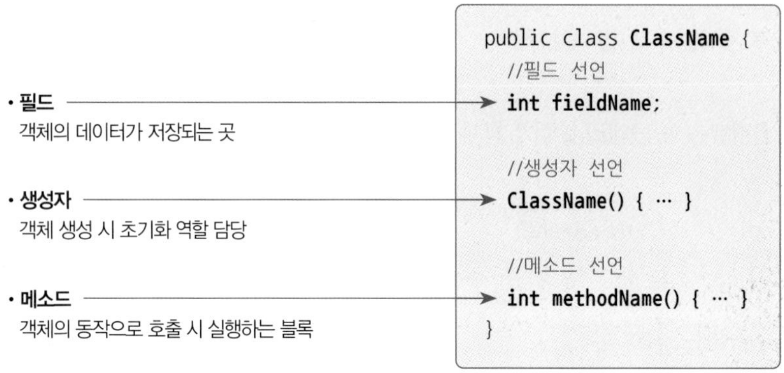

• 필드
객체의 데이터가 저장되는 곳
• 생성자
객체 생성 시 초기화 역할 담당
• 메소드
객체의 동작으로 호출 시 실행하는 블록
public class ClassName {
//필드 선언
int fieldName;
//생성자 선언
ClassName() { … }
//메소드 선언
int methodName() { … }
}

필드

필드Field는 객체의 데이터를 저장하는 역할을 한다. 선언 형태는 변수 선언과 비슷하지만 쓰임새는 다르다.

생성자

생성자Constructor는 new 연산자로 객체를 생성할 때 객체의 초기화 역할을 담당한다. 선언 형태는 메소드와 비슷하지만, 리턴 타입이 없고 이름은 클래스 이름과 동일하다.

메소드

메소드Method는 객체가 수행할 동작이다. 다른 프로그램 언어에서는 함수라고 하기도 하는데, 객체 내부의 함수는 메소드라고 부른다. 메소드는 객체와 객체간의 상호작용을 위해 호출된다.

6.6 필드 선언과 사용

필드Field는 객체의 데이터를 저장하는 역할을 한다. 객체의 데이터에는 고유 데이터, 현재 상태 데이터, 부품 데이터가 있다.

자동차 객체를 예로 들면 제작회사, 모델, 색깔, 최고 속도는 고유 데이터에 해당하고, 현재 속도, 엔진 회전 수는 상태 데이터에 해당한다. 그리고 차체, 엔진, 타이어는 부품에 해당한다.

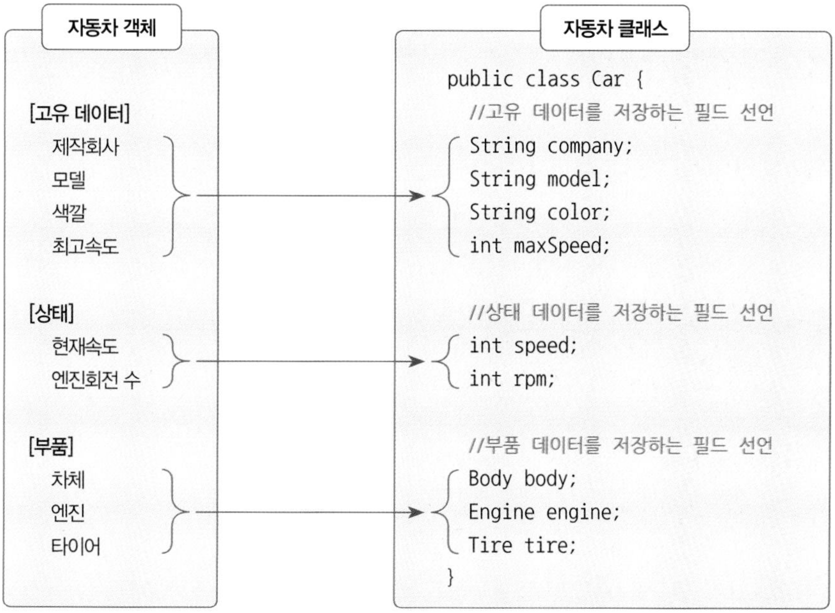

필드 선언

필드를 선언하는 방법은 변수를 선언하는 방법과 동일하다. 단, 반드시 클래스 블록에서 선언되어야만 필드 선언이 된다.

```
타입 필드명 [ = 초기값] ;
```

여기서 잠깐

필드와 (로컬)변수의 차이점

(로컬)변수는 생성자와 메소드 블록에서 선언되며 생성자와 메소드 호출 시에만 생성되고 사용된다. 필드는 클래스 블록에서 선언되며, 객체 내부에서 존재하고 객체 내 · 외부에서 사용 가능하다.

구분	필드	(로컬)변수
선언 위치	클래스 선언 블록	생성자, 메소드 선언 블록
존재 위치	객체 내부에 존재	생성자, 메소드 호출 시에만 존재
사용 위치	객체 내 · 외부 어디든 사용	생성자, 메소드 블록 내부에서만 사용

타입은 필드에 저장할 데이터의 종류를 결정한다. 기본 타입(byte, short, int, long, float, double, boolean)과 참조 타입(배열, 클래스, 인터페이스)이 모두 가능하다. 필드명은 첫 문자를 소문자로 하되, 캐멀 스타일로 작성하는 것이 관례이다. 다음은 Car 클래스의 필드를 선언한 예를 보여 준다.

```
public class Car {
  String model = "그랜저";    //고유 데이터 필드
  int speed = 300;            //상태 데이터 필드
  boolean start = true;       //상태 데이터 필드
  Tire tire = new Tire();     //부품 객체 필드
}
```

초기값을 제공하지 않을 경우 필드는 객체 생성 시 자동으로 기본값으로 초기화된다. 다음 표는 필드 타입별 기본값을 보여 준다.

분류		데이터 타입	기본값
기본 타입	정수 타입	byte char short int long	0 \u0000 (빈 공백) 0 0 0L
	실수 타입	float double	0.0F 0.0
	논리 타입	boolean	false
참조 타입		배열 클래스(String 포함) 인터페이스	null null null

정수 타입 필드는 0, 실수 타입 필드는 0.0, 그리고 boolean 필드는 false로 초기화되는 것을 볼 수 있다. 참조 타입은 객체를 참조하고 있지 않은 상태인 null로 초기화된다.

```
public class Car {
  String model;     //null
  int speed;        //0
  boolean start;    //false
  Tire tire;        //null
}
```

>>> **Car.java**

```
package ch06.sec06.exam01;

public class Car {
  //필드 선언
  String model;
  boolean start;
  int speed;
}
```

>>> **CarExample.java**

```
package ch06.sec06.exam01;

public class CarExample {
  public static void main(String[] args) {
    //Car 객체 생성
    Car myCar = new Car();

    //Car 객체의 필드값 읽기
    System.out.println("모델명: " + myCar.model);
    System.out.println("시동여부: " + myCar.start);
    System.out.println("현재속도: " + myCar.speed);
  }
}
```

실행 결과

```
모델명: null
시동여부: false
현재속도: 0
```

필드 사용

필드를 사용한다는 것은 필드값을 읽고 변경하는 것을 말한다. 클래스에서 필드를 선언했다고 해서 바로 사용할 수 있는 것은 아니다. 필드는 객체의 데이터이므로 객체가 존재하지 않으면 필드도 존재하지 않는다.

클래스로부터 객체가 생성된 후에 필드를 사용할 수 있다. 필드는 객체 내부의 생성자와 메소드 내부에서 사용할 수 있고, 객체 외부에서도 접근해서 사용할 수 있다.

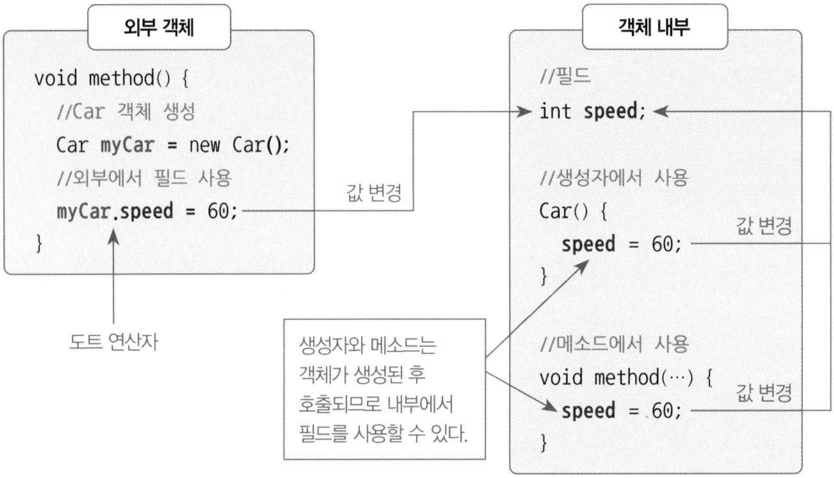

객체 내부에서는 단순히 필드명으로 읽고 변경할 수 있지만 외부 객체에서는 참조 변수와 도트(.) 연산자를 이용해서 필드를 읽고 변경해야 한다. 도트(.)는 객체 접근 연산자로, 객체가 가지고 있는 필드나 메소드에 접근하고자 할 때 참조 변수 뒤에 붙인다.

>>> **Car.java**

```java
package ch06.sec06.exam02;

public class Car {
  //필드 선언
  String company = "현대자동차";
  String model = "그랜저";
  String color = "검정";
  int maxSpeed = 350;
  int speed;
}
```

>>> **CarExample.java**

```java
package ch06.sec06.exam02;

public class CarExample {
  public static void main(String[] args) {
    //Car 객체 생성
    Car myCar = new Car();

    //Car 객체의 필드값 읽기
    System.out.println("제작회사: " + myCar.company);
    System.out.println("모델명: " + myCar.model);
    System.out.println("색깔: " + myCar.color);
    System.out.println("최고속도: " + myCar.maxSpeed);
    System.out.println("현재속도: " + myCar.speed);

    //Car 객체의 필드값 변경
    myCar.speed = 60;
    System.out.println("수정된 속도: " + myCar.speed);
  }
}
```

실행 결과

```
제작회사: 현대자동차
모델명: 그랜저
```

```
색깔: 검정
최고속도: 350
현재속도: 0
수정된 속도: 60
```

6.7 생성자 선언과 호출

new 연산자는 객체를 생성한 후 연이어 생성자Constructor를 호출해서 객체를 초기화하는 역할을 한다. 객체 초기화란 필드 초기화를 하거나 메소드를 호출해서 객체를 사용할 준비를 하는 것을 말한다.

```
클래스 변수 = new 클래스();
                  생성자 호출
```

생성자가 성공적으로 실행이 끝나면 new 연산자는 객체의 주소를 리턴한다. 리턴된 주소는 클래스 변수에 대입되어 객체의 필드나 메소드에 접근할 때 이용된다.

기본 생성자

모든 클래스는 생성자가 존재하며, 하나 이상을 가질 수 있다. 클래스에 생성자 선언이 없으면 컴파일러는 다음과 같은 기본 생성자Default Constructor를 바이트코드 파일에 자동으로 추가시킨다.

```
[public] 클래스() { }
```

클래스가 public class로 선언되면 기본 생성자도 public이 붙지만, 클래스가 public 없이 class로만 선언되면 기본 생성자에도 public이 붙지 않는다. 예를 들어 Car 클래스를 설계할 때 생성자를 생략하면 기본 생성자가 다음과 같이 생성된다.

소스 파일(Car.java)

```
public class Car {

}
```

→ 컴파일

바이트코드 파일(Car.class)

```
public class Car {
  public Car() { }    //자동 추가
}
```

그렇기 때문에 다음과 같이 new 연산자 뒤에 기본 생성자를 호출할 수 있다.

```
Car myCar = new Car();
                기본 생성자 호출
```

그러나 개발자가 명시적으로 선언한 생성자가 있다면 컴파일러는 기본 생성자를 추가하지 않는다. 개발자가 생성자를 선언하는 이유는 객체를 다양하게 초기화하기 위해서이다.

생성자 선언

객체를 다양하게 초기화하기 위해 개발자는 생성자를 다음과 같이 직접 선언할 수 있다.

```
클래스(매개변수, … ) {
  //객체의 초기화 코드        } 생성자 블록
}
```

생성자는 메소드와 비슷한 모양을 가지고 있으나, 리턴 타입이 없고 클래스 이름과 동일하다. 매개변수는 new 연산자로 생성자를 호출할 때 매개값을 생성자 블록 내부로 전달하는 역할을 한다. 예를 들어 다음과 같이 Car 생성자를 호출할 때 3개의 매개값을 블록 내부로 전달한다고 가정해 보자.

```
Car myCar = new Car("그랜저", "검정", 300);
```

3개의 매개값을 순서대로 매개변수로 대입받기 위해서는 다음과 같이 생성자가 선언되어야 한다.

```
public class Car {
  //생성자 선언
  Car(String model, String color, int maxSpeed) { … }
}
```

매개변수의 타입은 매개값의 종류에 맞게 작성하면 된다.

>>> Car.java

```
package ch06.sec07.exam01;

public class Car {
  //생성자 선언
  Car(String model, String color, int maxSpeed) {
  }
}
```

클래스에 개발자가 선언한 생성자가 있다면 컴파일러는 기본 생성자를 추가하지 않는다.

대입 대입 대입

>>> CarExample.java

```
package ch06.sec07.exam01;

public class CarExample {
  public static void main(String[] args) {
    Car myCar = new Car("그랜저", "검정", 250);
    //Car myCar = new Car();  //기본 생성자 호출 못함
  }
}
```

필드 초기화

객체마다 동일한 값을 갖고 있다면 필드 선언 시 초기값을 대입하는 것이 좋고, 객체마다 다른 값을 가져야 한다면 생성자에서 필드를 초기화하는 것이 좋다.

예를 들어 Korean 클래스를 선언한다고 가정해 보자. 한국인이므로 nation(국가)은 대한민국으로 동일한 값을 가지지만, name(이름)과 ssn(주민등록번호)은 한국인마다 다르므로 생성자에서 초기화하는 것이 좋다.

```
public class Korean {
    //필드 선언
    String nation = "대한민국";
    String name;      ◀── 초기화
    String ssn;       ◀── 초기화

    //생성자 선언
    public Korean(String n, String s) {
      name = n;
      ssn = s;
    }
}
```

매개값으로 받은 이름과 주민등록번호를 필드 초기값으로 사용

생성자의 매개값은 new 연산자로 생성자를 호출할 때 주어진다. k1과 k2가 참조하는 객체는 주어진 매개값으로, name과 ssn 필드가 각각 초기화된다.

```
Korean k1 = new Korean("박자바", "011225-1234567");
Korean k2 = new Korean("김자바", "930525-0654321");
```

>>> **Korean.java**

```java
package ch06.sec07.exam02;

public class Korean {
  //필드 선언
  String nation = "대한민국";
  String name;
  String ssn;

  //생성자 선언
  public Korean(String n, String s) {
    name = n;
    ssn = s;
  }
}
```

>>> **KoreanExample.java**

```java
package ch06.sec07.exam02;

public class KoreanExample {
  public static void main(String[] args) {
    //Korean 객체 생성
    Korean k1 = new Korean("박자바", "011225-1234567");
    //Korean 객체 데이터 읽기
    System.out.println("k1.nation : " + k1.nation);
    System.out.println("k1.name : " + k1.name);
    System.out.println("k1.ssn : " + k1.ssn);
    System.out.println();

    //또 다른 Korean 객체 생성
    Korean k2 = new Korean("김자바", "930525-0654321");
    //또 다른 Korean 객체 데이터 읽기
    System.out.println("k2.nation : " + k2.nation);
    System.out.println("k2.name : " + k2.name);
    System.out.println("k2.ssn : " + k2.ssn);
  }
}
```

실행 결과

```
k1.nation : 대한민국
k1.name : 박자바
k1.ssn : 011225-1234567

k2.nation : 대한민국
k2.name : 김자바
k2.ssn : 930525-0654321
```

위 예제의 Korean 생성자를 보면 매개변수 이름으로 각각 n과 s를 사용했다. 매개변수의 이름이 너무 짧으면 코드 가독성이 좋지 않기 때문에 가능하면 초기화시킬 필드명과 동일한 이름을 사용하는 것이 좋다.

```java
public Korean(String name, String ssn) {
  this.name = name;
  this.ssn = ssn;
}
```

위와 같은 경우에는 매개변수명이 필드명과 동일하기 때문에 필드임을 구분하기 위해 this 키워드를 필드명 앞에 붙여 주었다. this는 현재 객체를 말하며, this.name은 현재 객체의 데이터(필드)로서의 name을 뜻한다.

>>> **Korean.java**

```java
package ch06.sec07.exam03;

public class Korean {
  // 필드 선언
  String nation = "대한민국";
  String name;
  String ssn;

  // 생성자 선언
  public Korean(String name, String ssn) {
    this.name = name;
    this.ssn = ssn;
  }
}
```

여기서 잠깐

이클립스에서 필드와 매개변수의 색깔

이클립스는 필드의 색깔을 파란색, 매개변수의 색깔을 갈색으로 보여주기 때문에 코드를 보면 필드와 매개변수를 쉽게 구별할 수 있다.

생성자 오버로딩

매개값으로 객체의 필드를 다양하게 초기화하려면 생성자 오버로딩Overloading이 필요하다. 생성자 오버로딩이란 매개변수를 달리하는 생성자를 여러 개 선언하는 것을 말한다. 다음은 Car 클래스에서 생성자를 오버로딩한 예이다.

```
public class Car {
  Car() { … }
  Car(String model) { … }
  Car(String model, String color) { … }
  Car(String model, String color, int maxSpeed) { … }
}
```

[생성자 오버로딩]
매개변수의 타입, 개수, 순서가 다르게 여러 개의 생성자 선언

매개변수의 타입과 개수 그리고 선언된 순서가 똑같을 경우 매개변수 이름만 바꾸는 것은 생성자 오버로딩이 아니다. 바로 다음과 같은 경우이다.

```
Car(String model, String color) { … }
Car(String color, String model) { … }    //오버로딩이 아님, 컴파일 에러 발생
```

생성자가 오버로딩되어 있을 경우, new 연산자로 생성자를 호출할 때 제공되는 매개값의 타입과 수에 따라 실행될 생성자가 결정된다.

```
Car car1 = new Car();                        → Car() {…}
Car car2 = new Car("그랜저");                  → Car(String model) {…}
Car car3 = new Car("그랜저", "흰색");           → Car(String model, String color) {…}
Car car4 = new Car("그랜저", "흰색", 300);      → Car(String model, String color, int
                                                 maxSpeed) {…}
```

다음 예제는 Car 생성자를 오버로딩해서 다양한 방법으로 Car 객체의 필드를 초기화한다.

>>> **Car.java**

```
package ch06.sec07.exam04;

public class Car {
  //필드 선언
  String company = "현대자동차";
  String model;
  String color;
  int maxSpeed;

  //생성자 선언
  Car() {}                                          ① 생성자

  Car(String model) {                               ② 생성자
    this.model = model;
  }

  Car(String model, String color) {                 ③ 생성자
    this.model = model;
    this.color = color;
  }

  Car(String model, String color, int maxSpeed) {   ④ 생성자
    this.model = model;
    this.color = color;
    this.maxSpeed = maxSpeed;
  }
}
```

>>> **CarExample.java**

```
package ch06.sec07.exam04;

public class CarExample {
  public static void main(String[] args) {
    Car car1 = new Car();                           ① 생성자 호출
    System.out.println("car1.company : " + car1.company);
```

```
        System.out.println();
                        String
        Car car2 = new Car("자가용");                      ② 생성자 호출
        System.out.println("car2.company : " + car2.company);
        System.out.println("car2.model : " + car2.model);
        System.out.println();
                        String    String
        Car car3 = new Car("자가용", "빨강");              ③ 생성자 호출
        System.out.println("car3.company : " + car3.company);
        System.out.println("car3.model : " + car3.model);
        System.out.println("car3.color : " + car3.color);
        System.out.println();
                       String  String   int
        Car car4 = new Car("택시", "검정", 200);           ④ 생성자 호출
        System.out.println("car4.company : " + car4.company);
        System.out.println("car4.model : " + car4.model);
        System.out.println("car4.color : " + car4.color);
        System.out.println("car4.maxSpeed : " + car4.maxSpeed);
    }
}
```

실행 결과

```
car1.company : 현대자동차

car2.company : 현대자동차
car2.model : 자가용

car3.company : 현대자동차
car3.model : 자가용
car3.color : 빨강

car4.company : 현대자동차
car4.model : 택시
car4.color : 검정
car4.maxSpeed : 200
```

다른 생성자 호출

생성자 오버로딩이 많아질 경우 생성자 간의 중복된 코드가 발생할 수 있다. 매개변수의 수만 달리하고 필드 초기화 내용이 비슷한 생성자에서 이러한 중복 코드를 많이 볼 수 있다.

```
Car(String model) {
  this.model = model;
  this.color = "은색";           중복 코드
  this.maxSpeed = 250;
}

Car(String model, String color) {
  this.model = model;
  this.color = color;            중복 코드
  this.maxSpeed = 250;
}

Car(String model, String color, int maxSpeed) {
  this.model = model;
  this.color = color;            중복 코드
  this.maxSpeed = maxSpeed;
}
```

이 경우에는 공통 코드를 한 생성자에만 집중적으로 작성하고, 나머지 생성자는 this(...)를 사용하여 공통 코드를 가지고 있는 생성자를 호출하는 방법으로 개선할 수 있다.

```
Car(String model) {
  this(model, "은색", 250);       호출
}

Car(String model, String color) {
  this(model, color, 250);       호출
}

Car(String model, String color, int maxSpeed) {
  this.model = model;
  this.color = color;            공통 초기화 코드
  this.maxSpeed = maxSpeed;
}
```

this(매개값, …)는 생성자의 첫 줄에 작성되며 다른 생성자를 호출하는 역할을 한다. 호출하고 싶은 생성자의 매개변수에 맞게 매개값을 제공하면 된다. this() 다음에는 추가적인 실행문을 작성할 수 있는데, 호출되는 생성자의 실행이 끝나면 원래 생성자로 돌아와서 다음 실행문을 실행한다.

```
Car(String model) {
  this(model, "은색", 250);
  //추가적인 실행문
}

Car(String model, String color, int maxSpeed) {
  this.model = model;
  this.color = color;
  this.maxSpeed = maxSpeed;
}
```

>>> **Car.java**

```
1   package ch06.sec07.exam05;
2
3   public class Car {
4     // 필드 선언
5     String company = "현대자동차";
6     String model;
7     String color;
8     int maxSpeed;
9
10    Car(String model) {                                   ① 생성자
11      //20라인 생성자 호출
12      this(model, "은색", 250);
13    }
14
15    Car(String model, String color) {                     ② 생성자
16      //20라인 생성자 호출
17      this(model, color, 250);
18    }
19
20    Car(String model, String color, int maxSpeed) {       ③ 생성자
21      this.model = model;
```

```java
    this.color = color;
    this.maxSpeed = maxSpeed;
  }
}
```

>>> CarExample.java

```java
package ch06.sec07.exam05;

public class CarExample {
  public static void main(String[] args) {
    Car car1 = new Car("자가용");                      ① 생성자 호출
    System.out.println("car1.company : " + car1.company);
    System.out.println("car1.model : " + car1.model);
    System.out.println();

    Car car2 = new Car("자가용", "빨강");               ② 생성자 호출
    System.out.println("car2.company : " + car2.company);
    System.out.println("car2.model : " + car2.model);
    System.out.println("car2.color : " + car2.color);
    System.out.println();

    Car car3 = new Car("택시", "검정", 200);           ③ 생성자 호출
    System.out.println("car3.company : " + car3.company);
    System.out.println("car3.model : " + car3.model);
    System.out.println("car3.color : " + car3.color);
    System.out.println("car3.maxSpeed : " + car3.maxSpeed);
  }
}
```

실행 결과

```
car1.company : 현대자동차
car1.model : 자가용

car2.company : 현대자동차
car2.model : 자가용
car2.color : 빨강
```

```
car3.company : 현대자동차
car3.model : 택시
car3.color : 검정
car3.maxSpeed : 200
```

6.8 메소드 선언과 호출

메소드 선언은 객체의 동작을 실행 블록으로 정의하는 것을 말하고, 메소드 호출은 실행 블록을 실제로 실행하는 것을 말한다. 메소드는 객체 내부에서도 호출되지만 다른 객체에서도 호출될 수 있기 때문에 객체 간의 상호작용 방법을 정의하는 것이라고 볼 수 있다. 상호작용의 개념은 6.1절을 참고하길 바란다.

메소드 선언

다음은 메소드를 선언하는 방법을 보여 준다.

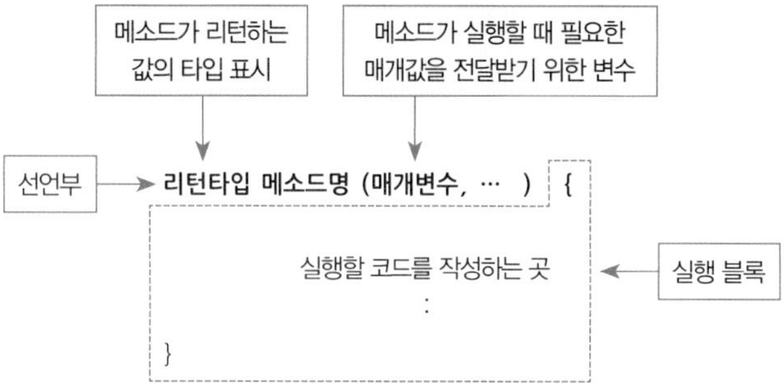

리턴 타입

리턴 타입은 메소드가 실행한 후 호출한 곳으로 전달하는 결과값의 타입을 말한다. 리턴값이 없는 메소드는 void로 작성해야 한다.

```
void powerOn() { … }                    //리턴값이 없는 메소드 선언
double divide(int x, int y) { … }     //double 타입 값을 리턴하는 메소드 선언
```

리턴 타입이 있는 메소드는 실행 블록 안에서 return 문으로 리턴값을 반드시 지정해야 한다.

메소드명

메소드명은 첫 문자를 소문자로 시작하고, 캐멀 스타일로 작성한다. 다음은 잘 작성된 메소드명을 보여 준다.

```
void run()  { … }
void setSpeed(int speed) { … }
String getName() { … }
```

매개변수

매개변수는 메소드를 호출할 때 전달한 매개값을 받기 위해 사용된다. 다음 예에서 divide() 메소드는 연산할 두 수를 전달받아야 하므로 매개변수가 2개 필요하다. 전달할 매개값이 없다면 매개변수는 생략할 수 있다.

```
double divide(int x, int y) { … }
```

실행 블록

메소드 호출 시 실행되는 부분이다.

다음 예제는 Calculator 클래스에서 powerOn(), plus(), divide(), powerOff() 메소드를 선언하는 방법을 보여 준다.

>>> **Calculator.java**

```
package ch06.sec08.exam01;

public class Calculator {
  //리턴값이 없는 메소드 선언
  void powerOn() {
    System.out.println("전원을 켭니다.");
  }

  //리턴값이 없는 메소드 선언
```

```
    void powerOff() {
      System.out.println("전원을 끕니다.");
    }

    //호출 시 두 정수 값을 전달받고,
    //호출한 곳으로 결과값 int를 리턴하는 메소드 선언
    int plus(int x, int y) {
      int result = x + y;
      return result;    //리턴값 지정;
    }

    //호출 시 두 정수 값을 전달받고,
    //호출한 곳으로 결과값 double을 리턴하는 메소드 선언
    double divide(int x, int y) {
      double result = (double)x / (double)y;
      return result;    //리턴값 지정;
    }
  }
```

메소드 호출

메소드를 호출한다는 것은 메소드 블록을 실행하는 것을 말한다. 클래스에서 메소드를 선언했다고 해서 바로 호출할 수 있는 것은 아니다. 메소드는 객체의 동작이므로 객체가 존재하지 않으면 메소드를 호출할 수 없다.

클래스로부터 객체가 생성된 후에 메소드는 생성자와 다른 메소드 내부에서 호출될 수 있고, 객체 외부에서도 호출될 수 있다.

객체 내부에서는 단순히 메소드명으로 호출하면 되지만, 외부 객체에서는 참조 변수와 도트(.) 연산자를 이용해서 호출한다. 또한 메소드가 매개변수를 가지고 있을 때는 호출할 때 매개변수의 타입과 수에 맞게 매개값을 제공해야 한다.

메소드가 리턴값이 있을 경우에는 대입 연산자를 사용해서 다음과 같이 리턴값을 변수에 저장할 수 있다. 이때 변수 타입은 메소드의 리턴 타입과 동일하거나 자동 타입 변환될 수 있어야 한다.

```
타입 변수 = 메소드();
```

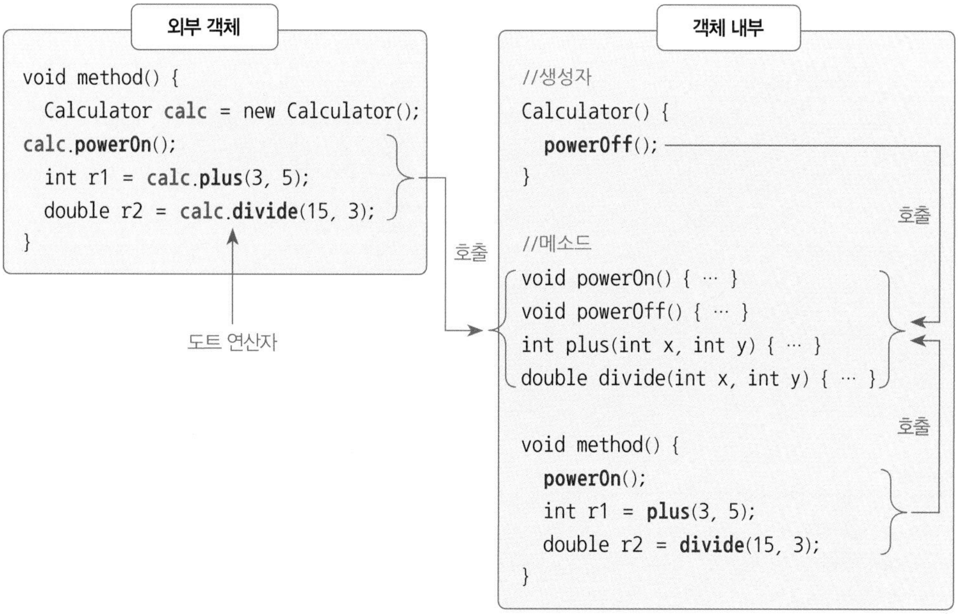

다음 예제는 Calculator 클래스에서 선언된 powerOn(), plus(), divide(), powerOff() 메소드를 호출하는 방법을 보여 준다.

››› **CalculatorExample.java**

```
package ch06.sec08.exam01;

public class CalculatorExample {
  public static void main(String[] args) {
    //Calculator 객체 생성
    Calculator myCalc = new Calculator();

    //리턴값이 없는 powerOn() 메소드 호출
    myCalc.powerOn();

    //plus 메소드 호출 시 5와 6을 매개값으로 제공하고,
    //덧셈 결과를 리턴받아 result1 변수에 대입
    int result1 = myCalc.plus(5, 6);
    System.out.println("result1: " + result1);

```

```
        int x = 10;
        int y = 4;
        //divide() 메소드 호출 시 변수 x와 y의 값을 매개값으로 제공하고,
        //나눗셈 결과를 리턴받아 result2 변수에 대입
        double result2 = myCalc.divide(x, y);
        System.out.println("result2: " + result2);

        //리턴값이 없는 powerOff() 메소드 호출
        myCalc.powerOff();
    }
}
```

실행 결과

```
전원을 켭니다.
result1: 11
result2: 2.5
전원을 끕니다.
```

가변길이 매개변수

메소드를 호출할 때에는 매개변수의 개수에 맞게 매개값을 제공해야 한다. 만약 메소드가 가변길이 매개변수를 가지고 있다면 매개변수의 개수와 상관없이 매개값을 줄 수 있다. 가변길이 매개변수는 다음과 같이 선언한다.

```
int sum(int ... values) {
}
```

가변길이 매개변수는 메소드 호출 시 매개값을 쉼표로 구분해서 개수와 상관없이 제공할 수 있다.

```
int result = sum(1, 2, 3);
int result = sum(1, 2, 3, 4, 5);
```

매개값들은 자동으로 배열 항목으로 변환되어 메소드에서 사용된다. 그렇기 때문에 메소드 호출 시 직접 배열을 매개값으로 제공해도 된다.

```
int[] values = { 1, 2, 3 };
int result = sum(values);
```

```
int result = sum(new int[] { 1, 2, 3 });
```

>>> **Computer.java**

```java
package ch06.sec08.exam02;

public class Computer {
  //가변길이 매개변수를 갖는 메소드 선언
  int sum(int ... values) {
    //sum 변수 선언
    int sum = 0;

    //values는 배열 타입의 변수처럼 사용
    for (int i = 0; i < values.length; i++) {
      sum += values[i];
    }

    //합산 결과를 리턴
    return sum;
  }
}
```

>>> **ComputerExample.java**

```java
package ch06.sec08.exam02;

public class ComputerExample {
  public static void main(String[] args) {
    //Computer 객체 생성
    Computer myCom = new Computer();

    //sum() 메소드 호출 시 매개값 1, 2, 3을 제공하고
```

```java
        //합산 결과를 리턴받아 result1 변수에 대입
        int result1 = myCom.sum(1, 2, 3);
        System.out.println("result1: " + result1);

        //sum() 메소드 호출 시 매개값 1, 2, 3, 4, 5를 제공하고
        //합산 결과를 리턴받아 result2 변수에 대입
        int result2 = myCom.sum(1, 2, 3, 4, 5);
        System.out.println("result2: " + result2);

        //sum() 메소드 호출 시 배열을 제공하고
        //합산 결과를 리턴받아 result3 변수에 대입
        int[] values = { 1, 2, 3, 4, 5 };
        int result3 = myCom.sum(values);
        System.out.println("result3: " + result3);

        //sum() 메소드 호출 시 배열을 제공하고
        //합산 결과를 리턴받아 result4 변수에 대입
        int result4 = myCom.sum(new int[] { 1, 2, 3, 4, 5 });
        System.out.println("result4: " + result4);
    }
}
```

실행 결과

```
result1: 6
result2: 15
result3: 15
result4: 15
```

return 문

return 문은 메소드의 실행을 강제 종료하고 호출한 곳으로 돌아간다는 의미이다. 메소드 선언에 리턴 타입이 있을 경우에는 return 문 뒤에 리턴값을 추가로 지정해야 한다.

```
return [리턴값];
```

return 문 이후에 실행문을 작성하면 'Unreachable code'라는 컴파일 에러가 발생한다. 왜냐하면 return 문 이후의 실행문은 결코 실행되지 않기 때문이다.

```
int plus(int x, int y) {
  int result = x + y;
  return result;
  System.out.println(result);   //Unreachable code
}
```

하지만 다음과 같은 경우에는 컴파일 에러가 발생하지 않는다.

```
boolean isLeftGas() {
  if(gas==0) {
    System.out.println("gas가 없습니다.");  ①
    return false;
  }
  System.out.println("gas가 있습니다.");  ②
  return true;
}
```

if 문의 조건식이 false가 되면 정상적으로 ②가 실행되기 때문에 ②는 'Unreachable code' 에러를 발생시키지 않는다. if 문의 조건식이 true가 되면 ①이 실행되고 return false;가 실행되어 메소드는 즉시 종료되므로 당연히 ②는 실행되지 않는다.

>>> **Car.java**

```
package ch06.sec08.exam03;

public class Car {
  //필드 선언
  int gas;

  //리턴값이 없는 메소드로 매개값을 받아서 gas 필드값을 변경
  void setGas(int gas) {
    this.gas = gas;
  }
```

```java

    //리턴값이 boolean인 메소드로 gas 필드값이 0이면 false를, 0이 아니면 true를 리턴
    boolean isLeftGas() {
      if (gas == 0) {
        System.out.println("gas가 없습니다.");
        return false; // false를 리턴하고 메소드 종료
      }
      System.out.println("gas가 있습니다.");
      return true; // true를 리턴하고 메소드 종료
    }

    //리턴값이 없는 메소드로 gas 필드값이 0이면 return 문으로 메소드를 종료
    void run() {
      while (true) {
        if (gas > 0) {
          System.out.println("달립니다.(gas잔량:" + gas + ")");
          gas -= 1;
        } else {
          System.out.println("멈춥니다.(gas잔량:" + gas + ")");
          return; // 메소드 종료
        }
      }
    }
  }
```

>>> **CarExample.java**

```java
package ch06.sec08.exam03;

public class CarExample {
  public static void main(String[] args) {
    //Car 객체 생성
    Car myCar = new Car();

    //리턴값이 없는 setGas() 메소드 호출
    myCar.setGas(5);

    //isLeftGas() 메소드를 호출해서 받은 리턴값이 true일 경우 if 블록 실행
```

```
        if(myCar.isLeftGas()) {
          System.out.println("출발합니다.");

          //리턴값이 없는 run() 메소드 호출
          myCar.run();
        }

        System.out.println("gas를 주입하세요.");
      }
    }
```

실행 결과

```
gas가 있습니다.
출발합니다.
달립니다.(gas잔량:5)
달립니다.(gas잔량:4)
달립니다.(gas잔량:3)
달립니다.(gas잔량:2)
달립니다.(gas잔량:1)
멈춥니다.(gas잔량:0)
gas를 주입하세요.
```

메소드 오버로딩

메소드 오버로딩overloading은 메소드 이름은 같되 매개변수의 타입, 개수, 순서가 다른 메소드를 여러 개 선언하는 것을 말한다.

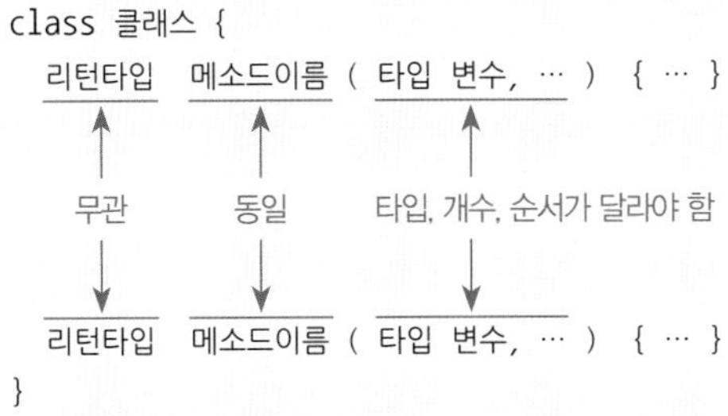
class 클래스 {
리턴타입 메소드이름 (타입 변수, …) { … }
무관
동일
타입, 개수, 순서가 달라야 함
리턴타입 메소드이름 (타입 변수, …) { … }
}

메소드 오버로딩의 목적은 다양한 매개값을 처리하기 위해서이다. 다음 예에서 plus() 메소드는 두 개의 int 타입 매개값만 처리하고 double 타입 매개값은 처리할 수 없다.

```
int plus(int x, int y) {
  int result = x + y;
  return result;
}
```

만약 double 타입 값도 처리하고 싶다면 다음과 같이 plus() 메소드를 오버로딩하면 된다.

```
double plus(double x, double y) {
  double result = x + y;
  return result;
}
```

메소드 오버로딩의 대표적인 예는 콘솔에 출력하는 System.out.println() 메소드로, 호출할 때 주어진 매개값의 타입에 따라서 오버로딩된 println() 메소드 중 하나를 실행한다.

```
void println() { .. }
void println(double x) { .. }
void println(int x) { .. }
void println(String x) { .. }
```

다음 예제는 areaRectangle() 메소드를 오버로딩해서 매개값이 한 개면 정사각형의 넓이를, 두 개면 직사각형의 넓이를 계산한다.

>>> **Calculator.java**

```
package ch06.sec08.exam04;

public class Calculator {
  //정사각형의 넓이
```

```java
  double areaRectangle(double width) {
    return width * width;
  }

  //직사각형의 넓이
  double areaRectangle(double width, double height) {
    return width * height;
  }
}
```

오버로딩

>>> CalculatorExample.java

```java
package ch06.sec08.exam04;

public class CalculatorExample {
  public static void main(String[] args) {
    //객체 생성
    Calculator myCalcu = new Calculator();

    //정사각형의 넓이 구하기
    double result1 = myCalcu.areaRectangle(10);

    //직사각형의 넓이 구하기
    double result2 = myCalcu.areaRectangle(10, 20);

    System.out.println("정사각형 넓이=" + result1);
    System.out.println("직사각형 넓이=" + result2);
  }
}
```

areaRectangle(double width) 실행

areaRectangle(double width, double height) 실행

실행 결과

```
정사각형 넓이=100.0
직사각형 넓이=200.0
```

6.9 인스턴스 멤버

필드와 메소드는 선언 방법에 따라 인스턴스 멤버와 정적 멤버로 분류할 수 있다. 인스턴스 멤버로 선언되면 객체 생성 후 사용할 수 있고, 정적 멤버로 선언되면 객체 생성 없이도 사용할 수 있다.

구분	설명
인스턴스(instance) 멤버	객체에 소속된 멤버 (객체를 생성해야만 사용할 수 있는 멤버)
정적(static) 멤버	클래스에 고정된 멤버 (객체 없이도 사용할 수 있는 멤버)

인스턴스 멤버 선언 및 사용

인스턴스instance 멤버란 객체에 소속된 멤버를 말한다. 따라서 객체가 있어야만 사용할 수 있는 멤버다. 우리가 지금까지 선언한 필드와 메소드는 인스턴스 멤버였다. 다음과 같이 Car 클래스에 gas 필드와 setSpeed() 메소드를 선언하면 인스턴스 멤버가 된다.

```
public class Car {
  //인스턴스 필드 선언
  int gas;

  //인스턴스 메소드 선언
  void setSpeed(int speed) { … }
}
```

gas 필드와 setSpeed() 메소드는 인스턴스 멤버이기 때문에 외부 클래스에서 사용하기 위해서는 Car 객체를 먼저 생성하고 참조 변수로 접근해서 사용해야 한다.

```
Car myCar = new Car();
myCar.gas = 10;
myCar.setSpeed(60);
```

```
Car yourCar = new Car();
yourCar.gas = 20;
yourCar.setSpeed(80);
```

위 코드가 실행된 후 메모리 상태를 그림으로 표현하면 다음과 같다. gas 필드는 객체마다 따로 존재하며, setSpeed() 메소드는 각 객체마다 존재하지 않고 메소드 영역에 저장되고 공유된다.

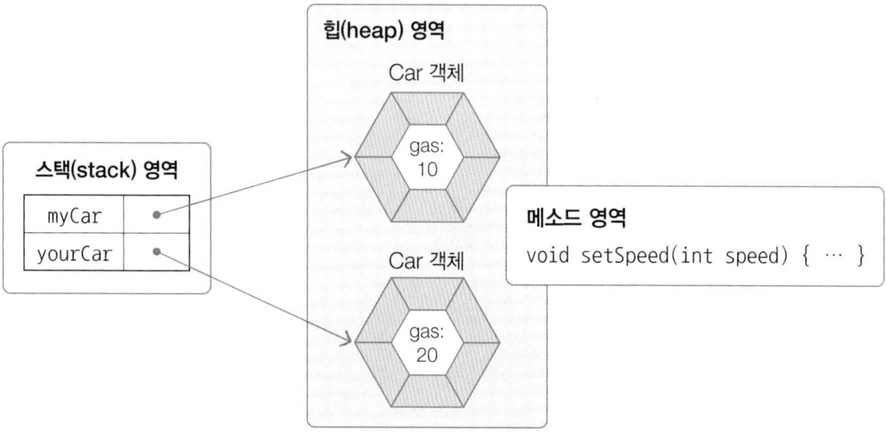

인스턴스 멤버는 객체에 소속된 멤버라고 했다. gas 필드는 객체에 소속된 멤버가 분명하지만, setSpeed() 메소드는 객체에 포함되지 않는다. 여기서 우리는 '객체에 소속된'을 '객체에 포함된'이라고 해석하면 안 된다.

메소드는 코드의 덩어리이므로 객체마다 저장한다면 중복 저장으로 인해 메모리 효율이 떨어진다. 따라서 메소드 코드는 메소드 영역에 두되 공유해서 사용하고, 이때 객체 없이는 사용하지 못하도록 제한을 걸어둔 것이다.

this 키워드

객체 내부에서는 인스턴스 멤버에 접근하기 위해 this를 사용할 수 있다. 우리가 자신을 '나'라고 하듯이, 객체는 자신을 'this'라고 한다. 생성자와 메소드의 매개변수명이 인스턴스 멤버인 필드명과 동일한 경우, 인스턴스 필드임을 강조하고자 할 때 this를 주로 사용한다.

>>> **Car.java**

```java
package ch06.sec09;

public class Car {
  //필드 선언
  String model;
  int speed;
```

```java

  //생성자 선언
  Car(String model) {
    this.model = model;   //매개변수를 필드에 대입(this 생략 불가)
  }

  //메소드 선언
  void setSpeed(int speed) {
    this.speed = speed;   //매개변수를 필드에 대입(this 생략 불가)
  }

  void run() {
    this.setSpeed(100);
    System.out.println(this.model + "가 달립니다.(시속:" + this.speed + "km/h)");
  }
}
```

this 생략 가능

>>> CarExample.java

```java
package ch06.sec09;

public class CarExample {
  public static void main(String[] args) {
    Car myCar = new Car("포르쉐");
    Car yourCar = new Car("벤츠");

    myCar.run();
    yourCar.run();
  }
}
```

실행 결과

```
포르쉐가 달립니다.(시속:100km/h)
벤츠가 달립니다.(시속:100km/h)
```

6.10 정적 멤버

자바는 클래스 로더loader를 이용해서 클래스를 메소드 영역에 저장하고 사용한다. 정적static 멤버란 메소드 영역의 클래스에 고정적으로 위치하는 멤버를 말한다. 그렇기 때문에 정적 멤버는 객체를 생성할 필요 없이 클래스를 통해 바로 사용이 가능하다.

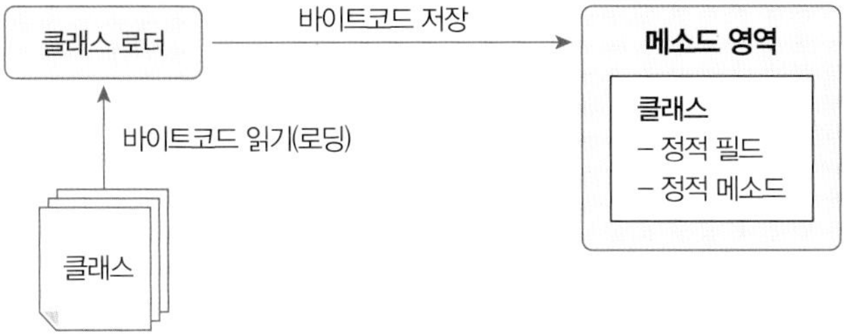

정적 멤버 선언

필드와 메소드는 모두 정적 멤버가 될 수 있다. 정적 필드와 정적 메소드로 선언하려면 다음과 같이 static 키워드를 추가하면 된다.

```
public class 클래스 {
  //정적 필드 선언
  static 타입 필드 [= 초기값];

  //정적 메소드
  static 리턴타입 메소드( 매개변수, … ) { … }
}
```

객체마다 가지고 있을 필요성이 없는 공용적인 필드는 정적 필드로 선언하는 것이 좋다. 예를 들어 Calculator 클래스에서 원의 넓이나 둘레를 구할 때 필요한 파이(π)는 Calculator 객체마다 가지고 있을 필요가 없기 때문에 정적 필드로 선언하는 것이 좋다.

```
public class Calculator {
  String color;                //계산기별로 색깔이 다를 수 있다.
  static double pi = 3.14159;  //계산기에서 사용하는 파이(π) 값은 동일하다.
}
```

인스턴스 필드를 이용하지 않는 메소드는 정적 메소드로 선언하는 것이 좋다. 예를 들어 Calculator의 plus() 메소드는 외부에서 주어진 매개값들을 가지고 처리하므로 정적 메소드로 선언하는 것이 좋다. 그러나 인스턴스 필드인 color를 변경하는 setColor() 메소드는 인스턴스 메소드로 선언해야 한다.

```
public class Calculator {
  String color;                                          //인스턴스 필드
  void setColor(String color) { this.color = color; }    //인스턴스 메소드
  static int plus(int x, int y) { return x + y; }        //정적 메소드
  static int minus(int x, int y) { return x - y; }       //정적 메소드
}
```

정적 멤버 사용

클래스가 메모리로 로딩되면 정적 멤버를 바로 사용할 수 있는데, 클래스 이름과 함께 도트(.) 연산자로 접근하면 된다. 예를 들어 Calculator 클래스가 다음과 같이 작성되었다면,

```
public class Calculator {
  static double pi = 3.14159;
  static int plus(int x, int y) { … }
  static int minus(int x, int y) { … }
}
```

정적 필드 pi와 정적 메소드 plus(), minus()는 다음과 같이 사용할 수 있다.

```
double result1 = 10 * 10 * Calculator.pi;
int result2 = Calculator.plus(10, 5);
int result3 = Calculator.minus(10, 5);
```

정적 필드와 정적 메소드는 다음과 같이 객체 참조 변수로도 접근이 가능하다.

```
Calculator myCalcu = new Calculator();
double result1 = 10 * 10 * myCalcu.pi;
int result2 = myCalcu.plus(10, 5);
int result3 = myCalcu.minus(10, 5);
```

하지만 정적 요소는 클래스 이름으로 접근하는 것이 정석이다. 이클립스에서는 정적 멤버를 객체 참조 변수로 접근했을 경우, 경고 표시( )를 낸다.

»> Calculator.java

```java
package ch06.sec10.exam01;

public class Calculator {
  static double pi = 3.14159;

  static int plus(int x, int y) {
    return x + y;
  }

  static int minus(int x, int y) {
    return x - y;
  }
}
```

»> CalculatorExample.java

```java
package ch06.sec10.exam01;

public class CalculatorExample {
  public static void main(String[] args) {
    double result1 = 10 * 10 * Calculator.pi;
    int result2 = Calculator.plus(10, 5);
    int result3 = Calculator.minus(10, 5);

    System.out.println("result1 : " + result1);
    System.out.println("result2 : " + result2);
```

```
        System.out.println("result3 : " + result3);
    }
}
```

실행 결과

```
result1 : 314.159
result2 : 15
result3 : 5
```

정적 블록

정적 필드는 다음과 같이 필드 선언과 동시에 초기값을 주는 것이 일반적이다.

```
static double pi = 3.14159;
```

하지만 복잡한 초기화 작업이 필요하다면 정적 블록static block을 이용해야 한다. 다음은 정적 블록의 형태를 보여 준다.

```
static {
  ...
}
```

정적 블록은 클래스가 메모리로 로딩될 때 자동으로 실행된다. 정적 블록이 클래스 내부에 여러 개가 선언되어 있을 경우에는 선언된 순서대로 실행된다.

여기서 잠깐

생성자에서 초기화를 하지 않는 정적 필드

정적 필드는 객체 생성 없이도 사용할 수 있기 때문에 생성자에서 초기화 작업을 하지 않는다. 생성자는 객체 생성 후 실행되기 때문이다.

다음 예제를 보면 Television은 3개의 정적 필드를 가지고 있다. company와 model은 선언 시 초기값을 주었고, info는 정적 블록에서 company와 model을 서로 연결하여 초기값으로 주었다.

>>> **Television.java**

```
package ch06.sec10.exam02;

public class Television {
  static String company = "MyCompany";
  static String model = "LCD";
  static String info;

  static {
    info = company + "-" + model;
  }
}
```

>>> **TelevisionExample.java**

```
package ch06.sec10.exam02;

public class TelevisionExample {
  public static void main(String[] args) {
    System.out.println(Television.info);
  }
}
```

실행 결과

```
MyCompany-LCD
```

인스턴스 멤버 사용 불가

정적 메소드와 정적 블록은 객체가 없어도 실행된다는 특징 때문에 내부에 인스턴스 필드나 인스턴스 메소드를 사용할 수 없다. 또한 객체 자신의 참조인 this도 사용할 수 없다.

```java
public class ClassName {
  //인스턴스 필드와 메소드 선언
  int field1;
  void method1() { … }

  //정적 필드와 메소드 선언
  static int field2;
  static void method2() { … }

  //정적 블록 선언
  static {
    field1 = 10;          (x)  } 컴파일 에러
    method1();            (x)  }
    field2 = 10;          (o)
    method2();            (o)
  }

  //정적 메소드 선언
  static void method3() {
    this.field1 = 10;     (x)  } 컴파일 에러
    this.method1();       (x)  }
    field2 = 10;          (o)
    method2();            (o)
  }
}
```

정적 메소드와 정적 블록에서 인스턴스 멤버를 사용하고 싶다면 다음과 같이 객체를 먼저 생성하고 참조 변수로 접근해야 한다.

```java
static void method3() {
  //객체 생성
  ClassName obj = new ClassName();
  //인스턴스 멤버 사용
  obj.field1 = 10;
  obj.method1();
}
```

main() 메소드도 동일한 규칙이 적용된다. main() 메소드도 정적 메소드이므로 객체 생성 없이 인스턴스 필드와 인스턴스 메소드를 main() 메소드에서 바로 사용할 수 없다. 따라서 다음과 같이 작성하면 컴파일 에러가 발생한다.

```
public class Car {
  //인스턴스 필드 선언
  int speed;

  //인스턴스 메소드 선언
  void run() { … }

  //메인 메소드 선언
  public static void main(String[] args) {
    speed = 60;    (x) ┐
    run();         (x) ┘ 컴파일 에러
  }
}
```

main() 메소드를 올바르게 수정하면 다음과 같다.

```
public static void main(String[] args) {
  //객체 생성
  Car myCar = new Car();
  //인스턴스 멤버 사용
  myCar.speed = 60;
  myCar.run();
}
```

>>> **Car.java**

```
package ch06.sec10.exam03;

public class Car {
  //인스턴스 필드 선언
  int speed;

  //인스턴스 메소드 선언
```

```java
    void run() {
      System.out.println(speed + "으로 달립니다.");
    }

    static void simulate() {
      //객체 생성
      Car myCar = new Car();
      //인스턴스 멤버 사용
      myCar.speed = 200;
      myCar.run();
    }

    public static void main(String[] args) {
      //정적 메소드 호출
      simulate();

      //객체 생성
      Car myCar = new Car();
      //인스턴스 멤버 사용
      myCar.speed = 60;
      myCar.run();
    }
}
```

실행 결과

```
200으로 달립니다.
60으로 달립니다.
```

6.11 final 필드와 상수

인스턴스 필드와 정적 필드는 언제든지 값을 변경할 수 있다. 그러나 경우에 따라서는 값을 변경하는 것을 막고 읽기만 허용해야 할 때가 있다. 이때 final 필드와 상수를 선언해서 사용한다.

final 필드 선언

final은 '최종적'이란 뜻을 가지고 있다. final 필드는 초기값이 저장되면 이것이 최종적인 값이 되어서 프로그램 실행 도중에 수정할 수 없게 된다. final 필드는 다음과 같이 선언한다.

```
final 타입 필드 [=초기값];
```

final 필드에 초기값을 줄 수 있는 방법은 다음 두 가지밖에 없다.

1. 필드 선언 시에 초기값 대입
2. 생성자에서 초기값 대입

고정된 값이라면 필드 선언 시에 주는 것이 가장 간단하다. 하지만 복잡한 초기화 코드가 필요하거나 객체 생성 시에 외부에서 전달된 값으로 초기화한다면 생성자에서 해야 한다. 이 두 방법을 사용하지 않고 final 필드를 그대로 남겨 두면 컴파일 에러가 발생한다.

다음 예제에서 Korean 클래스를 보면 국가(nation)와 주민등록번호(ssn) 필드를 final 필드로 선언했다. nation은 고정값이므로 선언 시에 초기값을 대입했고, ssn은 Korean 객체가 생성될 때 부여되므로 생성자 매개값으로 주민등록번호를 받아 초기값으로 대입했다.

>>> **Korean.java**

```java
package ch06.sec11.exam01;

public class Korean {
  //인스턴스 final 필드 선언
  final String nation = "대한민국";
  final String ssn;

  //인스턴스 필드 선언
  String name;

  //생성자 선언
  public Korean(String ssn, String name) {
    this.ssn = ssn;
    this.name = name;
  }
}
```

>>> **KoreanExample.java**

```java
package ch06.sec11.exam01;

public class KoreanExample {
  public static void main(String[] args) {
    //객체 생성 시 주민등록번호와 이름 전달
    Korean k1 = new Korean("123456-1234567", "감자바");

    //필드값 읽기
    System.out.println(k1.nation);
    System.out.println(k1.ssn);
    System.out.println(k1.name);

    //Final 필드는 값을 변경할 수 없음
    //k1.nation = "USA";
    //k1.ssn = "123-12-1234";

    //비 final 필드는 값 변경 가능
    k1.name = "김자바";
  }
}
```

실행 결과

```
대한민국
123456-1234567
감자바
```

상수 선언

우리 주변에는 불변의 값이 있다. 불변의 값은 수학에서 사용하는 원주율 파이(π)나 지구의 무게 및 둘레 등이 해당된다. 이런 불변의 값을 저장하는 필드를 자바에서는 상수constant라고 부른다.

상수는 객체마다 저장할 필요가 없고, 여러 개의 값을 가져도 안 되기 때문에 static이면서 final인 특성을 가져야 한다. 따라서 상수는 다음과 같이 선언한다.

```
static final 타입 상수 [= 초기값];
```

초기값은 선언 시에 주는 것이 일반적이지만, 복잡한 초기화가 필요할 경우에는 정적 블록에서 초기화할 수도 있다.

```
static final 타입 상수;
static {
  상수 = 초기값;
}
```

상수 이름은 모두 대문자로 작성하는 것이 관례이다. 만약 서로 다른 단어가 혼합된 이름이라면 언더바(_)로 단어들을 연결한다.

```
static final double PI = 3.14159;
static final double EARTH_SURFACE_AREA = 5.147185403641517E8;
```

또한 상수는 정적 필드이므로 클래스로 접근해서 읽을 수 있다.

```
클래스명.상수
```

>>> **Earth.java**

```java
package ch06.sec11.exam02;

public class Earth {
  //상수 선언 및 초기화
  static final double EARTH_RADIUS = 6400;

  //상수 선언
  static final double EARTH_SURFACE_AREA;

  //정적 블록에서 상수 초기화
  static {
    EARTH_SURFACE_AREA = 4 * Math.PI * EARTH_RADIUS * EARTH_RADIUS;
  }
}
```

Math.PI는 자바에서 제공하는 상수

>>> EarthExample.java

```java
package ch06.sec11.exam02;

public class EarthExample {
  public static void main(String[] args) {
    //상수 읽기
    System.out.println("지구의 반지름: " + Earth.EARTH_RADIUS + "km");
    System.out.println("지구의 표면적: " + Earth.EARTH_SURFACE_AREA + "km^2");
  }
}
```

실행 결과

```
지구의 반지름: 6400.0km
지구의 표면적: 5.147185403641517E8km^2
```

6.12 패키지

우리는 지금까지 장별, 절별 예제 클래스를 패키지 안에 생성해서 관리했다. 자바의 패키지package는 단순히 디렉토리만을 의미하지는 않는다. 패키지는 클래스의 일부분이며, 클래스를 식별하는 용도로 사용된다.

패키지는 주로 개발 회사 도메인 이름의 역순으로 만든다. 예를 들어 mycompany.com 회사의 패키지는 com.mycompany로, yourcompany.com 회사의 패키지는 com.yourcompany로 만든다. 이렇게 하면 두 회사에서 개발한 Car 클래스가 있을 경우 다음과 같이 관리할 수 있다.

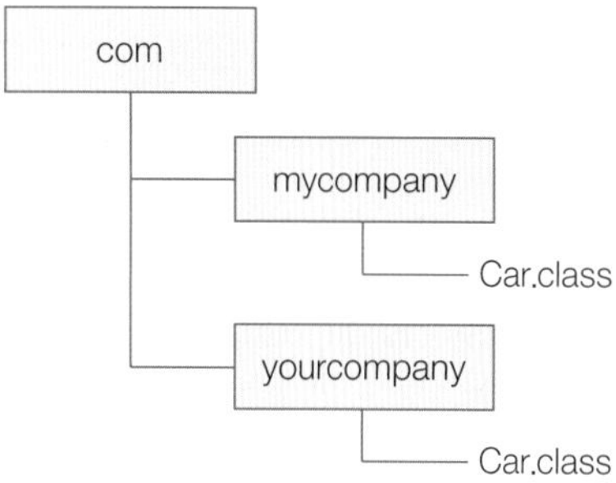

패키지는 상위 패키지와 하위 패키지를 도트(.)로 구분한다. 도트는 물리적으로 하위 디렉토리임을 뜻한다. 예를 들어 com.mycompany 패키지의 com은 상위 디렉토리, mycompany는 하위 디렉토리이다.

패키지는 클래스를 식별하는 용도로 사용되기 때문에 클래스의 전체 이름에 포함된다. 예를 들어 Car 클래스가 com.mycompany 패키지에 속해 있다면 Car 클래스의 전체 이름은 com.mycompany.Car가 된다. 이것은 com.yourcompany.Car와 다른 클래스임을 뜻한다.

패키지에 속한 바이트코드 파일(*.class)은 따로 떼어 내어 다른 디렉토리로 이동할 수 없다. 예를 들어 Car 클래스가 com.mycompany 패키지에 소속되어 있다면 다른 디렉토리에 Car.class를 옮겨 저장할 경우 Car 클래스를 사용할 수 없게 된다.

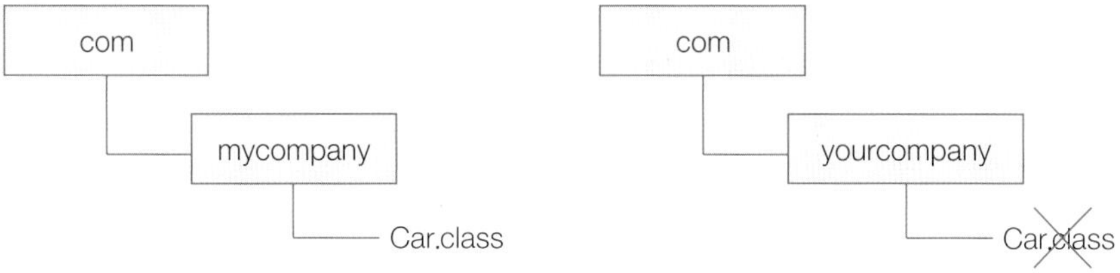

패키지 선언

패키지 디렉토리는 클래스를 컴파일하는 과정에서 자동으로 생성된다. 컴파일러는 클래스의 패키지 선언을 보고 디렉토리를 자동 생성시킨다. 패키지 선언은 package 키워드와 함께 패키지 이름을 기술한 것으로, 항상 소스 파일 최상단에 위치해야 한다.

```
package 상위패키지.하위패키지;

public class 클래스명 { … }
```

패키지 이름은 모두 소문자로 작성하는 것이 관례이다. 그리고 패키지 이름이 서로 중복되지 않도록 회사 도메인 이름의 역순으로 작성하고, 마지막에는 프로젝트 이름을 붙여 주는 것이 일반적이다.

```
com.samsung.projectname
com.lg.projectname
org.apache.projectname
```

이클립스에서는 패키지를 먼저 생성하고 클래스를 나중에 추가하는 방식을 사용한다. 지금까지 우리는 장별, 절별 패키지를 먼저 만들고, 클래스를 나중에 추가했다. 추가된 클래스를 보면 자동으로 패키지 선언이 포함되어 있는 것을 볼 수 있다.

소스 파일(*.java)이 저장되면 이클립스는 자동으로 컴파일해서 〈thisisjava〉/bin 디렉토리에 패키지 디렉토리와 함께 바이트코드 파일(*.class)을 생성한다.

만약 패키지 선언이 없다면 이클립스는 클래스를 (default package)에 포함시킨다. (default package)란 패키지가 없다는 뜻이다. 그러나 어떤 프로젝트든 패키지 없이 클래스를 만드는 경우는 드물다.

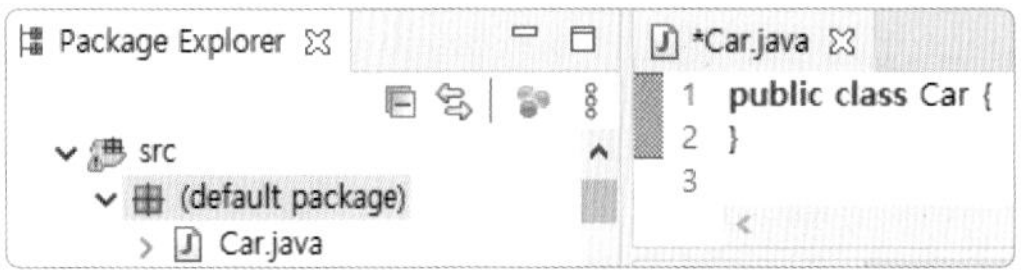

import 문

같은 패키지에 있는 클래스는 아무런 조건 없이 사용할 수 있지만, 다른 패키지에 있는 클래스를 사용하려면 import 문을 이용해서 어떤 패키지의 클래스를 사용하는지 명시해야 한다.

다음은 com.mycompany 패키지의 Car 클래스에서 com.hankook 패키지의 Tire 클래스를 사용하기 위해 import 문을 사용한 것이다.

```
package com.mycompany;        // Car 클래스의 패키지

import com.hankook.Tire;      // Tire 클래스의 전체 이름

public class Car {
  //필드 선언 시 com.hankook.Tire 클래스를 사용
  Tire tire = new Tire();
}
```

import 문이 작성되는 위치는 패키지 선언과 클래스 선언 사이이다. import 키워드 뒤에는 사용하고자 하는 클래스의 전체 이름을 기술한다. 만약 동일한 패키지에 포함된 다수의 클래스를 사용해야 한다면 클래스 이름을 생략하고 *를 사용할 수 있다.

```java
import com.hankook.*;
```

import 문은 하위 패키지를 포함하지 않는다. 따라서 com.hankook 패키지에 있는 클래스도 사용해야 하고, com.hankook.project 패키지에 있는 클래스도 사용해야 한다면 다음과 같이 두 개의 import 문이 필요하다.

```java
import com.hankook.*;
import com.hankook.project.*;
```

만약 서로 다른 패키지에 동일한 클래스 이름이 존재한다고 가정해 보자.

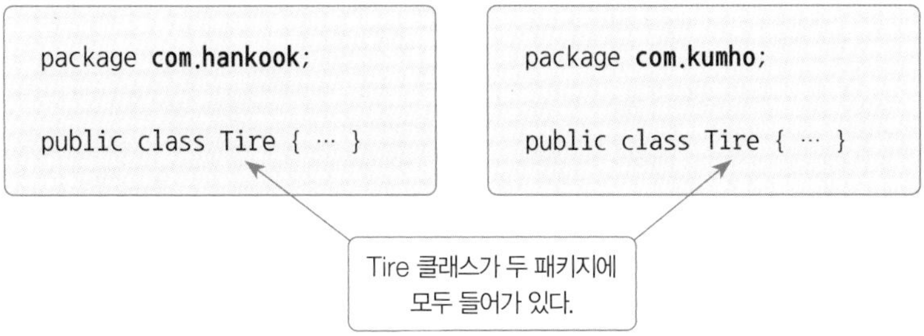

두 패키지를 모두 import하고 Tire 클래스를 사용할 경우, 컴파일러는 어떤 패키지의 클래스를 사용할 지 결정할 수 없기 때문에 컴파일 에러를 발생시킨다.

```java
package com.hyundai;

import com.hankook.*;
import com.kumho.*;

public class Car {
  //필드 선언
  Tire tire = new Tire();
}
```

컴파일 에러

이 경우에는 클래스의 전체 이름을 사용해서 정확히 어떤 패키지의 클래스를 사용하는지 알려야 한다. 클래스 전체 이름을 사용할 경우 import 문은 필요 없다.

```
com.hankook.Tire tire = new com.hankook.Tire();
```

여기서 잠깐

import 문 자동 추가 기능

이클립스는 소스에서 사용한 클래스를 조사해서 필요한 import 문을 자동으로 추가하는 기능을 제공한다.

1. 기본적으로 'import 전체클래스이름;'으로 추가하려면 다음과 같이 선택한다.

   상단 메뉴 – [Source] – [Organize imports] (단축키: Ctrl+Shift+O)

2. 'import 패키지.*;'로 추가하길 원한다면 다음과 같이 이클립스 설정을 변경한다.

   상단 메뉴 – [Window] – [Preference] – [Java] – [Code Style] – [Organize imports]
   – Number of imports needed for .*의 99를 1로 변경

>>> SnowTire.java

```
package ch06.sec12.hankook;

public class SnowTire {
}
```

>>> Tire.java

```
package ch06.sec12.hankook;

public class Tire {
}
```

>>> AllSeasonTire.java

```java
package ch06.sec12.kumho;

public class AllSeasonTire {
}
```

>>> Tire.java

```java
package ch06.sec12.kumho;

public class Tire {
}
```

>>> Car.java

```java
package ch06.sec12.hyundai;

//import 문으로 다른 패키지 클래스 사용을 명시
import ch06.sec12.hankook.SnowTire;
import ch06.sec12.kumho.AllSeasonTire;

public class Car {
  //부품 필드 선언
  ch06.sec12.hankook.Tire tire1 = new ch06.sec12.hankook.Tire();
  ch06.sec12.kumho.Tire tire2 = new ch06.sec12.kumho.Tire();
  SnowTire tire3 = new SnowTire();
  AllSeasonTire tire4 = new AllSeasonTire();
}
```

6.13 접근 제한자

경우에 따라서는 객체의 필드를 외부에서 변경하거나 메소드를 호출할 수 없도록 막아야 할 필요가 있다. 중요한 필드와 메소드가 외부로 노출되지 않도록 해 객체의 무결성(결점이 없는 성질)을 유지하기 위해서이다.

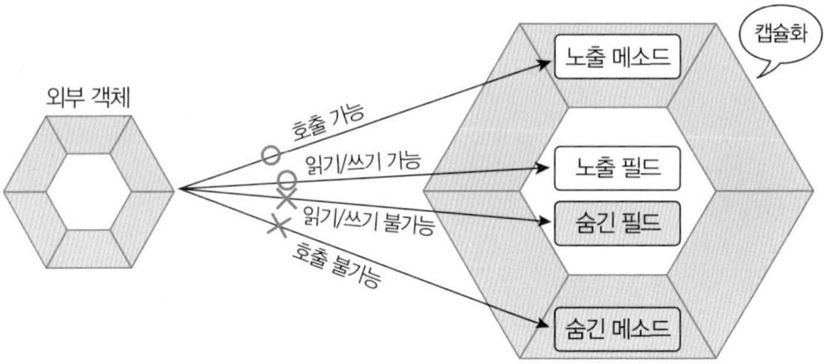

자바는 이러한 기능을 구현하기 위해 접근 제한자Access Modifier를 사용한다. 접근 제한자는 public, protected, private의 세 가지 종류가 있다.

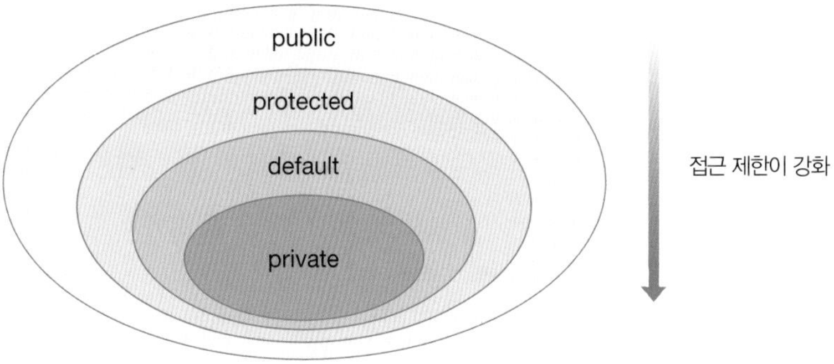

NOTE ▶ default는 접근 제한자가 아니라 접근 제한자가 붙지 않은 상태를 말한다.

접근 제한자	제한 대상	제한 범위
public	클래스, 필드, 생성자, 메소드	없음
protected	필드, 생성자, 메소드	같은 패키지이거나, 자식 객체만 사용 가능 (7장 상속에서 자세히 설명)
(default)	클래스, 필드, 생성자, 메소드	같은 패키지
private	필드, 생성자, 메소드	객체 내부

클래스의 접근 제한

클래스를 어디에서나 사용할 수 있는 것은 아니다. 클래스가 어떤 접근 제한을 갖느냐에 따라 사용 가능 여부가 결정된다. 클래스는 public과 default 접근 제한을 가질 수 있다.

```
[ public ] class 클래스 { … }
```

클래스를 선언할 때 public 접근 제한자를 생략했다면 클래스는 default 접근 제한을 가진다. 이 경우 클래스는 같은 패키지에서는 아무런 제한 없이 사용할 수 있지만 다른 패키지에서는 사용할 수 없게 된다.

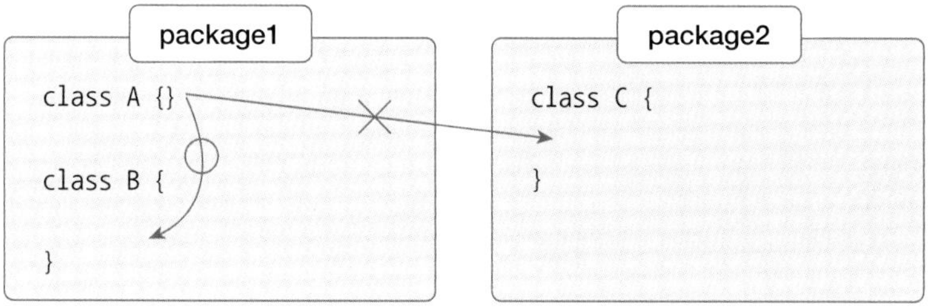

클래스를 선언할 때 public 접근 제한자를 붙였다면 클래스는 public 접근 제한을 가진다. 이 경우 클래스는 같은 패키지뿐만 아니라 다른 패키지에서도 사용할 수 있다.

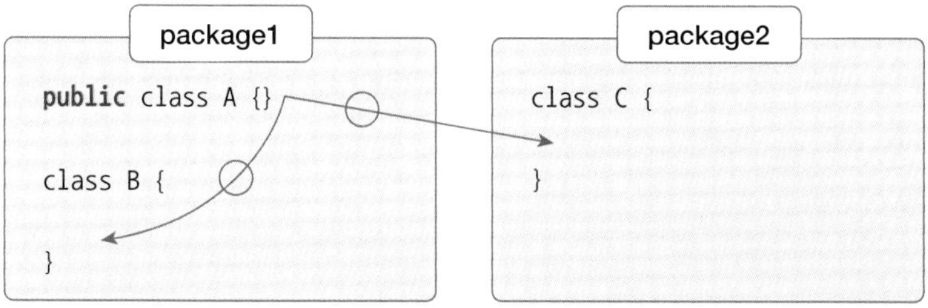

>>> **A.java**

```
package ch06.sec13.exam01.package1;

class A { ◀------------- default 접근 제한
}
```

>>> **B.java**

```
package ch06.sec13.exam01.package1; <-------------- 패키지가 동일

public class B {
  //필드 선언
  A a;     //o <-------------- A 클래스 접근 가능(필드로 선언할 수 있음)
}
```

>>> **C.java**

```
package ch06.sec13.exam01.package2; <-------------- 패키지가 다름

import ch06.sec13.exam01.package1.*;

public class C {
  //필드 선언
  A a;     //x <-------------- A 클래스 접근 불가(컴파일 에러)
  B b;     //o
}
```

생성자의 접근 제한

객체를 생성하기 위해 생성자를 어디에서나 호출할 수 있는 것은 아니다. 생성자가 어떤 접근 제한을 갖느냐에 따라 호출 가능 여부가 결정된다. 생성자는 public, default, private 접근 제한을 가질 수 있다.

```
public class ClassName {
  //생성자 선언
  [ public | private ] ClassName(…) { … }
}
```

접근 제한자	생성자	설명
public	클래스(…)	모든 패키지에서 생성자를 호출할 수 있다. = 모든 패키지에서 객체를 생성할 수 있다.
	클래스(…)	같은 패키지에서만 생성자를 호출할 수 있다. = 같은 패키지에서만 객체를 생성할 수 있다.
private	클래스(…)	클래스 내부에서만 생성자를 호출할 수 있다. = 클래스 내부에서만 객체를 생성할 수 있다.

>>> A.java

```
1    package ch06.sec13.exam02.package1;
2
3    public class A {
4      //필드 선언
5      A a1 = new A(true);
6      A a2 = new A(1);
7      A a3 = new A("문자열");
8
9      //public 접근 제한 생성자 선언
10     public A(boolean b) {
11     }
12
13     //default 접근 제한 생성자 선언
14     A(int b) {
15     }
16
17     //private 접근 제한 생성자 선언
18     private A(String s) {
19     }
20   }
```

>>> B.java

```
1    package ch06.sec13.exam02.package1;  ◀------------- 패키지가 동일
2
3    public class B {
4      // 필드 선언
5      A a1 = new A(true);        //o
```

```
    A a2 = new A(1);        //o
    A a3 = new A("문자열");  //x ◀------------- private 생성자 접근 불가(컴파일 에러)
}
```

>>> C.java

```
package ch06.sec13.exam02.package2; ◀------------- 패키지가 다름

import ch06.sec13.exam02.package1.*;

public class C {
    //필드 선언
    A a1 = new A(true);     //o
    A a2 = new A(1);        //x ◀------------- default 생성자 접근 불가(컴파일 에러)
    A a3 = new A("문자열");  //x ◀------------- private 생성자 접근 불가(컴파일 에러)
}
```

필드와 메소드의 접근 제한

필드와 메소드도 어디에서나 읽고 호출할 수 있는 것은 아니고, 어떤 접근 제한을 갖느냐에 따라 호출 여부가 결정된다. 필드와 메소드는 public, default, private 접근 제한을 가질 수 있다.

```
//필드 선언
[ public | private ] 타입 필드;

//메소드 선언
[ public | private ] 리턴 타입 메소드(…) { … }
```

접근 제한자	필드와 메소드	설명
public	필드	모든 패키지에서 필드를 읽고 변경할 수 있다.
	메소드(…)	모든 패키지에서 메소드를 호출할 수 있다.
	필드	같은 패키지에서만 필드를 읽고 변경할 수 있다.
	메소드(…)	같은 패키지에서만 메소드를 호출할 수 있다.
private	필드	클래스 내부에서만 필드를 읽고 변경할 수 있다.
	메소드(…)	클래스 내부에서만 메소드를 호출할 수 있다.

>>> **A.java**

```java
package ch06.sec13.exam03.package1;

public class A {
  //public 접근 제한을 갖는 필드 선언
  public int field1;
  //default 접근 제한을 갖는 필드 선언
  int field2;
  //private 접근 제한을 갖는 필드 선언
  private int field3;

  //생성자 선언
  public A() {
    field1 = 1;   //o
    field2 = 1;   //o
    field3 = 1;   //o

    method1();    //o
    method2();    //o
    method3();    //o
  }

  //public 접근 제한을 갖는 메소드 선언
  public void method1() {
  }

  //default 접근 제한을 갖는 메소드 선언
  void method2() {
  }

  //private 접근 제한을 갖는 메소드 선언
  private void method3() {
  }
}
```

클래스 내부일 경우 접근 제한자의 영향을 받지 않는다.

>>> **B.java**

```
package ch06.sec13.exam03.package1; ◀------------- 패키지가 동일

public class B {
  public void method() {
    //객체 생성
    A a = new A();

    //필드값 변경
    a.field1 = 1;    // o
    a.field2 = 1;    // o
    a.field3 = 1;    // x ◀------------- private 필드 접근 불가(컴파일 에러)

    //메소드 호출
    a.method1();     // o
    a.method2();     // o
    a.method3();     // x ◀------------- private 메소드 접근 불가(컴파일 에러)
  }
}
```

>>> **C.java**

```
package ch06.sec13.exam03.package2; ◀------------- 패키지가 다름

import ch06.sec13.exam03.package1.*;

public class C {
  public C() {
    //객체 생성
    A a = new A();

    //필드값 변경
    a.field1 = 1;    // o
    a.field2 = 1;    // x ◀------------- default 필드 접근 불가(컴파일 에러)
    a.field3 = 1;    // x ◀------------- private 필드 접근 불가(컴파일 에러)

    //메소드 호출
    a.method1();     // o
```

```
        a.method2();      // x ◀---- default 메소드 접근 불가(컴파일 에러)
        a.method3();      // x ◀---- private 메소드 접근 불가(컴파일 에러)
    }
}
```

6.14 Getter와 Setter

객체의 필드(데이터)를 외부에서 마음대로 읽고 변경할 경우 객체의 무결성(결점이 없는 성질)이 깨질 수 있다. 예를 들어 자동차의 속력은 음수가 될 수 없는데, 외부에서 음수로 변경하면 객체의 무결성이 깨진다.

```
Car myCar = new Car();
myCar.speed = -100;
```

이러한 문제점 때문에 객체지향 프로그래밍에서는 직접적인 외부에서의 필드 접근을 막고, 그 대신 메소드를 통해 필드에 접근하는 것을 선호한다. 그 이유는 메소드가 데이터를 검증해서 유효한 값만 필드에 저장할 수 있기 때문이다. 이러한 역할을 하는 메소드가 Setter이다.

다음 코드를 보자. speed 필드는 private 접근 제한을 가지므로 외부에서 접근하지 못한다. speed 필드를 변경하기 위해서는 Setter인 setSpeed() 메소드를 이용해야 한다. setSpeed() 메소드는 외부에서 제공된 변경값(매개값)을 if 문으로 검증하는데, 음수일 경우 0을 필드값으로 저장한다.

```
private double speed;

public void setSpeed(double speed) {
  if(speed < 0) {
    this.speed = 0;     ◀---- 매개값이 음수일 경우 speed 필드에 0으로 저장하고, 메소드 실행 종료
    return;
  } else {
    this.speed = speed;
  }
}
```

외부에서 객체의 필드를 읽을 때에도 메소드가 필요한 경우가 있다. 필드값이 객체 외부에서 사용하기에 부적절한 경우, 메소드로 적절한 값으로 변환해서 리턴할 수 있기 때문이다. 이러한 역할을 하는 메소드가 Getter이다.

다음 예시를 보자. speed 필드는 private 접근 제한을 가지므로 외부에서 읽지 못한다. speed 필드를 읽기 위해서는 Getter인 getSpeed() 메소드를 이용해야 한다. getSpeed() 메소드는 마일 단위의 필드값을 km 단위로 변환해서 외부로 리턴한다.

```
private double speed;     //speed의 단위는 마일

public double getSpeed() {
  double km = speed*1.6;   ┐
  return km;               ┘ 필드값인 마일을 km 단위로 환산 후 외부로 리턴
}
```

다음은 Getter와 Setter의 기본 작성 방법을 보여 준다. 필요에 따라 Getter에서 변환 코드를 작성하거나 Setter에서 검증 코드를 작성할 수 있다.

```
private 타입 fieldName;        // 필드 접근 제한자: private

//Getter
public 타입 getFieldName() {   // 접근 제한자: public
  return fieldName;             // 리턴 타입: 필드타입
}                               // 메소드 이름: get + 필드이름(첫 글자 대문자)
                                // 리턴값: 필드값

//Setter
public void setFieldName(타입 fieldName) {  // 접근 제한자: public
  this.fieldName = fieldName;                // 리턴 타입: void
}                                            // 메소드 이름: set + 필드이름(첫 글자 대문자)
                                             // 매개변수 타입: 필드타입
```

필드 타입이 boolean일 경우에 Getter는 get으로 시작하지 않고 is로 시작하는 것이 관례이다. 예를 들어 stop 필드의 Getter는 다음과 같이 작성할 수 있다.

```java
private boolean stop;
```

필드 접근 제한자: private

```java
//Getter
public boolean isStop() {
  return stop;
}
```

접근 제한자: public
리턴 타입: 필드타입
메소드 이름: is + 필드이름(첫 글자 대문자)
리턴값: 필드값

여기서 잠깐

Getter/Setter 메소드 자동 생성

이클립스는 클래스에 선언된 필드에 대해 자동으로 Getter와 Setter 메소드를 생성시키는 기능이 있다. 필드를 선언한 후 메뉴에서 [Source] – [Generate Getters and Setters]를 선택하면 선언된 필드에 대한 Getter와 Setter를 자동 생성할 수 있는 대화상자가 실행된다.

>>> **Car.java**

```java
package ch06.sec14;

public class Car {
  //필드 선언
  private int speed;
  private boolean stop;

  //speed 필드의 Getter/Setter 선언
  public int getSpeed() {
    return speed;
  }
  public void setSpeed(int speed) {
    if(speed < 0) {
      this.speed = 0;
    } else {
      this.speed = speed;
    }
  }

  //stop 필드의 Getter/Setter 선언
  public boolean isStop() {
```

```
      return stop;
    }
    public void setStop(boolean stop) {
      this.stop = stop;
      if(stop == true) this.speed = 0;
    }
}
```

>>> CarExample.java

```
package ch06.sec14;

public class CarExample {
  public static void main(String[] args) {
    //객체 생성
    Car myCar = new Car();

    //잘못된 속도 변경
    myCar.setSpeed(-50);
    System.out.println("현재 속도: " + myCar.getSpeed());

    //올바른 속도 변경
    myCar.setSpeed(60);
    System.out.println("현재 속도: " + myCar.getSpeed());

    //멈춤
    if(!myCar.isStop()) {
      myCar.setStop(true);
    }
    System.out.println("현재 속도: " + myCar.getSpeed());
  }
}
```

실행 결과

```
현재 속도: 0
현재 속도: 60
현재 속도: 0
```

6.15 싱글톤 패턴

애플리케이션 전체에서 단 한 개의 객체만 생성해서 사용하고 싶다면 싱글톤Singleton 패턴을 적용할 수 있다. 싱글톤 패턴의 핵심은 생성자를 private 접근 제한해 외부에서 new 연산자로 생성자를 호출할 수 없도록 막는 것이다.

```
private 클래스() {}
```

생성자를 호출할 수 없으니 외부에서 마음대로 객체를 생성하는 것이 불가능해진다. 대신 싱글톤 패턴이 제공하는 정적 메소드를 통해 간접적으로 객체를 얻을 수 있다.

다음은 싱글톤 패턴의 전체 코드를 보여 준다.

```
public class 클래스 {
  //private 접근 권한을 갖는 정적 필드 선언과 초기화
  private static 클래스 singleton = new 클래스(); ●-------------- ①

  //private 접근 권한을 갖는 생성자 선언
  private 클래스() {}

  //public 접근 권한을 갖는 정적 메소드 선언
  public static 클래스 getInstance() { ●-------------- ②
    return singleton;
  }
}
```

①에서는 자신의 타입으로 정적 필드를 선언하고 미리 객체를 생성해서 초기화시킨다. 그리고 private 접근 제한자를 붙여 외부에서 정적 필드값을 변경하지 못하도록 막는다.

②에서는 정적 필드값을 리턴하는 getInstance() 정적 메소드를 public으로 선언하였다.

외부에서 객체를 얻는 유일한 방법은 getInstance() 메소드를 호출하는 것이다. getInstance() 메소드가 리턴하는 객체는 정적 필드가 참조하는 싱글톤 객체이다. 따라서 아래 코드에서 변수1과 변수2가 참조하는 객체는 동일한 객체가 된다.

```
클래스 변수1 = 클래스.getInstance();
클래스 변수2 = 클래스.getInstance();
```

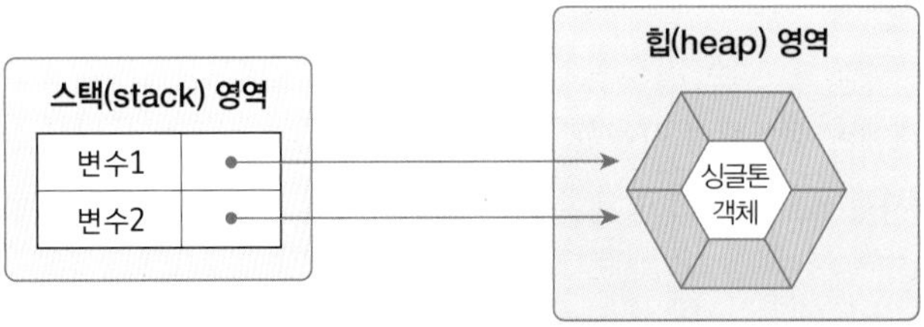

>>> **Singleton.java**

```java
package ch06.sec15;

public class Singleton {
  //private 접근 권한을 갖는 정적 필드 선언과 초기화
  private static Singleton singleton = new Singleton();

  //private 접근 권한을 갖는 생성자 선언
  private Singleton() {
  }

  //public 접근 권한을 갖는 정적 메소드 선언
  public static Singleton getInstance() {
    return singleton;
  }
}
```

>>> **SingletonExample.java**

```java
package ch06.sec15;

public class SingletonExample {
  public static void main(String[] args) {
    /*
    Singleton obj1 = new Singleton();  //컴파일 에러
    Singleton obj2 = new Singleton();  //컴파일 에러
    */

    //정적 메소드를 호출해서 싱글톤 객체 얻음
```

```java
        Singleton obj1 = Singleton.getInstance();
        Singleton obj2 = Singleton.getInstance();

        //동일한 객체를 참조하는지 확인
        if(obj1 == obj2) {
          System.out.println("같은 Singleton 객체입니다.");
        } else {
          System.out.println("다른 Singleton 객체입니다.");
        }
    }
}
```

실행 결과

```
같은 Singleton 객체입니다.
```

확인문제

1. 객체와 클래스에 대한 설명으로 틀린 것은 무엇입니까?

❶ 클래스는 객체를 생성하기 위한 설계도(청사진)와 같은 것이다.

❷ new 연산자로 클래스의 생성자를 호출함으로써 객체가 생성된다.

❸ 하나의 클래스로 하나의 객체만 생성할 수 있다.

❹ 객체는 클래스의 인스턴스이다.

2. 클래스의 구성 멤버가 아닌 것은 무엇입니까?

❶ 필드(field)

❷ 생성자(constructor)

❸ 메소드(method)

❹ 로컬 변수(local variable)

3. 필드, 생성자, 메소드에 대한 설명으로 틀린 것은 무엇입니까?

❶ 필드는 객체의 데이터를 저장한다.

❷ 생성자는 객체의 초기화를 담당한다.

❸ 메소드는 객체의 동작 부분으로, 실행 코드를 가지고 있는 블록이다.

❹ 클래스는 반드시 필드와 메소드를 가져야 한다.

4. 필드에 대한 설명으로 틀린 것은 무엇입니까?

❶ 필드는 메소드에서 사용할 수 있다.

❷ 인스턴스 필드 초기화는 생성자에서 할 수 있다.

❸ 필드는 반드시 생성자 선언 전에 선언되어야 한다.

❹ 필드는 초기값을 주지 않더라도 기본값으로 자동 초기화된다.

5. 생성자에 대한 설명으로 틀린 것은 무엇입니까?

❶ 객체를 생성하려면 생성자 호출이 반드시 필요한 것은 아니다.

❷ 생성자는 다른 생성자를 호출하기 위해 this()를 사용할 수 있다.

❸ 생성자가 선언되지 않으면 컴파일러가 기본 생성자를 추가한다.

❹ 외부에서 객체를 생성할 수 없도록 생성자에 private 접근 제한자를 붙일 수 있다.

6. 메소드에 대한 설명으로 틀린 것은 무엇입니까?

❶ 리턴값이 없는 메소드는 리턴 타입을 void로 해야 한다.

❷ 리턴 타입이 있는 메소드는 리턴값을 지정하기 위해 반드시 return 문이 있어야 한다.

❸ 매개값의 수를 모를 경우 "…"를 이용해서 매개변수를 선언할 수 있다.

❹ 메소드의 이름은 중복해서 선언할 수 없다.

7. 메소드 오버로딩에 대한 설명으로 틀린 것은 무엇입니까?

❶ 동일한 이름의 메소드를 여러 개 선언하는 것을 말한다.

❷ 반드시 리턴 타입이 달라야 한다.

❸ 매개변수의 타입, 수, 순서를 다르게 선언해야 한다.

❹ 매개값의 타입 및 수에 따라 호출될 메소드가 선택된다.

8. 인스턴스 멤버와 정적 멤버에 대한 설명으로 틀린 것은 무엇입니까?

❶ 정적 멤버는 static으로 선언된 필드와 메소드를 말한다.

❷ 인스턴스 필드는 생성자 및 정적 블록에서 초기화될 수 있다.

❸ 정적 필드와 정적 메소드는 객체 생성 없이 클래스를 통해 접근할 수 있다.

❹ 인스턴스 필드와 메소드는 객체를 생성하고 사용해야 한다.

9. final 필드와 상수(static final)에 대한 설명으로 틀린 것은 무엇입니까?

❶ final 필드와 상수는 초기값이 저장되면 값을 변경할 수 없다.

❷ final 필드와 상수는 생성자에서 초기화될 수 있다.

❸ 상수의 이름은 대문자로 작성하는 것이 관례이다.

❹ 상수는 객체 생성 없이 클래스를 통해 사용할 수 있다.

10. 패키지에 대한 설명으로 틀린 것은 무엇입니까?

❶ 패키지는 클래스들을 그룹화시키는 기능을 한다.

❷ 클래스가 패키지에 소속되려면 패키지 선언을 반드시 해야 한다.

❸ import 문은 다른 패키지의 클래스를 사용할 때 필요하다.

❹ com.mycom 패키지에 소속된 클래스는 com.yourcom에 옮겨 놓아도 동작한다.

확인문제

11. 접근 제한에 대한 설명으로 틀린 것은 무엇입니까?

❶ 접근 제한자는 클래스, 필드, 생성자, 메소드의 사용을 제한한다.

❷ public 접근 제한은 아무런 제한 없이 해당 요소를 사용할 수 있게 한다.

❸ default 접근 제한은 해당 클래스 내부에서만 사용을 허가한다.

❹ 외부에서 접근하지 못하도록 하려면 private 접근 제한을 해야 한다.

12. 다음 클래스에서 해당 멤버가 필드, 생성자, 메소드 중 어떤 것인지 ( ) 안에 적어 보세요.

```
public class Member {
    private String name; ──────────────────→ (            )
    public Member(String name) { … } ──────→ (            )
    public void setName(String name) { … } ─→ (            )
}
```

13. 현실 세계의 회원을 Member 클래스로 모델링하려고 합니다. 회원의 데이터로는 이름, 아이디, 패스워드, 나이가 있습니다. 이 데이터들을 가지는 Member 클래스를 선언해 보세요.

데이터 이름	필드 이름	타입
이름	name	문자열
아이디	id	문자열
패스워드	password	문자열
나이	age	정수

14. 13번 문제에서 작성한 Member 클래스에 생성자를 추가하려고 합니다. 다음과 같이 name 필드와 id 필드를 외부에서 받은 값으로 초기화하도록 생성자를 선언해 보세요.

```
Member user1 = new Member("홍길동", "hong");
```

15. login() 메소드를 호출할 때에는 매개값으로 id와 password를 제공하고, logout() 메소드는 id만 매개값으로 제공하려고 합니다. 다음 조건과 예제 코드를 보고 MemberService 클래스에서 login(), logout() 메소드를 선언해 보세요.

❶ login() 메소드는 매개값 id가 "hong", 매개값 password가 "12345" 일 경우에만 true로 리턴

❷ logout() 메소드는 id + "님이 로그아웃 되었습니다"가 출력되도록 할 것

리턴 타입	메소드 이름	매개변수(타입)
boolean	login	id(String), password(String)
void	logout	id(String)

```
MemberService memberService = new MemberService();
boolean result = memberService.login("hong", "12345");
if(result) {
  System.out.println("로그인 되었습니다.");
  memberService.logout("hong");
} else {
  System.out.println("id 또는 password가 올바르지 않습니다.");
}
```

16. println() 메소드는 매개값을 콘솔에 출력합니다. println() 메소드의 매개값으로는 int, boolean, double, String 타입 값을 줄 수 있습니다. 다음 조건과 예제 코드를 보고 Printer 클래스에서 println() 메소드를 오버로딩하여 선언해 보세요.

리턴 타입	메소드 이름	매개변수(타입)
void	println	value (int, boolean, double, String)

```
Printer printer = new Printer();
printer.println(10);
printer.println(true);
printer.println(5.7);
printer.println("홍길동");
```

17. 16번 문제에서는 Printer 객체를 생성하고 println() 메소드를 호출했습니다. 이번에는 Printer 객체를 생성하지 않고도 다음과 같이 호출할 수 있도록 Printer 클래스를 수정해 보세요.

```
Printer.println(10);
Printer.println(true);
Printer.println(5.7);
Printer.println("홍길동");
```

18. 다음 예제 코드가 실행되면 "같은 ShopService 객체입니다."라는 메시지가 출력되도록, 싱글톤 패턴을 사용해서 ShopService 클래스를 작성해 보세요.

```
ShopService obj1 = ShopService.getInstance();
ShopService obj2 = ShopService.getInstance();

if(obj1 == obj2) {
  System.out.println("같은 ShopService 객체입니다.");
} else {
  System.out.println("다른 ShopService 객체입니다.");
}
```

19. 은행 계좌 객체인 Account 객체는 잔고(balance) 필드를 가지고 있습니다. balance 필드는 음수값이 될 수 없고, 최대 백만 원까지만 저장할 수 있습니다. 외부에서 balance 필드를 마음대로 변경하지 못하고, 0 <= balance <= 1,000,000 범위의 값만 가질 수 있도록 Account 클래스를 작성해 보세요.

❶ Setter와 Getter를 이용

❷ 0과 1,000,000은 MIN_BALANCE와 MAX_BALANCE 상수를 선언해서 이용

❸ Setter의 매개값이 음수이거나 백만 원을 초과하면 현재 balance 값을 유지

```
Account account = new Account();

account.setBalance(10000);
System.out.println("현재 잔고: " + account.getBalance());    //현재 잔고: 10000

account.setBalance(-100);
System.out.println("현재 잔고: " + account.getBalance());    //현재 잔고: 10000
```

```
account.setBalance(2000000);
System.out.println("현재 잔고: " + account.getBalance());     //현재 잔고: 10000

account.setBalance(300000);
System.out.println("현재 잔고: " + account.getBalance());     //현재 잔고: 300000
```

20. 다음은 키보드로부터 계좌 정보를 입력받아 계좌를 관리하는 프로그램입니다. 계좌는 Account 객체로 생성되고 BankApplication에서 길이 100인 Account[ ] 배열로 관리됩니다. 실행 결과를 보고, Account와 BankApplication 클래스를 작성해 보세요(키보드로 입력받을 때는 Scanner의 nextLine() 메소드를 사용).

[계좌생성 실행 결과] ❶

```
-----------------------------------------------
1.계좌생성 | 2.계좌목록 | 3.예금 | 4.출금 | 5.종료
-----------------------------------------------
선택> 1
--------------
계좌생성
--------------
계좌번호: 111-111
계좌주: 홍길동
초기입금액: 10000
결과: 계좌가 생성되었습니다.
-----------------------------------------------
1.계좌생성 | 2.계좌목록 | 3.예금 | 4.출금 | 5.종료
-----------------------------------------------
선택> 1
--------------
계좌생성
--------------
계좌번호: 111-222
계좌주: 강자바
초기입금액: 20000
결과: 계좌가 생성되었습니다.
```

[계좌목록 실행 결과] ❷

```
-----------------------------------------------
1.계좌생성 | 2.계좌목록 | 3.예금 | 4.출금 | 5.종료
-----------------------------------------------
선택> 2
--------------
계좌목록
--------------
111-111     홍길동     10000
111-222     강자바     20000
```

[예금 실행 결과] ❸

```
-----------------------------------------------
1.계좌생성 | 2.계좌목록 | 3.예금 | 4.출금 | 5.종료
-----------------------------------------------
선택> 3
--------------
예금
--------------
계좌번호: 111-111
예금액: 5000
```

[출금 실행 결과] ❹

```
-----------------------------------------------
1.계좌생성 | 2.계좌목록 | 3.예금 | 4.출금 | 5.종료
-----------------------------------------------
선택> 4
--------------
출금
--------------
계좌번호: 111-222
출금액: 3000
결과: 출금이 성공되었습니다.
```

[계좌목록/종료 실행 결과] ❺

```
-----------------------------------------------
1.계좌생성 | 2.계좌목록 | 3.예금 | 4.출금 | 5.종료
-----------------------------------------------
선택> 2
--------------
계좌목록
--------------
111-111     홍길동     15000
111-222     강자바     17000
-----------------------------------------------
1.계좌생성 | 2.계좌목록 | 3.예금 | 4.출금 | 5.종료
-----------------------------------------------
선택> 5
프로그램 종료
```

Chapter

07

상속

7.1 상속 개념

상속Inheritance은 부모가 자식에게 물려주는 행위를 말한다. 객체지향 프로그램에서도 부모 클래스의 필드와 메소드를 자식 클래스에게 물려줄 수 있다.

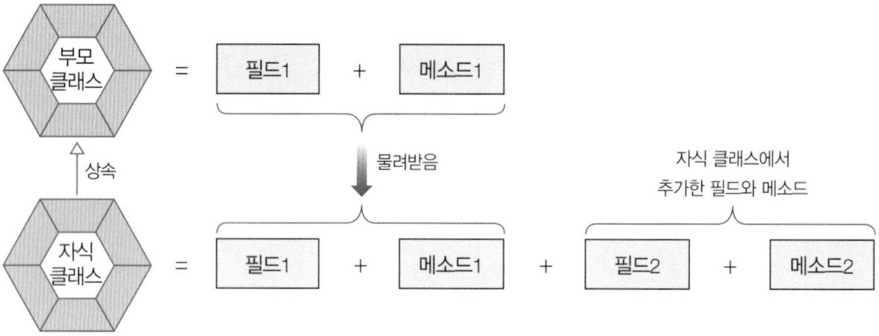

상속은 이미 잘 개발된 클래스를 재사용해서 새로운 클래스를 만들기 때문에 중복되는 코드를 줄여 개발 시간을 단축시킨다. 예를 들어 다음 그림처럼 자식 클래스(B)에서 처음부터 필드와 메소드 4개를 작성하는 것보다는 field1과 method1을 부모 클래스(A)에서 상속받고 field2와 method2만 추가 작성하는 것이 보다 효율적이다.

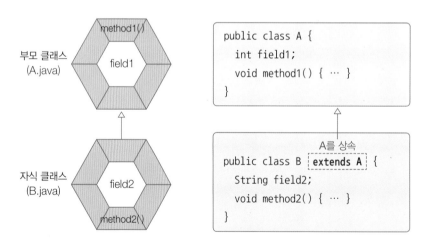

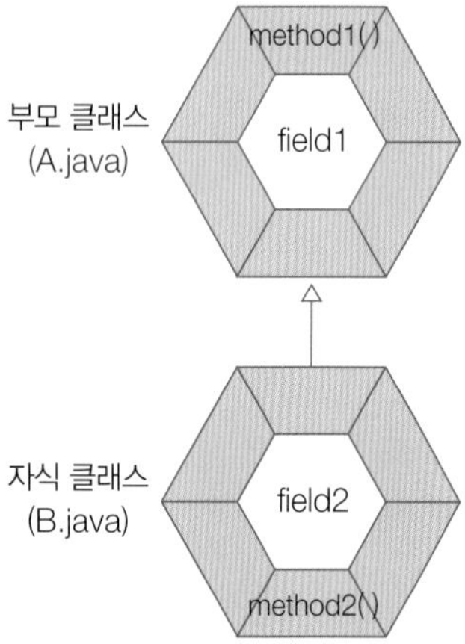


```
public class A {
  int field1;
  void method1() { … }
}
```

A를 상속

```
public class B extends A {
  String field2;
  void method2() { … }
}
```

실제로 B 클래스를 객체 생성해서 다음과 같이 사용할 때는 마치 B가 field1과 method1을 가지고 있는 것처럼 보인다.

```
B b = new B();
b.field1 = 10;          } A로부터 물려받은 필드와 메소드
b.method1();

b.field2 = "홍길동";    } B가 추가한 필드와 메소드
b.method2();
```

상속의 또 다른 이점은 클래스의 수정을 최소화할 수 있다는 것이다. 부모 클래스를 수정하면 모든 자식 클래스에 수정 효과를 가져온다. 예를 들어 B, C가 A를 상속할 경우 A의 필드와 메소드를 수정하면 B, C를 수정하지 않아도 수정된 A의 필드와 메소드를 이용할 수 있다.

7.2 클래스 상속

현실에서의 상속은 부모가 자식을 선택해서 물려주지만, 프로그램에서는 자식이 부모를 선택한다. 자식 클래스를 선언할 때 어떤 부모로부터 상속받을 것인지를 결정하고, 부모 클래스를 다음과 같이 extends 뒤에 기술한다.

```
public class 자식클래스 extends 부모클래스 {
}
```

다른 언어와는 달리 자바는 다중 상속을 허용하지 않는다. 즉, 여러 개의 부모 클래스를 상속할 수 없다. 따라서 extends 뒤에는 단 하나의 부모 클래스만이 와야 한다.

```
public class 자식클래스 extends 부모클래스1, 부모클래스2 {
}
```

다음 예제는 Phone 클래스를 상속해서 SmartPhone 클래스를 작성한 것이다.

>>> **Phone.java**

```java
package ch07.sec02;

public class Phone {
  //필드 선언
  public String model;
  public String color;

  //메소드 선언
  public void bell() {
    System.out.println("벨이 울립니다.");
  }

  public void sendVoice(String message) {
    System.out.println("자기: " + message);
  }

  public void receiveVoice(String message) {
    System.out.println("상대방: " + message);
  }

  public void hangUp() {
    System.out.println("전화를 끊습니다.");
  }
}
```

>>> **SmartPhone.java**

```java
package ch07.sec02;

public class SmartPhone extends Phone {
  //필드 선언
  public boolean wifi;

  //생성자 선언
```

```java
  public SmartPhone(String model, String color) {
    this.model = model;
    this.color = color;
  }

  //메소드 선언
  public void setWifi(boolean wifi) {
    this.wifi = wifi;
    System.out.println("와이파이 상태를 변경했습니다.");
  }

  public void internet() {
    System.out.println("인터넷에 연결합니다.");
  }
}
```

Phone으로부터 상속받은 필드

>>> **SmartPhoneExample.java**

```java
package ch07.sec02;

public class SmartPhoneExample {

  public static void main(String[] args) {
    //SmartPhone 객체 생성
    SmartPhone myPhone = new SmartPhone("갤럭시", "은색");

    //Phone으로부터 상속받은 필드 읽기
    System.out.println("모델: " + myPhone.model);
    System.out.println("색상: " + myPhone.color);

    //SmartPhone의 필드 읽기
    System.out.println("와이파이 상태: " + myPhone.wifi);

    //Phone으로부터 상속받은 메소드 호출
    myPhone.bell();
    myPhone.sendVoice("여보세요.");
    myPhone.receiveVoice("안녕하세요! 저는 홍길동인데요.");
    myPhone.sendVoice("아~ 네, 반갑습니다.");
```

```
        myPhone.hangUp();

        //SmartPhone의 메소드 호출
        myPhone.setWifi(true);
        myPhone.internet();
    }
}
```

실행 결과

```
모델: 갤럭시
색상: 은색
와이파이 상태: false
벨이 울립니다.
자기: 여보세요.
상대방: 안녕하세요! 저는 홍길동인데요.
자기: 아~ 네, 반갑습니다.
전화를 끊습니다.
와이파이 상태를 변경했습니다.
인터넷에 연결합니다.
```

7.3 부모 생성자 호출

현실에서 부모 없는 자식이 있을 수 없듯이 자바에서도 자식 객체를 생성하면 부모 객체가 먼저 생성된 다음에 자식 객체가 생성된다. 다음 코드는 SmartPhone 객체만 생성되는 것처럼 보이지만, 사실은 부모인 Phone 객체가 먼저 생성되고 그 다음에 자식인 SmartPhone 객체가 생성된 것이다.

```
자식클래스 변수 = new 자식클래스( );
```

이것을 메모리로 표현하면 다음과 같다.

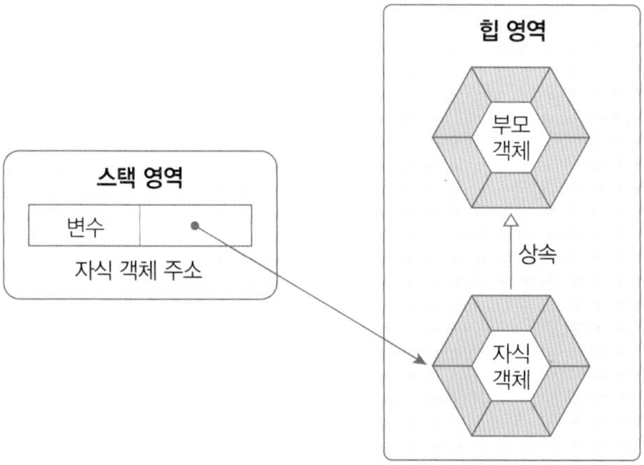

모든 객체는 생성자를 호출해야만 생성된다. 부모 객체도 예외는 아니다. 그렇다면 부모 객체의 생성자는 어디서 호출된 것일까? 이것에 대한 비밀은 자식 생성자에 숨어 있다. 부모 생성자는 자식 생성자의 맨 첫 줄에 숨겨져 있는 super()에 의해 호출된다.

```
//자식 생성자 선언
public 자식클래스(…) {
  super();
  …
}
```

super()는 컴파일 과정에서 자동 추가되는데, 이것은 부모의 기본 생성자를 호출한다. 만약 부모 클래스에 기본 생성자가 없다면 자식 생성자 선언에서 컴파일 에러가 발생한다.

부모 클래스에 기본 생성자가 없고 매개변수를 갖는 생성자만 있다면 개발자는 다음과 같이 super(매개값, …) 코드를 직접 넣어야 한다. 이 코드는 매개값의 타입과 개수가 일치하는 부모 생성자를 호출한다.

```
//자식 생성자 선언
public 자식클래스(…) {
  super(매개값, … );
  …
}
```

다음 예제는 부모 클래스가 기본 생성자를 가지고 있는 경우이다.

>>> **Phone.java**

```java
package ch07.sec03.exam01;

public class Phone {
  //필드 선언
  public String model;
  public String color;

  //기본 생성자 선언
  public Phone() {
    System.out.println("Phone() 생성자 실행");
  }
}
```

>>> **SmartPhone.java**

```java
package ch07.sec03.exam01;

public class SmartPhone extends Phone {
  //자식 생성자 선언
  public SmartPhone(String model, String color) {
    super();   // 생략 가능(컴파일 시 자동 추가됨)
    this.model = model;
    this.color = color;
    System.out.println("SmartPhone(String model, String color) 생성자 실행됨");
  }
}
```

>>> **SmartPhoneExample.java**

```java
package ch07.sec03.exam01;

public class SmartPhoneExample {
```

```java
    public static void main(String[] args) {
        //SmartPhone 객체 생성
        SmartPhone myPhone = new SmartPhone("갤럭시", "은색");

        //Phone으로부터 상속받은 필드 읽기
        System.out.println("모델: " + myPhone.model);
        System.out.println("색상: " + myPhone.color);
    }
}
```

실행 결과

```
Phone() 생성자 실행
SmartPhone(String model, String color) 생성자 실행됨
모델: 갤럭시
색상: 은색
```

다음 예제는 부모 클래스가 매개변수를 갖는 생성자가 있는 경우이다.

>>> **Phone.java**

```java
package ch07.sec03.exam02;

public class Phone {
    //필드 선언
    public String model;
    public String color;

    //매개변수를 갖는 생성자 선언
    public Phone(String model, String color) {
        this.model = model;
        this.color = color;
        System.out.println("Phone(String model, String color) 생성자 실행");
    }
}
```

>>> SmartPhone.java

```java
package ch07.sec03.exam02;

public class SmartPhone extends Phone {
  //자식 생성자 선언
  public SmartPhone(String model, String color) {
    super(model, color);   // 반드시 작성해야 함
    System.out.println("SmartPhone(String model, String color) 생성자 실행됨");
  }
}
```

>>> SmartPhoneExample.java

```java
package ch07.sec03.exam02;

public class SmartPhoneExample {

  public static void main(String[] args) {
    //SmartPhone 객체 생성
    SmartPhone myPhone = new SmartPhone("갤럭시", "은색");

    //Phone으로부터 상속받은 필드 읽기
    System.out.println("모델: " + myPhone.model);
    System.out.println("색상: " + myPhone.color);
  }
}
```

실행 결과

```
Phone(String model, String color) 생성자 실행
SmartPhone(String model, String color) 생성자 실행됨
모델: 갤럭시
색상: 은색
```

7.4 메소드 재정의

부모 클래스의 모든 메소드가 자식 클래스에게 맞게 설계되어 있다면 가장 이상적인 상속이지만, 어떤 메소드는 자식 클래스가 사용하기에 적합하지 않을 수 있다. 이러한 메소드는 자식 클래스에서 재정의해서 사용해야 한다. 이것을 메소드 오버라이딩Overriding이라고 한다.

메소드 오버라이딩

메소드 오버라이딩은 상속된 메소드를 자식 클래스에서 재정의하는 것을 말한다. 메소드가 오버라이딩되었다면 해당 부모 메소드는 숨겨지고, 자식 메소드가 우선적으로 사용된다.

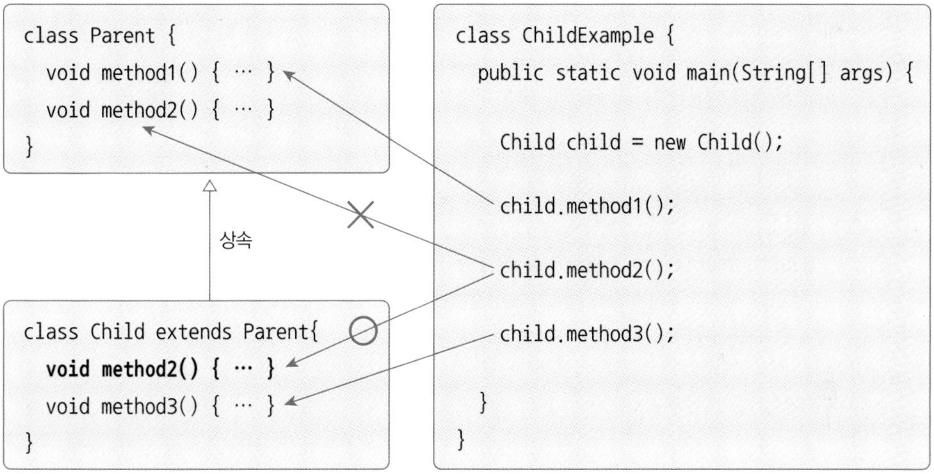
class Parent {
void method1() { … }
void method2() { … }
}
상속
class Child extends Parent{
void method2() { … }
void method3() { … }
}
class ChildExample {
public static void main(String[] args) {
Child child = new Child();
child.method1();
child.method2();
child.method3();
}
}

메소드를 오버라이딩할 때는 다음과 같은 규칙에 주의해서 작성해야 한다.

- 부모 메소드의 선언부(리턴 타입, 메소드 이름, 매개변수)와 동일해야 한다.
- 접근 제한을 더 강하게 오버라이딩할 수 없다(public → private으로 변경 불가).
- 새로운 예외를 throws할 수 없다(예외는 10장에서 학습한다).

다음 예제를 보면 Calculator는 원의 넓이를 구하는 areaCircle() 메소드를 가지고 있다. 하지만 원주율 파이가 정확하지 않기 때문에 자식 클래스인 Computer에서 오버라이딩해서 좀 더 정확한 원주율 파이 상수(Math.PI)를 사용해 원의 넓이를 구하도록 했다.

>>> **Calculator.java**

```java
package ch07.sec04.exam01;

public class Calculator {
  //메소드 선언
  public double areaCircle(double r) {
    System.out.println("Calculator 객체의 areaCircle() 실행");
    return 3.14159 * r * r;
  }
}
```

>>> **Computer.java**

```java
package ch07.sec04.exam01;

public class Computer extends Calculator {
  //메소드 오버라이딩
  @Override
  public double areaCircle(double r) {
    System.out.println("Computer 객체의 areaCircle() 실행");
    return Math.PI * r * r;
  }
}
```

컴파일 시 정확히 오버라이딩이 되었는지 체크해 줌(생략 가능)

>>> **ComputerExample.java**

```java
package ch07.sec04.exam01;

public class ComputerExample {
  public static void main(String[] args) {
    int r = 10;

    Calculator calculator = new Calculator();
    System.out.println("원 면적: " + calculator.areaCircle(r));
    System.out.println();
```

```java

        Computer computer = new Computer();
        System.out.println("원 면적: " + computer.areaCircle(r));
    }
}
```

실행 결과

```
Calculator 객체의 areaCircle() 실행
원 면적: 314.159

Computer 객체의 areaCircle() 실행
원 면적: 314.1592653589793
```

자바는 개발자의 실수를 줄여주기 위해 정확히 오버라이딩이 되었는지 체크해주는 @Override 어노테이션을 제공한다. @Override를 붙이면 컴파일 단계에서 정확히 오버라이딩이 되었는지 체크하고, 문제가 있다면 컴파일 에러를 출력한다.

여기서 잠깐

이클립스의 오버라이딩 메소드 자동 생성 기능

이클립스는 오버라이딩 메소드를 자동 생성해주는 기능이 있다. 이 기능은 부모 메소드의 시그너처를 정확히 모를 경우 매우 유용하게 사용할 수 있다.

1. 자식 클래스에서 오버라이딩 메소드를 작성할 위치로 입력 커서를 옮긴다.
2. 메뉴에서 [Source] – [Override/Implement Methods]를 선택한다.
3. 부모 클래스에서 오버라이딩될 메소드를 선택하고 [OK] 버튼을 클릭한다.

부모 메소드 호출

메소드를 재정의하면, 부모 메소드는 숨겨지고 자식 메소드만 사용되기 때문에 비록 부모 메소드의 일부만 변경된다 하더라도 중복된 내용을 자식 메소드도 가지고 있어야 한다. 예를 들어 부모 메소드가 100줄의 코드를 가지고 있을 경우, 자식 메소드에서 1줄만 추가하고 싶더라도 100줄의 코드를 자식 메소드에서 다시 작성해야 한다.

이 문제는 자식 메소드와 부모 메소드의 공동 작업 처리 기법을 이용하면 매우 쉽게 해결된다. 자식 메소드 내에서 부모 메소드를 호출하는 것인데, 다음과 같이 super 키워드와 도트(.) 연산자를 사용하면 숨겨진 부모 메소드를 호출할 수 있다.

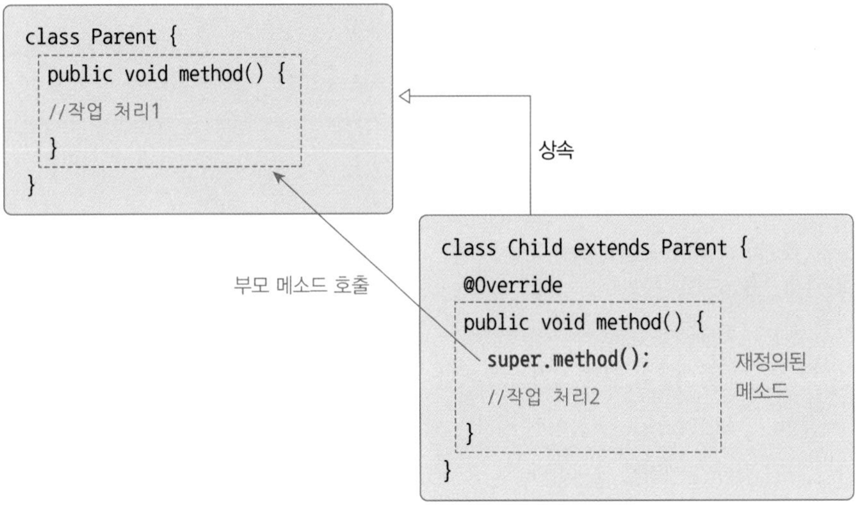

super.method()의 위치는 작업 처리2 전후에 어디든지 올 수 있다. 우선 처리가 되어야 할 내용을 먼저 작성하면 된다. 이 방법은 부모 메소드를 재사용함으로써 자식 메소드의 중복 작업 내용을 없애는 효과를 가져온다.

다음 예제를 보면 Airplane의 fly() 메소드를 자식 클래스인 SupersonicAirplane에서 오버라이딩했다. 따라서 일반 비행 모드일 때는 Airplane의 fly()를 사용하고, 초음속 비행 모드일 때는 오버라이딩된 SupersonicAirplane의 fly()를 사용한다.

>>> **Airplane.java**

```
package ch07.sec04.exam02;

public class Airplane {
  //메소드 선언
  public void land() {
    System.out.println("착륙합니다.");
```

```java
    }

    public void fly() {
        System.out.println("일반 비행합니다.");
    }

    public void takeOff() {
        System.out.println("이륙합니다.");
    }
}
```

>>> **SupersonicAirplane.java**

```java
package ch07.sec04.exam02;

public class SupersonicAirplane extends Airplane {
    //상수 선언
    public static final int NORMAL = 1;
    public static final int SUPERSONIC = 2;
    //상태 필드 선언
    public int flyMode = NORMAL;

    //메소드 재정의
    @Override
    public void fly() {
        if(flyMode == SUPERSONIC) {
            System.out.println("초음속 비행합니다.");
        } else {
            //Airplane 객체의 fly() 메소드 호출
            super.fly();
        }
    }
}
```

>>> SupersonicAirplaneExample.java

```
package ch07.sec04.exam02;

public class SupersonicAirplaneExample {
  public static void main(String[] args) {
    SupersonicAirplane sa = new SupersonicAirplane();
    sa.takeOff();
    sa.fly();
    sa.flyMode = SupersonicAirplane.SUPERSONIC;
    sa.fly();
    sa.flyMode = SupersonicAirplane.NORMAL;
    sa.fly();
    sa.land();
  }
}
```

실행 결과

```
이륙합니다.
일반 비행합니다.
초음속 비행합니다.
일반 비행합니다.
착륙합니다.
```

7.5 final 클래스와 final 메소드

우리가 6장 11절에서 살펴보았듯이, 필드 선언 시에 final을 붙이면 초기값 설정 후 값을 변경할 수 없다. 그렇다면 클래스와 메소드에 final을 붙이면 어떤 효과가 일어날까? final 클래스와 final 메소드는 상속과 관련이 있다.

final 클래스

클래스를 선언할 때 final 키워드를 class 앞에 붙이면 최종적인 클래스이므로 더 이상 상속할 수 없는 클래스가 된다. 즉 final 클래스는 부모 클래스가 될 수 없어 자식 클래스를 만들 수 없다.

```
public final class 클래스 { … }
```

대표적인 예가 String 클래스이다. String 클래스는 다음과 같이 선언되어 있다.

```
public final class String { … }
```

그래서 다음과 같이 자식 클래스를 만들 수 없다.

```
public class NewString extends String { … }
```

다음 예제는 Member 클래스를 선언할 때 final을 지정함으로써 Member를 상속해 VeryImportantPerson을 선언할 수 없음을 보여 준다.

>>> Member.java

```java
package ch07.sec05.exam01;

public final class Member {
}
```

>>> VeryImportantPerson.java

```java
package ch07.sec05.exam01;

public class VeryImportantPerson extends Member {
}
```

final 메소드

메소드를 선언할 때 final 키워드를 붙이면 이 메소드는 최종적인 메소드이므로 오버라이딩할 수 없는 메소드가 된다. 즉 부모 클래스를 상속해서 자식 클래스를 선언할 때, 부모 클래스에 선언된

final 메소드는 자식 클래스에서 재정의할 수 없다.

```
public final 리턴타입 메소드( 매개변수, … ) { … }
```

다음 예제는 Car 클래스의 stop() 메소드를 final로 선언했기 때문에 자식 클래스인 SportsCar에서 stop() 메소드를 오버라이딩할 수 없음을 보여 준다.

>>> **Car.java**

```java
package ch07.sec05.exam02;

public class Car {
  //필드 선언
  public int speed;

  //메소드 선언
  public void speedUp() {
    speed += 1;
  }

  //final 메소드
  public final void stop() {
    System.out.println("차를 멈춤");
    speed = 0;
  }
}
```

>>> **SportsCar.java**

```java
package ch07.sec05.exam02;

public class SportsCar extends Car {
  @Override
  public void speedUp() {
    speed += 10;
  }
```

```java

    //오버라이딩을 할 수 없음
    @Override
    public void stop() {
      System.out.println("스포츠카를 멈춤");
      speed = 0;
    }
}
```

7.6 protected 접근 제한자

우리는 6.13절에서 public, private 접근 제한자를 사용해 객체 외부에서 필드, 생성자, 메소드의 접근 여부를 결정했다. 이번 절에서는 또 하나의 접근 제한자인 protected에 대해 알아본다. protected는 상속과 관련이 있고, public과 default의 중간쯤에 해당하는 접근 제한을 한다.

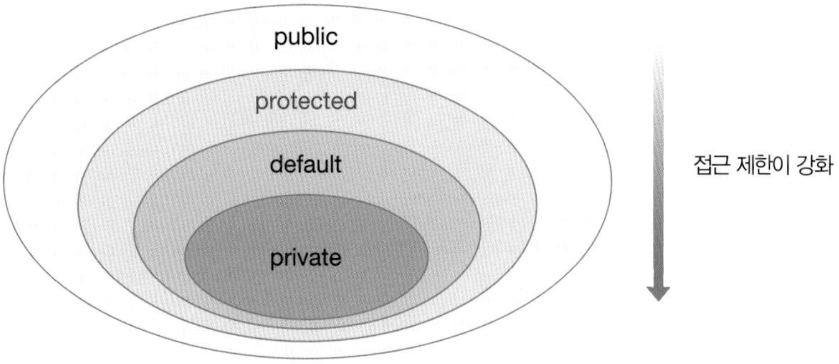

NOTE ▶ default는 접근 제한자가 아니라 접근 제한자가 붙지 않은 상태를 말한다.

접근 제한자	제한 대상	제한 범위
protected	필드, 생성자, 메소드	같은 패키지이거나, 자식 객체만 사용 가능

protected는 같은 패키지에서는 default처럼 접근이 가능하나, 다른 패키지에서는 자식 클래스만 접근을 허용한다. protected는 필드와 생성자 그리고 메소드 선언에 사용될 수 있다.

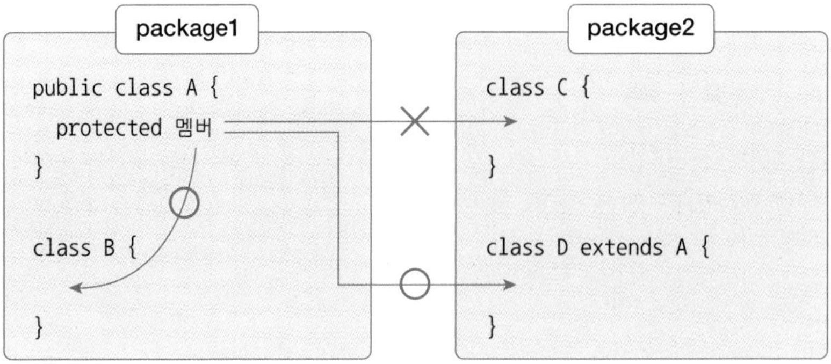

다음 A 클래스를 보면 protected로 선언된 필드, 생성자, 메소드가 있다.

>>> **A.java**

```
package ch07.sec06.package1;

public class A {
  //필드 선언
  protected String field;

  //생성자 선언
  protected A() {
  }

  //메소드 선언
  protected void method() {
  }
}
```

다음 B 클래스는 A 클래스와 동일한 패키지에 있기 때문에 A의 protected 필드, 생성자, 메소드에 접근이 가능하다.

>>> **B.java**

```
package ch07.sec06.package1;

public class B {
  //메소드 선언
  public void method() {
    A a = new A();        //o
    a.field = "value";    //o
    a.method();           //o
  }
}
```

같은 패키지

다음 C 클래스는 A 클래스와 다른 패키지에 있기 때문에 A의 protected 필드, 생성자, 메소드에 접근할 수 없다.

>>> **C.java**

```
package ch07.sec06.package2;

import ch07.sec06.package1.A;

public class C {
  //메소드 선언
  public void method() {
    A a = new A();        //x
    a.field = "value";    //x
    a.method();           //x
  }
}
```

다른 패키지

다음 D 클래스는 A 클래스와 다른 패키지에 있지만 A의 자식 클래스이므로 A의 protected 필드, 생성자, 메소드에 접근이 가능하다. 단 new 연산자를 사용해서 생성자를 직접 호출할 수는 없고, 자식 생성자에서 super()로 A 생성자를 호출할 수 있다.

>>> **D.java**

```java
package ch07.sec06.package2;

import ch07.sec06.package1.A;

public class D extends A {
  //생성자 선언
  public D() {
    //A() 생성자 호출
    super();                //o
  }

  //메소드 선언
  public void method1() {
    //A 필드값 변경
    this.field = "value";   //o
    //A 메소드 호출
    this.method();          //o
  }

    //메소드 선언
  public void method2() {
    A a = new A();          //x
    a.field = "value";      //x
    a.method();             //x
  }
}
```

다른 패키지

상속을 통해서만 사용 가능

직접 객체 생성해서 사용하는 것은 안됨

7.7 타입 변환

타입 변환이란 타입을 다른 타입으로 변환하는 것을 말한다. 기본 타입의 변환에 대해서는 이미 2.7~8절에서 학습한 바 있다. 클래스도 마찬가지로 타입 변환이 있는데, 클래스의 타입 변환은 상속 관계에 있는 클래스 사이에서 발생한다.

자동 타입 변환

자동 타입 변환Promotion은 의미 그대로 자동적으로 타입 변환이 일어나는 것을 말한다. 자동 타입 변환은 다음과 같은 조건에서 일어난다.

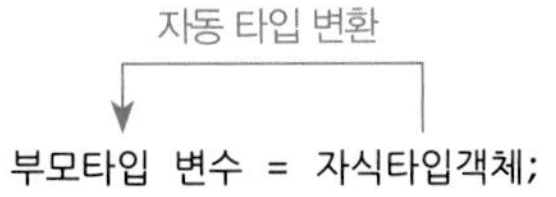

자식은 부모의 특징과 기능을 상속받기 때문에 부모와 동일하게 취급될 수 있다. 예를 들어 고양이가 동물의 특징과 기능을 상속받았다면 '고양이는 동물이다'가 성립한다.

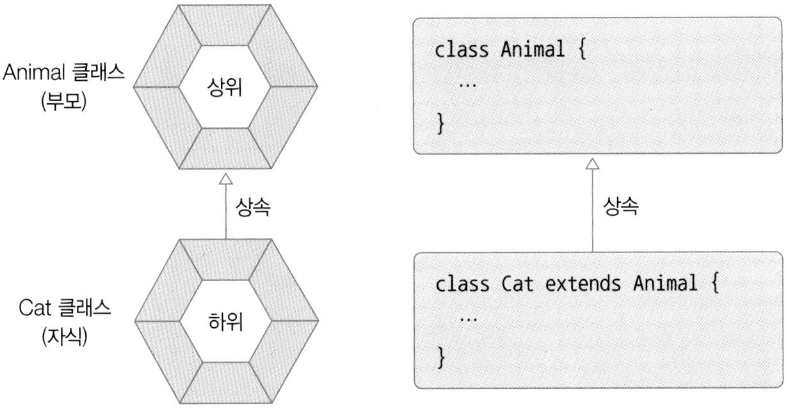

그래서 Cat 객체를 생성하고 이것을 Animal 변수에 대입하면 자동 타입 변환이 일어난다.

```
Cat cat = new Cat();
Animal animal = cat;
```

Animal animal = new Cat();도 가능

위 코드로 생성되는 메모리 상태를 그림으로 묘사하면 다음과 같다. cat과 animal 변수는 타입만 다를 뿐, 동일한 Cat 객체를 참조한다.

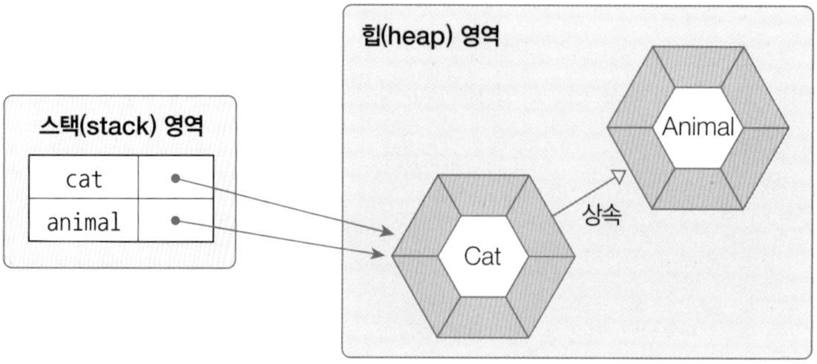

따라서 두 참조 변수의 == 연산 결과는 true가 나온다.

```
cat == animal    //true
```

바로 위의 부모가 아니더라도 상속 계층에서 상위 타입이라면 자동 타입 변환이 일어날 수 있다. 다음 그림을 보면서 이해해 보자.

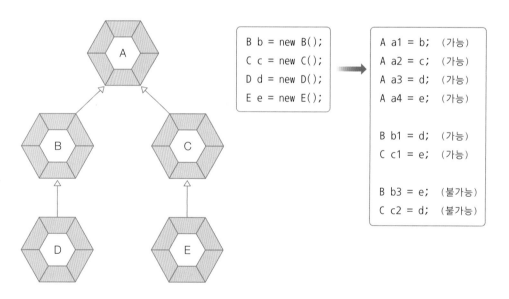

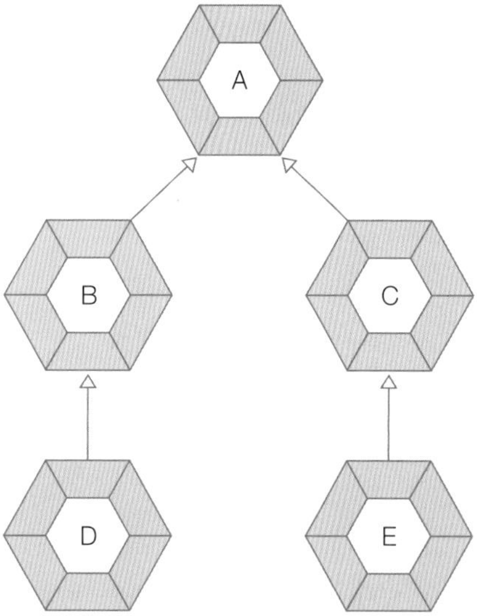


```
B b = new B();
C c = new C();
D d = new D();
E e = new E();
```

```
A a1 = b;  (가능)
A a2 = c;  (가능)
A a3 = d;  (가능)
A a4 = e;  (가능)

B b1 = d;  (가능)
C c1 = e;  (가능)

B b3 = e;  (불가능)
C c2 = d;  (불가능)
```

>>> **PromotionExample.java**

```java
package ch07.sec07.exam01;

class A {
}

class B extends A {
}

class C extends A {
}

class D extends B {
}

class E extends C {
}

public class PromotionExample {
  public static void main(String[] args) {
    B b = new B();
    C c = new C();
    D d = new D();
    E e = new E();

    A a1 = b;
    A a2 = c;
    A a3 = d;
    A a4 = e;

    B b1 = d;
    C c1 = e;

    // B b3 = e;
    // C c2 = d;
  }
}
```

자동 타입 변환(상속 관계에 있음)

컴파일 에러(상속 관계에 있지 않음)

부모 타입으로 자동 타입 변환된 이후에는 부모 클래스에 선언된 필드와 메소드만 접근이 가능하다. 비록 변수는 자식 객체를 참조하지만 변수로 접근 가능한 멤버는 부모 클래스 멤버로 한정된다.

그러나 자식 클래스에서 오버라이딩된 메소드가 있다면 부모 메소드 대신 오버라이딩된 메소드가 호출된다. 이것은 다형성Polymorphism과 관련 있기 때문에 잘 알아두어야 한다.

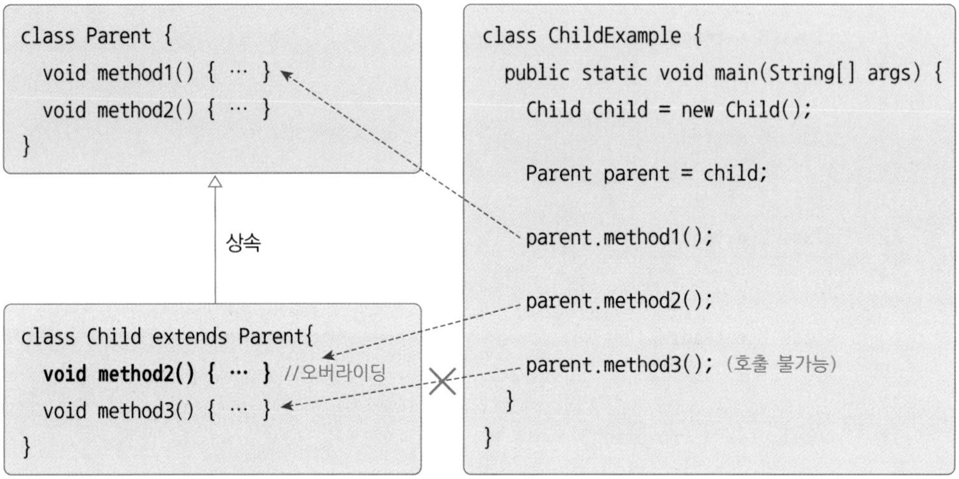
class Parent {
void method1() { … }
void method2() { … }
}
상속
class Child extends Parent{
void method2() { … } //오버라이딩
void method3() { … }
}
class ChildExample {
public static void main(String[] args) {
Child child = new Child();
Parent parent = child;
parent.method1();
parent.method2();
parent.method3(); (호출 불가능)
}
}

>>> **Parent.java**

```java
package ch07.sec07.exam02;

public class Parent {
  //메소드 선언
  public void method1() {
    System.out.println("Parent-method1()");
  }

  //메소드 선언
  public void method2() {
    System.out.println("Parent-method2()");
  }
}
```

>>> **Child.java**

```java
package ch07.sec07.exam02;

public class Child extends Parent {
  //메소드 오버라이딩
  @Override
  public void method2() {
    System.out.println("Child-method2()");
  }

  //메소드 선언
  public void method3() {
    System.out.println("Child-method3()");
  }
}
```

>>> **ChildExample.java**

```java
package ch07.sec07.exam02;

public class ChildExample {
  public static void main(String[] args) {
    //자식 객체 생성
    Child child = new Child();

    //자동 타입 변환
    Parent parent = child;

    //메소드 호출
    parent.method1();
    parent.method2();
    //parent.method3(); (호출 불가능)
  }
}
```

실행 결과

```
Parent-method1()
Child-method2()
```

강제 타입 변환

자식 타입은 부모 타입으로 자동 변환되지만, 반대로 부모 타입은 자식 타입으로 자동 변환되지 않는다. 대신 다음과 같이 캐스팅 연산자로 강제 타입 변환Casting을 할 수 있다.

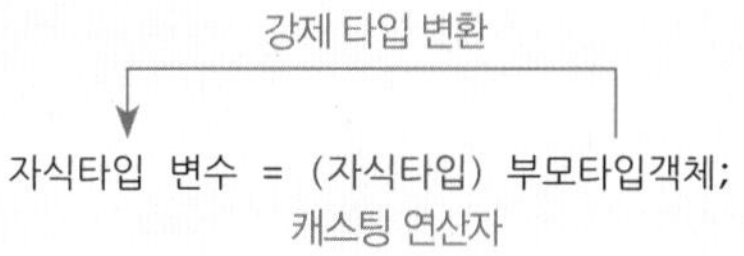
강제 타입 변환
자식타입 변수 = (자식타입) 부모타입객체;
캐스팅 연산자

그렇다고 해서 부모 타입 객체를 자식 타입으로 무조건 강제 변환할 수 있는 것은 아니다. 자식 객체가 부모 타입으로 자동 변환된 후 다시 자식 타입으로 변환할 때 강제 타입 변환을 사용할 수 있다.

```
Parent parent = new Child();      //자동 타입 변환
Child child = (Child) parent;     //강제 타입 변환
```

자식 객체가 부모 타입으로 자동 변환하면 부모 타입에 선언된 필드와 메소드만 사용 가능하다는 제약 사항이 따른다. 만약 자식 타입에 선언된 필드와 메소드를 꼭 사용해야 한다면 강제 타입 변환을 해서 다시 자식 타입으로 변환해야 한다.

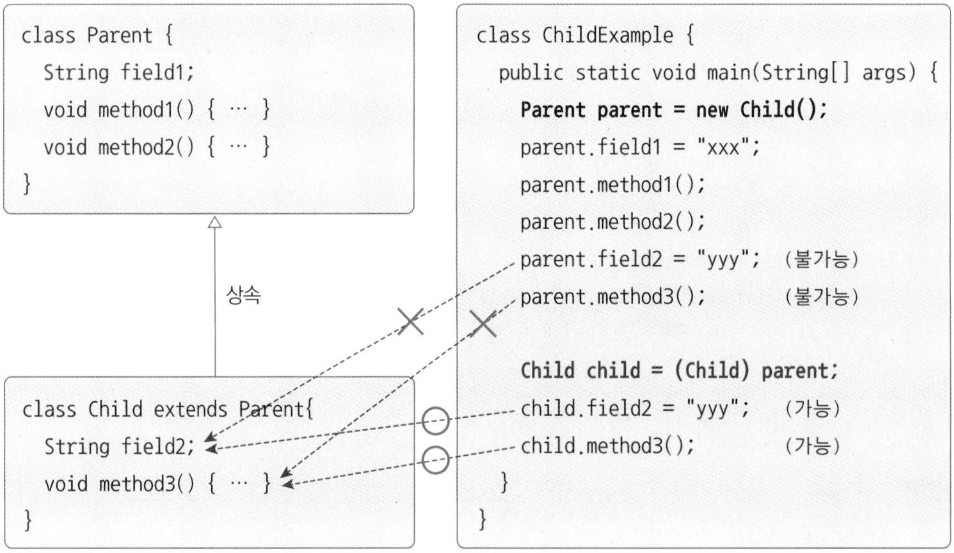
class Parent {
String field1;
void method1() { … }
void method2() { … }
}
상속
class Child extends Parent{
String field2;
void method3() { … }
}
class ChildExample {
public static void main(String[] args) {
Parent parent = new Child();
parent.field1 = "xxx";
parent.method1();
parent.method2();
parent.field2 = "yyy"; (불가능)
parent.method3(); (불가능)
Child child = (Child) parent;
child.field2 = "yyy"; (가능)
child.method3(); (가능)
}
}

>>> **Parent.java**

```java
package ch07.sec07.exam03;

public class Parent {
  //필드 선언
  public String field1;

  //메소드 선언
  public void method1() {
    System.out.println("Parent-method1()");
  }

  //메소드 선언
  public void method2() {
    System.out.println("Parent-method2()");
  }
}
```

>>> **Child.java**

```java
package ch07.sec07.exam03;

public class Child extends Parent {
  //필드 선언
  public String field2;

  //메소드 선언
  public void method3() {
    System.out.println("Child-method3()");
  }
}
```

>>> **ChildExample.java**

```java
package ch07.sec07.exam03;

```

```java
public class ChildExample {
  public static void main(String[] args) {
    //객체 생성 및 자동 타입 변환
    Parent parent = new Child();

    //Parent 타입으로 필드와 메소드 사용
    parent.field1 = "data1";
    parent.method1();
    parent.method2();
    /*
    parent.field2 = "data2";    //(불가능)
    parent.method3();           //(불가능)
    */

    //강제 타입 변환
    Child child = (Child) parent;

    //Child 타입으로 필드와 메소드 사용
    child.field2 = "data2";     //(가능)
    child.method3();            //(가능)
  }
}
```

실행 결과

```
Parent-method1()
Parent-method2()
Child-method3()
```

7.8 다형성

다형성(多形性)이란 사용 방법은 동일하지만 실행 결과가 다양하게 나오는 성질을 말한다. 자동차의 부품을 교환하면 성능이 다르게 나오듯이 객체는 부품과 같아서, 프로그램을 구성하는 객체를 바꾸면 프로그램의 실행 성능이 다르게 나올 수 있다.

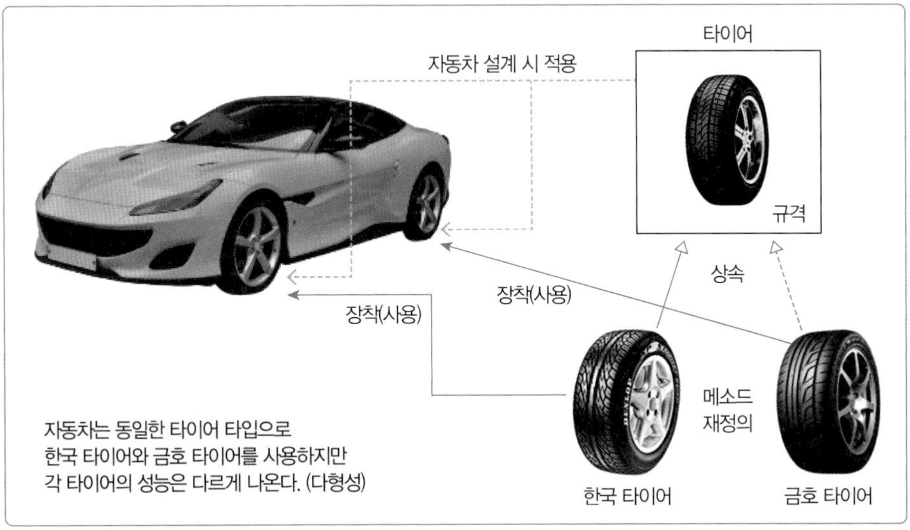

객체 사용 방법이 동일하다는 것은 동일한 메소드를 가지고 있다는 뜻이다. 위 그림을 보면 한국 타이어와 금호 타이어는 모두 타이어를 상속하고 있다. 그렇다면 한국 타이어와 금호 타이어는 타이어(부모)의 메소드를 동일하게 가지고 있다고 말할 수 있다.

만약 한국 타이어와 금호 타이어가 타이어(부모)의 메소드를 오버라이딩하고 있다면, 타이어 메소드 호출 시 오버라이딩된 메소드가 호출된다. 오버라이딩된 내용은 두 타이어가 다르기 때문에 실행 결과가 다르게 나온다. 이것이 바로 다형성이다.

다형성을 구현하기 위해서는 자동 타입 변환과 메소드 재정의가 필요하다. 위 그림에서 한국 타이어와 금호 타이어는 타이어 타입(부모)으로 자동 타입 변환이 될 수 있고, 타이어의 메소드를 재정의하고 있다.

필드 다형성

필드 다형성은 필드 타입은 동일하지만(사용 방법은 동일하지만), 대입되는 객체가 달라져서 실행 결과가 다양하게 나올 수 있는 것을 말한다. 다음 Car 클래스를 보면서 이해해 보자.

```
public class Car {
  //필드 선언
  public Tire tire;

  //메소드 선언
  public void run() {
    tire.roll();  // tire 필드에 대입된 객체의 roll() 메소드 호출
  }
}
```

Car 클래스에는 Tire 필드가 선언되어 있다. 먼저 Car 객체를 생성한 후 타이어를 장착하기 위해 다음과 같이 HankookTire 또는 KumhoTire 객체를 Tire 필드에 대입할 수 있다. 왜냐하면 자동 타입 변환이 되기 때문이다.

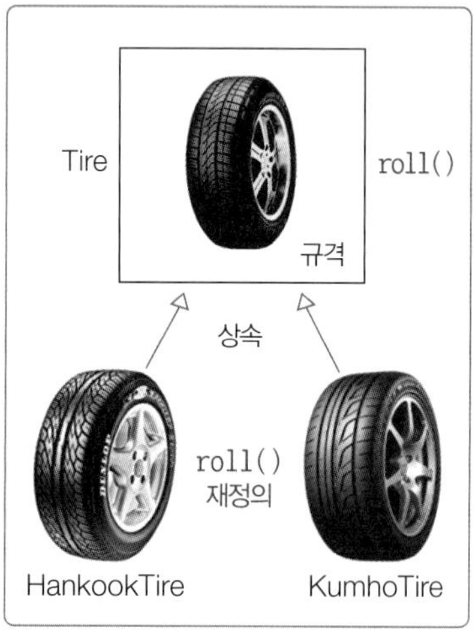


```
//Car 객체 생성
Car myCar = new Car();
//HankookTire 장착
myCar.tire = new HankookTire();
//KumhoTire 장착
myCar.tire = new KumhoTire();
```

Car 클래스의 run() 메소드는 tire 필드에 대입된 객체의 roll() 메소드를 호출한다. 만약 HankookTire와 KumhoTire가 roll() 메소드를 재정의하고 있다면, 재정의된 roll() 메소드가 호출된다.

```
myCar.run();  // 대입된(장착된) 타이어의 roll() 메소드 호출
```

따라서 어떤 타이어를 장착했는지에 따라 roll() 메소드의 실행 결과는 달라지게 된다. 이것이 바로 필드의 다형성이다. 예제를 통해 확인해 보자.

>>> **Tire.java**

```java
package ch07.sec08.exam01;

public class Tire {
  //메소드 선언
  public void roll() {
    System.out.println("회전합니다.");
  }
}
```

>>> **HankookTire.java**

```java
package ch07.sec08.exam01;

public class HankookTire extends Tire {
  //메소드 재정의(오버라이딩)
  @Override
  public void roll() {
    System.out.println("한국 타이어가 회전합니다.");
  }
}
```

>>> **KumhoTire.java**

```java
package ch07.sec08.exam01;

public class KumhoTire extends Tire {
  //메소드 재정의(오버라이딩)
  @Override
  public void roll() {
    System.out.println("금호 타이어가 회전합니다.");
  }
}
```

>>> **Car.java**

```java
package ch07.sec08.exam01;

public class Car {
  //필드 선언
  public Tire tire;

    //메소드 선언
  public void run() {
    //tire 필드에 대입된 객체의 roll() 메소드 호출
    tire.roll();
  }
}
```

>>> **CarExample.java**

```java
package ch07.sec08.exam01;

public class CarExample {
  public static void main(String[] args) {
    //Car 객체 생성
    Car myCar = new Car();

    //Tire 객체 장착
    myCar.tire = new Tire();
    myCar.run();

    //HankookTire 객체 장착
    myCar.tire = new HankookTire();
    myCar.run();

    //KumhoTire 객체 장착
    myCar.tire = new KumhoTire();
    myCar.run();
  }
}
```

실행 결과

```
회전합니다.
한국 타이어가 회전합니다.
금호 타이어가 회전합니다.
```

매개변수 다형성

다형성은 필드보다는 메소드를 호출할 때 많이 발생한다. 메소드가 클래스 타입의 매개변수를 가지고 있을 경우, 호출할 때 동일한 타입의 객체를 제공하는 것이 정석이지만 자식 객체를 제공할 수도 있다. 여기서 다형성이 발생한다.

다음과 같이 Driver라는 클래스가 있고, Vehicle 매개변수를 갖는 drive() 메소드가 정의되어 있다고 가정해 보자. drive() 메소드는 매개값으로 전달받은 vehicle의 run() 메소드를 호출한다.

```
public class Driver {
  public void drive(Vehicle vehicle) {
    vehicle.run();
  }
}
```

일반적으로 drive() 메소드를 호출한다면 다음과 같이 Vehicle 객체를 제공할 것이다.

```
Driver driver = new Driver();
Vehicle vehicle = new Vehicle();
driver.drive(vehicle);
```

그러나 매개값으로 Vehicle 객체만 제공할 수 있는 것은 아니다. 자동 타입 변환으로 인해 Vehicle의 자식 객체도 제공할 수 있다.

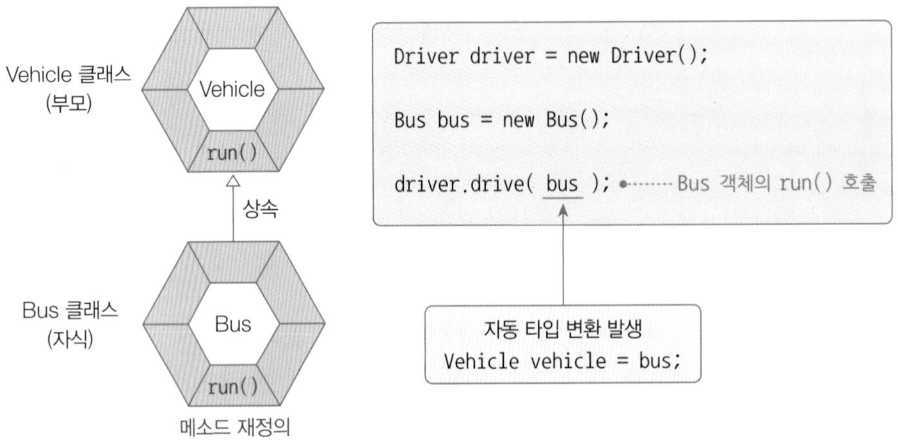

drive() 메소드는 매개변수 vehicle이 참조하는 객체의 run() 메소드를 호출하는데, 자식 객체가 run() 메소드를 재정의하고 있다면 재정의된 run() 메소드가 호출된다. 그러므로 어떤 자식 객체가 제공되느냐에 따라서 drive()의 실행 결과는 달라진다. 이것이 매개변수의 다형성이다.

자식 객체

```
void drive(Vehicle vehicle) {
  vehicle.run();
}
```

자식 객체가 재정의한 run() 메소드 호출

예제를 통해서 설명했던 내용을 확인해 보자.

>>> **Vehicle.java**

```
package ch07.sec08.exam02;

public class Vehicle {
  //메소드 선언
  public void run() {
    System.out.println("차량이 달립니다.");
  }
}
```

>>> **Bus.java**

```java
package ch07.sec08.exam02;

public class Bus extends Vehicle {
  //메소드 재정의(오버라이딩)
  @Override
  public void run() {
    System.out.println("버스가 달립니다.");
  }
}
```

>>> **Taxi.java**

```java
package ch07.sec08.exam02;

public class Taxi extends Vehicle {
  //메소드 재정의(오버라이딩)
  @Override
  public void run() {
    System.out.println("택시가 달립니다.");
  }
}
```

>>> **Driver.java**

```java
package ch07.sec08.exam02;

public class Driver {
  //메소드 선언(클래스 타입의 매개변수를 가지고 있음)
  public void drive(Vehicle vehicle) {
    vehicle.run();
  }
}
```

>>> **DriverExample.java**

```java
package ch07.sec08.exam02;

public class DriverExample {
  public static void main(String[] args) {
    //Driver 객체 생성
    Driver driver = new Driver();

    //매개값으로 Bus 객체를 제공하고 driver() 메소드 호출
    Bus bus = new Bus();
    driver.drive(bus);

    //매개값으로 Taxi 객체를 제공하고 driver() 메소드 호출
    Taxi taxi = new Taxi();
    driver.drive(taxi);
  }
}
```

driver.drive(new Bus());와 동일

driver.drive(new Taxi());와 동일

실행 결과

```
버스가 달립니다.
택시가 달립니다.
```

7.9 객체 타입 확인

매개변수의 다형성에서 실제로 어떤 객체가 매개값으로 제공되었는지 확인하는 방법이 있다. 꼭 매개변수가 아니더라도 변수가 참조하는 객체의 타입을 확인하고자 할 때, instanceof 연산자를 사용할 수 있다.

instanceof 연산자의 좌항에는 객체가 오고 우항에는 타입이 오는데, 좌항의 객체가 우항의 타입이면 true를 산출하고 그렇지 않으면 false를 산출한다.

```java
boolean result = 객체 instanceof 타입;
```

예를 들어 다음 코드는 Child 타입으로 강제 타입 변환하기 전에 매개값이 Child 타입인지 여부를 instanceof 연산자로 확인한다. Child 타입이 아니라면 강제 타입 변환을 할 수 없기 때문이다. 강제 타입 변환을 하는 이유는 Child 객체의 모든 멤버(필드, 메소드)에 접근하기 위해서이다.

Parent 객체 / Child 객체

```
public void method(Parent parent) {
  if(parent instanceof Child) {
    Child child = (Child) parent;
    //child 변수 사용
  }
}
```

parent 매개변수가 참조하는 객체가 Child인지 조사

Java 12부터는 instanceof 연산의 결과가 true일 경우, 우측 타입 변수를 사용할 수 있기 때문에 강제 타입 변환이 필요 없다.

```
if(parent instanceof Child child) {
    //child 변수 사용
}
```

다음은 personInfo() 메소드의 매개값으로 Student를 제공했을 경우에만 studentNo를 출력하고 study() 메소드를 호출한다.

>>> **InstanceofExample.java**

```
package ch07.sec09;

public class InstanceofExample {
  //main() 메소드에서 바로 호출하기 위해 정적 메소드 선언
  public static void personInfo(Person person) {
    System.out.println("name: " + person.name);
    person.walk();

    //person이 참조하는 객체가 Student 타입인지 확인
```

```java
    /*if (person instanceof Student) {
      //Student 객체일 경우 강제 타입 변환
      Student student = (Student) person;
      //Student 객체만 가지고 있는 필드 및 메소드 사용
      System.out.println("studentNo: " + student.studentNo);
      student.study();
    }*/

    //person이 참조하는 객체가 Student 타입일 경우
    //student 변수에 대입(타입 변환 발생)
    if(person instanceof Student student) {
      System.out.println("studentNo: " + student.studentNo);
      student.study();
    }
  }

  public static void main(String[] args) {
    //Person 객체를 매개값으로 제공하고 personInfo() 메소드 호출
    Person p1 = new Person("홍길동");
    personInfo(p1);

    System.out.println();

    //Student 객체를 매개값으로 제공하고 personInfo() 메소드 호출
    Person p2 = new Student("김길동", 10);
    personInfo(p2);
  }
}
```

매개값이 Student인 경우에만 강제 타입 변환해서 studentNo 필드와 study() 메소드 사용

Java 12부터 사용 가능

>>> Person.java

```java
package ch07.sec09;

public class Person {
  //필드 선언
  public String name;

  //생성자 선언
```

```java
    public Person(String name) {
      this.name = name;
    }

    //메소드 선언
    public void walk() {
      System.out.println("걷습니다.");
    }
}
```

>>> **Student.java**

```java
package ch07.sec09;

public class Student extends Person {
    //필드 선언
    public int studentNo;

    //생성자 선언
    public Student(String name, int studentNo) {
      super(name);
      this.studentNo = studentNo;
    }

    //메소드 선언
    public void study() {
      System.out.println("공부를 합니다.");
    }
}
```

실행 결과

```
name: 홍길동
걷습니다.

name: 김길동
걷습니다.
studentNo: 10
공부를 합니다.
```

7.10 추상 클래스

사전적 의미로 추상abstract은 실체 간에 공통되는 특성을 추출한 것을 말한다. 예를 들어 새, 곤충, 물고기 등의 공통점은 동물이다. 여기서 동물은 실체들의 공통되는 특성을 가지고 있는 추상적인 것이라고 볼 수 있다.

추상 클래스란?

객체를 생성할 수 있는 클래스를 실체 클래스라고 한다면, 이 클래스들의 공통적인 필드나 메소드를 추출해서 선언한 클래스를 추상 클래스라고 한다. 추상 클래스는 실체 클래스의 부모 역할을 한다. 따라서 실체 클래스는 추상 클래스를 상속해서 공통적인 필드나 메소드를 물려받을 수 있다.

예를 들어 Bird, Insect, Fish와 같은 실체 클래스에서 공통되는 필드와 메소드를 따로 선언한 Animal 클래스를 만들 수 있고, 이것을 상속해서 실체 클래스를 만들 수 있다.

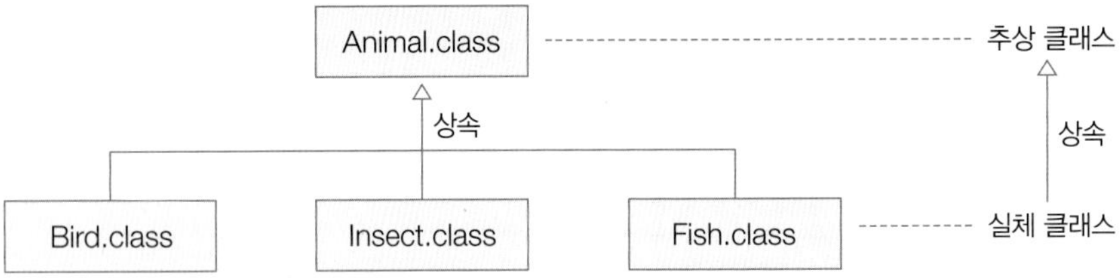

추상 클래스는 실체 클래스의 공통되는 필드와 메소드를 추출해서 만들었기 때문에 new 연산자를 사용해서 객체를 직접 생성할 수 없다.

```
Animal animal = new Animal();    //x
```

추상 클래스는 새로운 실체 클래스를 만들기 위한 부모 클래스로만 사용된다. 즉, 추상 클래스는 extends 뒤에만 올 수 있다.

```
class Fish extends Animal {
  ...
}
```

추상 클래스 선언

클래스 선언에 abstract 키워드를 붙이면 추상 클래스 선언이 된다. 추상 클래스는 new 연산자를 이용해서 객체를 직접 만들지 못하고 상속을 통해 자식 클래스만 만들 수 있다.

```
public abstract class 클래스명 {
  //필드
  //생성자
  //메소드
}
```

추상 클래스도 필드, 메소드를 선언할 수 있다. 그리고 자식 객체가 생성될 때 super()로 추상 클래스의 생성자가 호출되기 때문에 생성자도 반드시 있어야 한다. 다음은 모든 전화기의 공통 필드와 메소드만 뽑아내어 추상 클래스 Phone으로 선언한 것이다.

>>> **Phone.java**

```java
package ch07.sec10.exam01;

public abstract class Phone {
  //필드 선언
  String owner;

  //생성자 선언
  Phone(String owner) {
    this.owner = owner;
  }

  //메소드 선언
  void turnOn() {
    System.out.println("폰 전원을 켭니다.");
  }
  void turnOff() {
    System.out.println("폰 전원을 끕니다.");
  }
}
```

그렇다면 새로운 전화기 클래스는 추상 클래스인 Phone으로부터 공통 필드와 메소드를 물려받고 특화된 필드와 메소드를 작성할 수 있다. 다음은 Phone을 상속해서 SmartPhone을 설계한 것이다.

>>> **SmartPhone.java**

```java
package ch07.sec10.exam01;

public class SmartPhone extends Phone {
  //생성자 선언
  SmartPhone(String owner) {
    //Phone 생성자 호출
    super(owner);
  }

  //메소드 선언
  void internetSearch() {
    System.out.println("인터넷 검색을 합니다.");
  }
}
```

Phone 객체는 new 연산자로 직접 생성할 수는 없지만 자식 객체인 SmartPhone은 new 연산자로 객체 생성이 가능하고, Phone으로부터 물려받은 turnOn()과 turnOff() 메소드를 호출할 수 있다.

>>> **PhoneExample.java**

```java
package ch07.sec10.exam01;

public class PhoneExample {
  public static void main(String[] args) {
    //Phone phone = new Phone();

    SmartPhone smartPhone = new SmartPhone("홍길동");

    smartPhone.turnOn();
    smartPhone.internetSearch();
    smartPhone.turnOff();
  }
}
```

Phone의 메소드

실행 결과

```
폰 전원을 켭니다.
인터넷 검색을 합니다.
폰 전원을 끕니다.
```

추상 메소드와 재정의

자식 클래스들이 가지고 있는 공통 메소드를 뽑아내어 추상 클래스로 작성할 때, 메소드 선언부(리턴타입, 메소드명, 매개변수)만 동일하고 실행 내용은 자식 클래스마다 달라야 하는 경우가 많다.

예를 들어 동물은 소리를 내기 때문에 Animal 추상 클래스에서 sound()라는 메소드를 선언할 수 있지만, 실행 내용인 소리는 동물마다 다르기 때문에 추상 클래스에서 통일하여 작성할 수 없다.

이런 경우를 위해서 추상 클래스는 다음과 같은 추상 메소드를 선언할 수 있다. 일반 메소드 선언과의 차이점은 abstract 키워드가 붙고, 메소드 실행 내용인 중괄호 {}가 없다.

```
abstract 리턴타입 메소드명(매개변수, …);
```

추상 메소드는 자식 클래스의 공통 메소드라는 것만 정의할 뿐, 실행 내용을 가지지 않는다. 다음은 Animal 추상 클래스에서 sound() 추상 메소드를 선언한 것이다.

```
public abstract class Animal {
  abstract void sound();
}
```

추상 메소드는 자식 클래스에서 반드시 재정의(오버라이딩)해서 실행 내용을 채워야 한다. 따라서 Animal 클래스를 상속하는 자식 클래스는 고유한 소리를 내도록 sound() 메소드를 반드시 재정의해야 한다. 예를 들어 Dog는 '멍멍', Cat은 '야옹' 소리를 내도록 말이다.

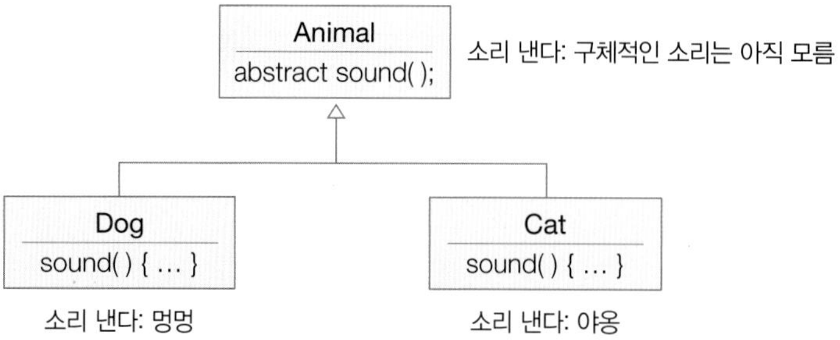

>>> **Animal.java**

```java
package ch07.sec10.exam02;

public abstract class Animal {
  //메소드 선언
  public void breathe() {
    System.out.println("숨을 쉽니다.");
  }

  //추상 메소드 선언
  public abstract void sound();
}
```

>>> **Dog.java**

```java
package ch07.sec10.exam02;

public class Dog extends Animal {
  //추상 메소드 재정의
  @Override
  public void sound() {
    System.out.println("멍멍");
  }
}
```

재정의(오버라이딩)

>>> **Cat.java**

```java
package ch07.sec10.exam02;

public class Cat extends Animal {
  //추상 메소드 재정의
  @Override
  public void sound() {
    System.out.println("야옹");
  }
}
```

재정의(오버라이딩)

>>> **AbstractMethodExample.java**

```java
package ch07.sec10.exam02;

public class AbstractMethodExample {
  public static void main(String[] args) {
    Dog dog = new Dog();
    dog.sound();

    Cat cat = new Cat();
    cat.sound();

    //매개변수의 다형성
    animalSound(new Dog());
    animalSound(new Cat());
  }

  public static void animalSound( Animal animal ) {
    animal.sound();
  }
}
```

자동 타입 변환

재정의된 메소드 호출

실행 결과

```
멍멍
야옹
멍멍
야옹
```

7.11 봉인된 클래스

기본적으로 final 클래스를 제외한 모든 클래스는 부모 클래스가 될 수 있다. 그러나 Java 15부터는 무분별한 자식 클래스 생성을 방지하기 위해 봉인된(sealed) 클래스가 도입되었다.

다음과 같이 Person의 자식 클래스는 Employee와 Manager만 가능하고, 그 이외는 자식 클래스가 될 수 없도록 Person을 봉인된 클래스로 선언할 수 있다.

```
public sealed class Person  permits Employee, Manager { … }
```

sealed 키워드를 사용하면 permits 키워드 뒤에 상속 가능한 자식 클래스를 지정해야 한다. 봉인된 Person 클래스를 상속하는 Employee와 Manager는 final 또는 non-sealed 키워드로 다음과 같이 선언하거나, sealed 키워드를 사용해서 또 다른 봉인 클래스로 선언해야 한다.

```
public final class Employee extends Person { … }
public non-sealed class Manager extends Person { … }
```

final은 더 이상 상속할 수 없다는 뜻이고, non-sealed는 봉인을 해제한다는 뜻이다. 따라서 Employee는 더 이상 자식 클래스를 만들 수 없지만 Manager는 다음과 같이 자식 클래스를 만들 수 있다.

```
public class Director extends Manager { … }
```

설명한 내용을 실습으로 확인해 보자.

>>> **Person.java**

```java
package ch07.sec11;

public sealed class Person permits Employee, Manager {
  //필드
  public String name;

  //메소드
  public void work() {
    System.out.println("하는 일이 결정되지 않았습니다.");
  }
}
```

>>> **Employee.java**

```java
package ch07.sec11;

public final class Employee extends Person {
  @Override
  public void work() {
    System.out.println("제품을 생산합니다.");
  }
}
```

>>> **Manager.java**

```java
package ch07.sec11;

public non-sealed class Manager extends Person {
  @Override
  public void work() {
    System.out.println("생산 관리를 합니다.");
  }
}
```

>>> **Director.java**

```java
package ch07.sec11;

public class Director extends Manager {
  @Override
  public void work() {
    System.out.println("제품을 기획합니다.");
  }
}
```

>>> **SealedExample.java**

```java
package ch07.sec11;

public class SealedExample {
  public static void main(String[] args) {
    Person p = new Person();
    Employee e = new Employee();
    Manager m = new Manager();
    Director d = new Director();

    p.work();
    e.work();
    m.work();
    d.work();
  }
}
```

실행 결과

```
하는 일이 결정되지 않았습니다.
제품을 생산합니다.
생산 관리를 합니다.
제품을 기획합니다.
```

1. 자바의 상속에 대한 설명 중 틀린 것은 무엇입니까?

❶ 자바는 다중 상속을 허용한다.

❷ 부모의 메소드를 자식 클래스에서 재정의(오버라이딩)할 수 있다.

❸ 부모의 private 접근 제한을 갖는 필드와 메소드는 상속의 대상이 아니다.

❹ final 클래스는 상속할 수 없고, final 메소드는 오버라이딩할 수 없다.

2. 클래스 타입 변환에 대한 설명 중 틀린 것은 무엇입니까?

❶ 자식 객체는 부모 타입으로 자동 타입 변환된다.

❷ 부모 객체는 어떤 자식 타입으로도 강제 타입 변환된다.

❸ 자동 타입 변환을 이용해서 필드와 매개변수의 다형성을 구현한다.

❹ 강제 타입 변환 전에 instanceof 연산자로 변환 가능한지 검사하는 것이 좋다.

3. final 키워드에 대한 설명으로 틀린 것은 무엇입니까?

❶ final 클래스는 부모 클래스로 사용할 수 있다.

❷ final 필드는 초기화된 후에는 변경할 수 없다.

❸ final 메소드는 재정의(오버라이딩)할 수 없다.

❹ static final 필드는 상수를 말한다.

4. 오버라이딩(Overriding)에 대한 설명으로 틀린 것은 무엇입니까?

❶ 부모 메소드의 시그너처(리턴 타입, 메소드명, 매개변수)와 동일해야 한다.

❷ 부모 메소드보다 좁은 접근 제한자를 붙일 수 없다.(예: public (부모) ➔ private (자식)).

❸ @Override 어노테이션을 사용하면 재정의가 확실한지 컴파일러가 검증한다.

❹ protected 접근 제한을 갖는 메소드는 다른 패키지의 자식 클래스에서 재정의할 수 없다.

5. 추상 클래스에 대한 설명으로 틀린 것은 무엇입니까?

❶ 직접 객체를 생성할 수 없고, 상속만 할 수 있다.

❷ 추상 메소드를 반드시 가져야 한다.

❸ 추상 메소드는 자식 클래스에서 재정의(오버라이딩)할 수 있다.

❹ 추상 메소드를 재정의하지 않으면 자식 클래스도 추상 클래스가 되어야 한다.

6. Parent 클래스를 상속해서 Child 클래스를 다음과 같이 작성했는데, Child 생성자에서 컴파일 에러가 발생했습니다. 그 이유와 해결 방법을 설명해 보세요.

```
public class Parent {
  public String name;

  public Parent(String name) {
    this.name = name;
  }
}
```

```
public class Child extends Parent {
  public int studentNo;

  public Child(String name, int studentNo) {
    this.name = name;
    this.studentNo = studentNo;
  }
}
```

7. Parent 클래스를 상속받아 Child 클래스를 다음과 같이 작성했습니다. ChildExample 클래스를 실행했을 때 호출되는 각 클래스의 생성자의 순서를 생각하면서 출력 결과를 작성해 보세요.

```
public class Parent {
  public String nation;

  public Parent() {
    this("대한민국");
    System.out.println("Parent() call");
  }

  public Parent(String nation) {
    this.nation = nation;
    System.out.println("Parent(String nation) call");
  }
}
```

```
public class Child extends Parent {
  public String name;

  public Child() {
    this("홍길동");
    System.out.println("Child() call");
  }

  public Child(String name) {
    this.name = name;
    System.out.println("Child(String name) call");
  }
}
```

```
public class ChildExample {
  public static void main(String[] args) {
    Child child = new Child();
  }
}
```

8. Tire 클래스를 상속받아 SnowTire 클래스를 다음과 같이 작성했습니다. SnowTireExample 클래스를 실행했을 때 출력 결과를 작성해 보세요.

```
public class Tire {
  public void run() {
    System.out.println("일반 타이어가 굴러갑니다.");
  }
}
```

```
public class SnowTire extends Tire {
  @Override
  public void run() {
    System.out.println("스노우 타이어가 굴러갑니다.");
  }
}
```

```
public class SnowTireExample {
  public static void main(String[] args) {
    SnowTire snowTire = new SnowTire();
    Tire tire = snowTire;

    snowTire.run();
    tire.run();
  }
}
```

9. A, B, C, D, E, F 클래스가 다음과 같이 상속 관계에 있을 때 다음 빈칸에 들어올 수 없는 코드를 선택하세요.

```
//변수 대입
B b = [          ];

------------------------------------

//메소드 선언
void method(B b) { … }

//메소드 호출
method([          ])
```

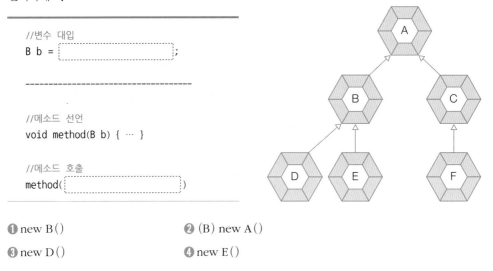

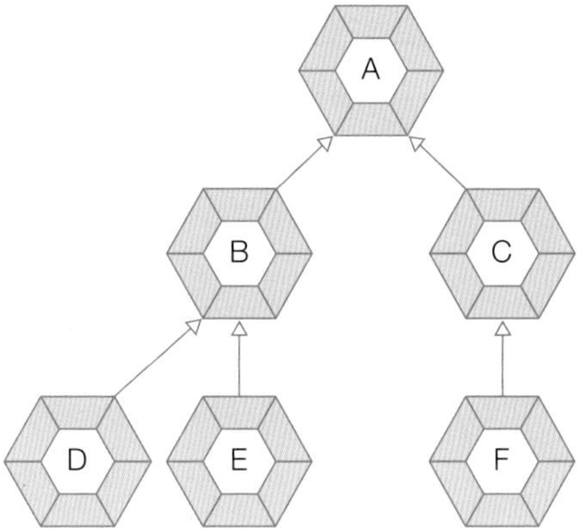

❶ new B()　　❷ (B) new A()
❸ new D()　　❹ new E()

10. 다음과 같이 작성한 Computer 클래스에서 컴파일 에러가 발생했습니다. 그 이유를 설명해 보세요.

```
public abstract class Machine {
  public void powerOn() { }
  public void powerOff() { }
  public abstract void work();
}
```

```
public class Computer extends Machine {
}
```

11. MainActivity의 onCreate()를 실행할 때 Activity의 onCreate()도 실행시키고 싶습니다. 밑줄에 들어갈 코드를 작성해 보세요.

```
public class Activity {
  public void onCreate() {
    System.out.println("기본적인 실행 내용");
  }
}
```

```
public class MainActivity extends Activity {
    @Override
    public void onCreate() {
         _________.onCreate();
        System.out.println("추가적인 실행 내용");
    }
}
```

12. 다음과 같은 Example 클래스에서 action() 메소드를 호출할 때 매개값이 C 객체일 경우에만 method2()가 호출되도록 밑줄에 들어갈 코드를 작성해 보세요.

```
public class A {
  public void method1() {
    System.out.println("A-method1()");
  }
}
```

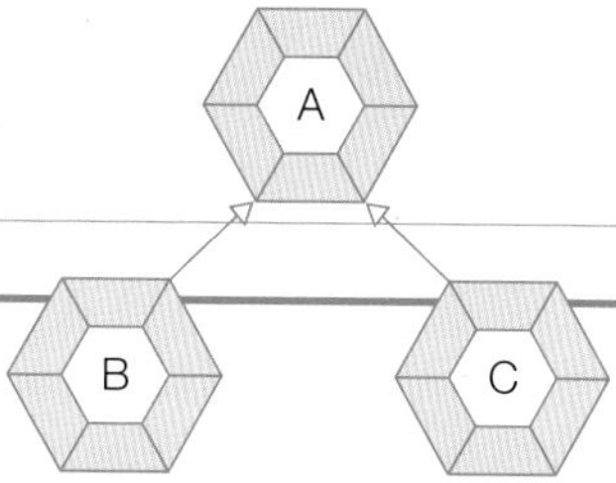


```
public class B extends A {
  public void method1() {
    System.out.println("B-method1()");
  }
}
```

확인문제

```
public class C extends A {
  public void method1() {
    System.out.println("C-method1()");
  }
  public void method2() {
    System.out.println("C-method2()");
  }
}
```

```
public class Example {
  public static void action(A a) {
    a.method1();
    if( ______________________ ) {
        c.method2();
    }
  }

  public static void main(String[] args) {
    action(new A());
    action(new B());
    action(new C());
  }
}
```

Chapter

08

인터페이스

8.1 인터페이스의 역할

인터페이스interface는 사전적인 의미로 두 장치를 연결하는 접속기를 말한다. 여기서 두 장치를 서로 다른 객체로 본다면, 인터페이스는 이 두 객체를 연결하는 역할을 한다. 다음 그림과 같이 객체 A는 인터페이스를 통해 객체 B를 사용할 수 있다.

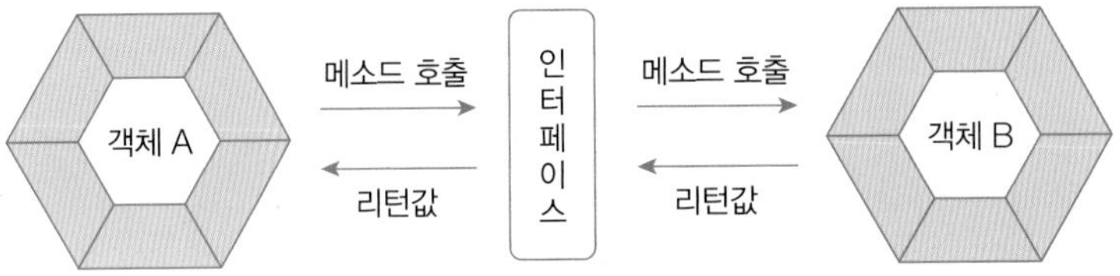

객체 A가 인터페이스의 메소드를 호출하면, 인터페이스는 객체 B의 메소드를 호출하고 그 결과를 받아 객체 A로 전달해 준다. 객체 A가 객체 B의 메소드를 직접 호출하면 간단할텐데 왜 중간에 인터페이스를 거치도록 하는 것일까? 다음 그림과 같이 객체 B가 객체 C로 교체된다고 가정해 보자.

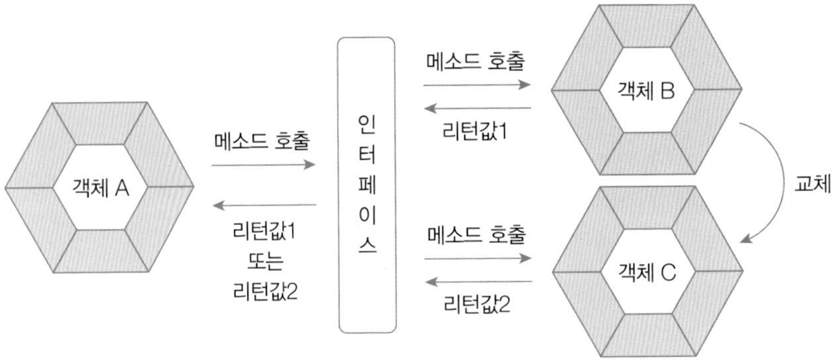

객체 A는 인터페이스의 메소드만 사용하므로 객체 B가 객체 C로 변경된 것에는 관심이 없다. 만약 인터페이스 없이 객체 A가 객체 B를 직접 사용한다면 객체 A의 소스 코드를 객체 B에서 객체 C로 변경하는 작업이 추가로 필요할 것이다.

객체 A가 인터페이스의 메소드를 호출하면 실제로 실행되는 것은 인터페이스 뒤편의 객체 B 또는 객체 C의 메소드이다. 만약 객체 B의 메소드 실행 결과와 객체 C의 메소드 실행 결과가 다르다면, 객체 A는 객체 교체로 인해 다른 결과를 얻게 된다.

이 특징으로 인해 인터페이스는 다형성 구현에 주된 기술로 이용된다. 상속을 이용해서 다형성을 구현할 수도 있지만, 인터페이스를 이용해서 다형성을 구현하는 경우가 더 많다.

8.2 인터페이스와 구현 클래스 선언

인터페이스는 '*.java' 형태의 소스 파일로 작성되고 '*.class' 형태로 컴파일되기 때문에 물리적 형태는 클래스와 동일하다. 단, 소스를 작성할 때 선언하는 방법과 구성 멤버가 클래스와 다르다.

인터페이스 선언

인터페이스 선언은 class 키워드 대신 interface 키워드를 사용한다. 접근 제한자로는 클래스와 마찬가지로 같은 패키지 내에서만 사용 가능한 default, 패키지와 상관없이 사용하는 public을 붙일 수 있다.

```
interface 인터페이스명 { … }           //default 접근 제한
public interface 인터페이스명 { … }    //public 접근 제한
```

중괄호 안에는 인터페이스가 가지는 멤버들을 선언할 수 있는데, 다음과 같은 종류가 있다.

```
public interface 인터페이스명 {
  //public 상수 필드
  //public 추상 메소드
  //public 디폴트 메소드
  //public 정적 메소드
  //private 메소드
  //private 정적 메소드
}
```

각 멤버의 역할은 다음 절부터 하나씩 살펴보기로 하고, 여기서는 이클립스에서 인터페이스를 선언하는 방법을 알아보자.

01 Package Explorer 뷰에서 thisisjava 프로젝트의 src 폴더에 ch08.sec02 패키지를 생성하고, 마우스 오른쪽 버튼으로 클릭하여 [New] – [Interface]를 선택한다.

02 [New Java Interface] 대화상자가 나타나면 Name 입력란에 인터페이스명으로 'RemoteControl'을 입력하고, [Finish] 버튼을 클릭한다.

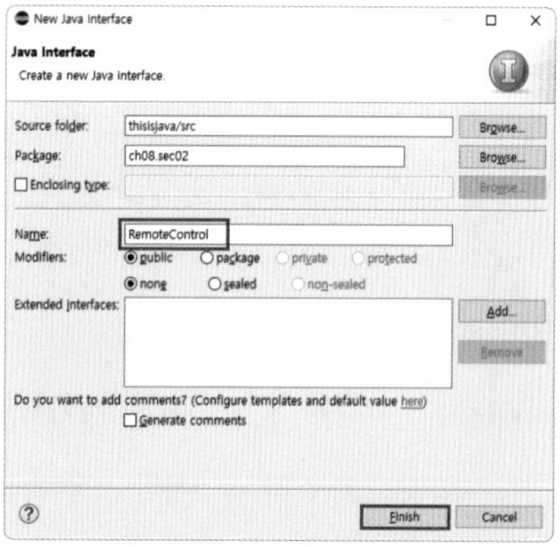

03 그리고 다음과 같이 public 추상 메소드인 turnOn()을 하나 작성한다. 추상 메소드란 선언부만 있고 실행부인 중괄호가 없는 메소드를 말한다.

>>> RemoteControl.java

```java
package ch08.sec02;

public interface RemoteControl {
  //public 추상 메소드
  public void turnOn();
}
```

구현 클래스 선언

다음 그림을 다시 보자. 객체 A가 인터페이스의 추상 메소드를 호출하면 인터페이스는 객체 B의 메소드를 실행한다. 그렇다면 객체 B는 인터페이스에 선언된 추상 메소드와 동일한 선언부를 가진(재정의된) 메소드를 가지고 있어야 한다.

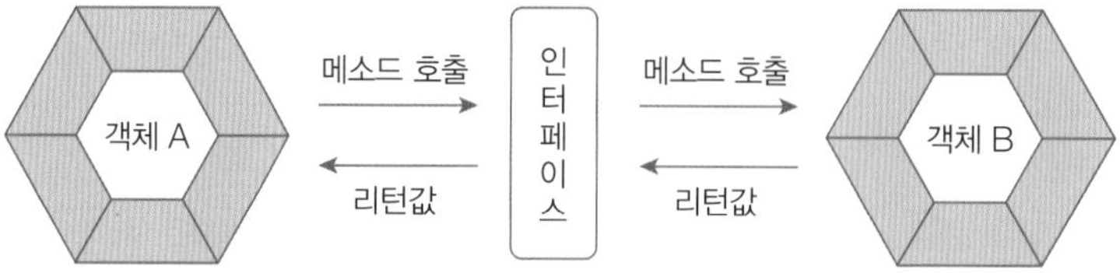

여기서 객체 B를 인터페이스를 구현한(implement) 객체라고 한다. 인터페이스에 정의된 추상 메소드에 대한 실행 내용이 구현(작성)되어 있기 때문이다. 객체 B와 같은 구현 객체는 다음과 같이 인터페이스를 구현하고 있음을 선언부에 명시해야 한다.

```
public class B implements 인터페이스명 { … }
```

implements 키워드는 해당 클래스가 인터페이스를 통해 사용할 수 있다는 표시이며, 인터페이스의 추상 메소드를 재정의한 메소드가 있다는 뜻이다.

앞에서 선언한 RemoteControl 인터페이스로 Television을 사용할 수 있도록 Television 구현 클래스를 선언해 보자.

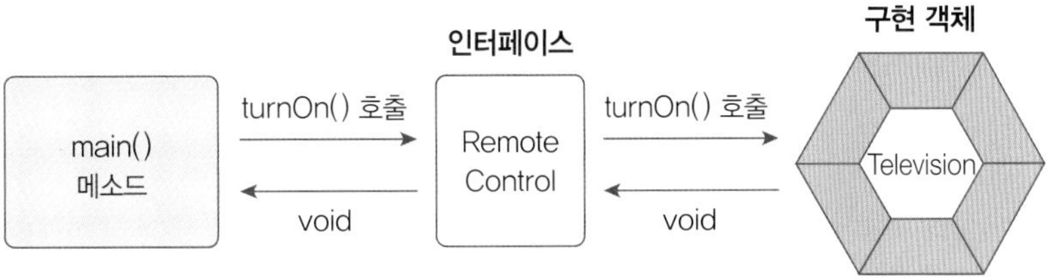

ch08.sec02 패키지에서 RemoteControl의 추상 메소드인 turnOn()을 다음과 같이 재정의한다.

>>> **Television.java**

```
package ch08.sec02;

public class Television implements RemoteControl {
  @Override
  public void turnOn() {
    System.out.println("TV를 켭니다.");
  }
}
```

인터페이스에 선언된
turnOn() 추상 메소드 재정의

변수 선언과 구현 객체 대입

인터페이스도 하나의 타입이므로 변수의 타입으로 사용할 수 있다. 인터페이스는 참조 타입에 속하므로 인터페이스 변수에는 객체를 참조하고 있지 않다는 뜻으로 null을 대입할 수 있다.

```
RemoteControl rc;
RemoteControl rc = null;
```

인터페이스를 통해 구현 객체를 사용하려면, 인터페이스 변수에 구현 객체를 대입해야 한다. 정확히 말하면 구현 객체의 번지를 대입해야 한다. 다음은 Television 객체를 생성하고 번지를 대입하는 코드이다.

```
rc = new Television();
```

만약 Television이 implements RemoteControl로 선언되지 않았다면 RemoteControl 타입의 변수 rc에 대입할 수 없다. 인터페이스 변수에 구현 객체가 대입이 되었다면 변수를 통해 인터페이스의 추상 메소드를 호출할 수 있게 된다.

```
rc.turnOn();
```

인터페이스 변수를 통해 turnOn() 메소드가 호출되면, 실제로 실행되는 것은 Television에서 재정의된 turnOn() 메소드이다. 이를 확인하기 위해 다음과 같이 RemoteControlExample을 작성하고 실행해 보자.

>>> RemoteControlExample.java

```
package ch08.sec02;

public class RemoteControlExample {
  public static void main(String[] args) {
    RemoteControl rc;
    rc = new Television();
```

```
7           rc.turnOn();
8       }
9   }
```

실행 결과

```
TV를 켭니다.
```

5~6라인처럼 변수를 먼저 선언한 다음에 구현 객체를 대입해도 되지만, 다음과 같이 변수 선언과 동시에 구현 객체를 대입할 수도 있다.

```
RemoteControl rc = new Television();
```

rc 변수에는 RemoteControl을 구현한 어떠한 객체든 대입이 가능하다. 만약 Audio 객체가 구현 객체라면 다음과 같이 Audio 객체로 교체해서 대입할 수도 있다.

```
rc = new Audio();
rc.turnOn();
```

이 경우, 실제 실행되는 것은 Audio에서 재정의된 turnOn() 메소드이다.

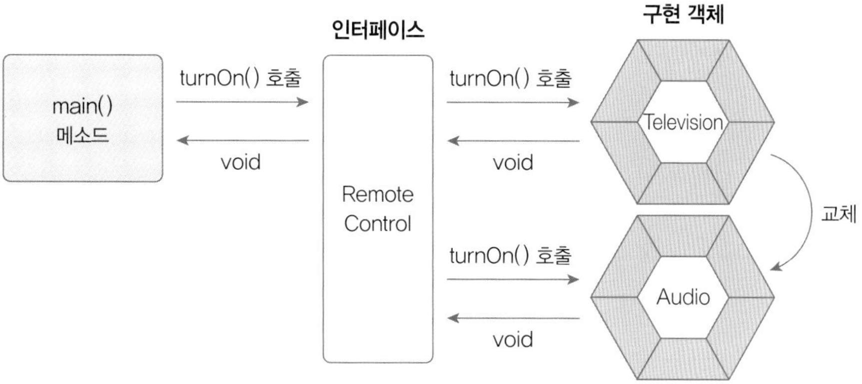

확인하기 위해 다음과 같이 Audio 클래스를 생성해 보자.

>>> **Audio.java**

```java
package ch08.sec02;

public class Audio implements RemoteControl {
  @Override
  public void turnOn() {
    System.out.println("Audio를 켭니다.");
  }
}
```

그리고 RemoteControlExample을 다음과 같이 수정하고 실행해 보자.

>>> **RemoteControlExample.java**

```java
package ch08.sec02;

public class RemoteControlExample {
  public static void main(String[] args) {
    RemoteControl rc;

    //rc 변수에 Television 객체를 대입
    rc = new Television();
    rc.turnOn();

    //rc 변수에 Audio 객체를 대입(교체시킴)
    rc = new Audio();
    rc.turnOn();
  }
}
```

실행 결과

```
TV를 켭니다.
Audio를 켭니다.
```

8.3 상수 필드

인터페이스는 public static final 특성을 갖는 불변의 상수 필드를 멤버로 가질 수 있다.

```
[ public static final ] 타입 상수명 = 값;
```

인터페이스에 선언된 필드는 모두 public static final 특성을 갖기 때문에 public static final을 생략하더라도 자동적으로 컴파일 과정에서 붙게 된다. 상수명은 대문자로 작성하되, 서로 다른 단어로 구성되어 있을 경우에는 언더바(_)로 연결하는 것이 관례이다.

다음과 같이 RemoteControl 인터페이스에 MAX_VALUE와 MIN_VALUE 상수를 선언해 보자.

>>> RemoteControl.java

```java
package ch08.sec03;

public interface RemoteControl {
  int MAX_VOLUME = 10;
  int MIN_VOLUME = 0;
}
```

상수 선언

상수는 구현 객체와 관련 없는 인터페이스 소속 멤버이므로 다음과 같이 인터페이스로 바로 접근해서 상수값을 읽을 수 있다.

>>> RemoteControlExample.java

```java
package ch08.sec03;

public class RemoteControlExample {
  public static void main(String[] args) {
    System.out.println("리모콘 최대 볼륨: " + RemoteControl.MAX_VOLUME);
    System.out.println("리모콘 최저 볼륨: " + RemoteControl.MIN_VOLUME);
  }
}
```

8.4 추상 메소드

인터페이스는 구현 클래스가 재정의해야 하는 public 추상 메소드abstract method를 멤버로 가질 수 있다. 추상 메소드는 리턴 타입, 메소드명, 매개변수만 기술되고 중괄호 { }를 붙이지 않는 메소드를 말한다. public abstract를 생략하더라도 컴파일 과정에서 자동으로 붙게 된다.

```
[ public abstract ] 리턴타입 메소드명(매개변수, …);
```

추상 메소드는 객체 A가 인터페이스를 통해 어떻게 메소드를 호출할 수 있는지 방법을 알려주는 역할을 한다. 인터페이스 구현 객체 B는 추상 메소드의 실행부를 갖는 재정의된 메소드가 있어야 한다.

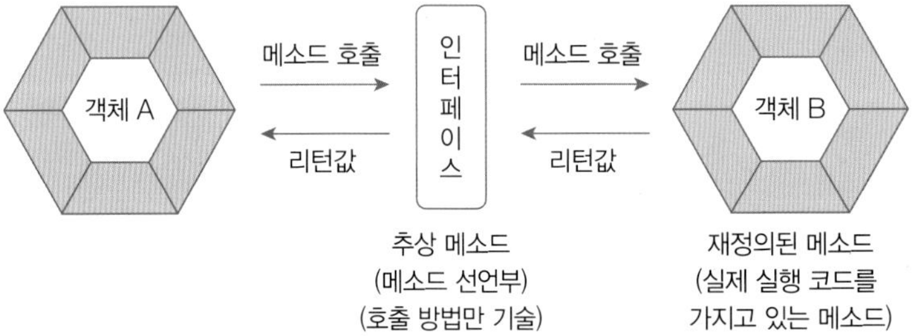

RemoteControl 인터페이스에서 turnOn(), turnOff(), setVolume() 추상 메소드를 각각 선언해 보자.

>>> RemoteControl.java

```java
package ch08.sec04;

public interface RemoteControl {
  //상수 필드
  int MAX_VOLUME = 10;
  int MIN_VOLUME = 0;

  //추상 메소드
  void turnOn();
  void turnOff();
  void setVolume(int volume);
}
```

메소드 선언부만 작성

RemoteControl 인터페이스를 통해서 다음과 같이 구현 객체인 Television과 Audio를 사용한다고 가정해 보자.

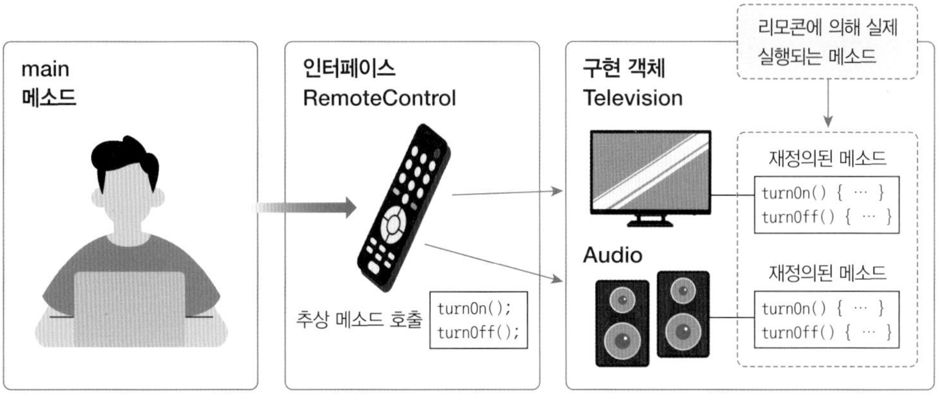

구현 클래스인 Television과 Audio는 인터페이스에 선언된 모든 추상 메소드를 재정의해서 실행 코드를 가져야 한다. 다음과 같이 Television과 Audio 구현 클래스를 선언해 보자.

>>> **Television.java**

```
package ch08.sec04;

public class Television implements RemoteControl {
  //필드
  private int volume;

  //turnOn() 추상 메소드 오버라이딩
  @Override
  public void turnOn() {
    System.out.println("TV를 켭니다.");
  }

  //turnOff() 추상 메소드 오버라이딩
  @Override
  public void turnOff() {
    System.out.println("TV를 끕니다.");
  }

  //setVolume() 추상 메소드 오버라이딩
  @Override
```

```java
    public void setVolume(int volume) {
      if(volume>RemoteControl.MAX_VOLUME) {
        this.volume = RemoteControl.MAX_VOLUME;
      } else if(volume<RemoteControl.MIN_VOLUME) {
        this.volume = RemoteControl.MIN_VOLUME;
      } else {
        this.volume = volume;
      }
      System.out.println("현재 TV 볼륨: " + this.volume);
    }
  }
```

인터페이스 상수 필드를 이용해서 volume 필드의 값을 제한

>>> Audio.java

```java
package ch08.sec04;

public class Audio implements RemoteControl {
  //필드
  private int volume;

  //turnOn() 추상 메소드 오버라이딩
  @Override
  public void turnOn() {
    System.out.println("Audio를 켭니다.");
  }

  //turnOff() 추상 메소드 오버라이딩
  @Override
  public void turnOff() {
    System.out.println("Audio를 끕니다.");
  }

  //setVolume() 추상 메소드 오버라이딩
  @Override
  public void setVolume(int volume) {
    if(volume>RemoteControl.MAX_VOLUME) {
      this.volume = RemoteControl.MAX_VOLUME;
    } else if(volume<RemoteControl.MIN_VOLUME) {
```

```
            this.volume = RemoteControl.MIN_VOLUME;
        } else {
            this.volume = volume;
        }
        System.out.println("현재 Audio 볼륨: " + this.volume);
    }
}
```

구현 클래스에서 추상 메소드를 재정의할 때 주의할 점은 인터페이스의 추상 메소드는 기본적으로 public 접근 제한을 갖기 때문에 public보다 더 낮은 접근 제한으로 재정의할 수 없다. 그래서 재정의되는 메소드에는 모두 public이 추가되어 있다.

여기서 잠깐

이클립스의 편리한 기능

이클립스에는 인터페이스의 추상 메소드를 자동으로 재정의해주는 기능이 있다.

1. 이클립스 메뉴에서 [Source] – [Override/Implement Methods]를 선택
2. 추상 메소드들을 체크한 후 [Ok] 버튼을 클릭

인터페이스로 구현 객체를 사용하려면 다음과 같이 인터페이스 변수를 선언하고 구현 객체를 대입해야 한다. 인터페이스 변수는 참조 타입이기 때문에 구현 객체가 대입되면 구현 객체의 번지를 저장한다.

```
RemoteControl rc;
rc = new Television();
```

```
RemoteControl rc = new Audio();
```

구현 객체가 대입되면 인터페이스 변수로 추상 메소드를 호출할 수 있게 된다. 이때 어떤 구현 객체가 대입되었는지에 따라 실행 내용이 달라진다. Television이 대입되었다면 Television의 재정의된 메소드가, Audio가 대입되었다면 Audio의 재정의된 메소드가 실행된다.

>>> RemoteControlExample.java

```java
package ch08.sec04;

public class RemoteControlExample {
  public static void main(String[] args) {
    //인터페이스 변수 선언
    RemoteControl rc;

    //Television 객체를 생성하고 인터페이스 변수에 대입
    rc = new Television();
    rc.turnOn();
    rc.setVolume(5);
    rc.turnOff();

    //Audio 객체를 생성하고 인터페이스 변수에 대입
    rc = new Audio();
    rc.turnOn();
    rc.setVolume(5);
    rc.turnOff();
  }
}
```

인터페이스로 Television 객체 사용

인터페이스로 Audio 객체 사용

실행 결과

```
TV를 켭니다.
현재 TV 볼륨: 5
TV를 끕니다.
Audio를 켭니다.
현재 Audio 볼륨: 5
Audio를 끕니다.
```

8.5 디폴트 메소드

인터페이스에는 완전한 실행 코드를 가진 디폴트 메소드를 선언할 수 있다. 추상 메소드는 실행부(중괄호 {})가 없지만, 디폴트 메소드는 실행부가 있다. 선언 방법은 클래스 메소드와 동일한데, 차이점은 default 키워드가 리턴 타입 앞에 붙는다.

```
[public] default 리턴타입 메소드명(매개변수, …) { … }
```

디폴트 메소드의 실행부에는 상수 필드를 읽거나 추상 메소드를 호출하는 코드를 작성할 수 있다. RemoteControl 인터페이스에서 무음 처리 기능을 제공하는 setMute() 디폴트 메소드를 선언해 보자.

>>> **RemoteControl.java**

```java
package ch08.sec05;

public interface RemoteControl {
  //상수 필드
  int MAX_VOLUME = 10;
  int MIN_VOLUME = 0;

  //추상 메소드
  void turnOn();
  void turnOff();
  void setVolume(int volume);

  //디폴트 인스턴스 메소드
  default void setMute(boolean mute) {
    if(mute) {
      System.out.println("무음 처리합니다.");
      //추상 메소드 호출하면서 상수 필드 사용
      setVolume(MIN_VOLUME);
    } else {
      System.out.println("무음 해제합니다.");
    }
  }
}
```

디폴트 메소드는 구현 객체가 필요한 메소드이다. 따라서 RemoteControl의 setMute() 메소드를 호출하려면 구현 객체인 Television 객체를 다음과 같이 인터페이스 변수에 대입하고 나서 setMute()를 호출해야 한다.

>>> **RemoteControlExample.java**

```java
package ch08.sec05;

public class RemoteControlExample {
  public static void main(String[] args) {
    //인터페이스 변수 선언
    RemoteControl rc;

    //Television 객체를 생성하고 인터페이스 변수에 대입
    rc = new Television();
    rc.turnOn();
    rc.setVolume(5);

    //디폴트 메소드 호출
    rc.setMute(true);
    rc.setMute(false);
  }
}
```

구현 객체 대입

디폴트 메소드 호출

실행 결과

```
TV를 켭니다.
현재 TV 볼륨: 5
무음 처리합니다.
현재 TV 볼륨: 0
무음 해제합니다.
```

구현 클래스는 디폴트 메소드를 재정의해서 자신에게 맞게 수정할 수도 있다. 재정의 시 주의할 점은 public 접근 제한자를 반드시 붙여야 하고, default 키워드를 생략해야 한다. Audio 구현 클래스에서 setMute() 메소드를 재정의해 원래 볼륨으로 복원해 보자.

>>> **Audio.java**

```java
package ch08.sec05;

public class Audio implements RemoteControl {
  //필드
  private int volume;
```

```java

    //turnOn() 추상 메소드 오버라이딩
    @Override
    public void turnOn() {
      System.out.println("Audio를 켭니다.");
    }

    //turnOff() 추상 메소드 오버라이딩
    @Override
    public void turnOff() {
      System.out.println("Audio를 끕니다.");
    }

    //setVolume() 추상 메소드 오버라이딩
    @Override
    public void setVolume(int volume) {
      if(volume>RemoteControl.MAX_VOLUME) {
        this.volume = RemoteControl.MAX_VOLUME;
      } else if(volume<RemoteControl.MIN_VOLUME) {
        this.volume = RemoteControl.MIN_VOLUME;
      } else {
        this.volume = volume;
      }
      System.out.println("현재 Audio 볼륨: " + volume);
    }

    //필드
    private int memoryVolume;

    //디폴트 메소드 재정의
    @Override
    public void setMute(boolean mute) {
      if(mute) {
        this.memoryVolume = this.volume;
        System.out.println("무음 처리합니다.");
        setVolume(RemoteControl.MIN_VOLUME);
      } else {
        System.out.println("무음 해제합니다.");
        setVolume(this.memoryVolume);
      }
    }
}
```

추가 필드 선언

추가된 내용

mute가 false일 경우, 원래 볼륨으로 복원하는 코드

>>> RemoteControlExample.java

```java
package ch08.sec05;

public class RemoteControlExample {
  public static void main(String[] args) {
    //인터페이스 변수 선언
    RemoteControl rc;

    //Television 객체를 생성하고 인터페이스 변수에 대입
    rc = new Television();
    rc.turnOn();
    rc.setVolume(5);

    //디폴트 메소드 호출
    rc.setMute(true);
    rc.setMute(false);

    System.out.println();

    //Audio 객체를 생성하고 인터페이스 변수에 대입
    rc = new Audio();
    rc.turnOn();
    rc.setVolume(5);

    //디폴트 메소드 호출
    rc.setMute(true);
    rc.setMute(false);
  }
}
```

추가된 내용

실행 결과

```
TV를 켭니다.
현재 TV 볼륨: 5
무음 처리합니다.
현재 TV 볼륨: 0
무음 해제합니다.

Audio를 켭니다.
현재 Audio 볼륨: 5
```

원래 볼륨

```
무음 처리합니다.
현재 Audio 볼륨: 0
무음 해제합니다.
현재 Audio 볼륨: 5
```
복원된 볼륨

8.6 정적 메소드

인터페이스에는 정적 메소드도 선언이 가능하다. 추상 메소드와 디폴트 메소드는 구현 객체가 필요하지만, 정적 메소드는 구현 객체가 없어도 인터페이스만으로 호출할 수 있다. 선언 방법은 클래스 정적 메소드와 완전 동일하다. 단, public을 생략하더라도 자동으로 컴파일 과정에서 붙는 것이 차이점이다.

```
[public | private] static 리턴타입 메소드명(매개변수, …) { … }
```

RemoteControl 인터페이스에서 배터리를 교환하는 기능을 가진 changeBattery() 정적 메소드를 선언해 보자.

>>> **RemoteControl.java**

```
package ch08.sec06;

public interface RemoteControl {
  //상수 필드
  int MAX_VOLUME = 10;
  int MIN_VOLUME = 0;

  //추상 메소드
  void turnOn();
  void turnOff();
  void setVolume(int volume);

  //디폴트 메소드
  default void setMute(boolean mute) {
    //이전 예제와 동일한 코드이므로 생략
  }

  //정적 메소드
```

```
  static void changeBattery() {
    System.out.println("리모콘 건전지를 교환합니다.");
  }
}
```

인터페이스에 선언된 정적 메소드는 구현 객체 없이 인터페이스명으로 접근해서 호출할 수 있다. 따라서 RemoteControl의 changeBattery() 메소드는 RemoteControl.changeBattery()로 호출할 수 있다.

>>> RemoteControlExample.java

```
package ch08.sec06;

public class RemoteControlExample {
  public static void main(String[] args) {
    //인터페이스 변수 선언
    RemoteControl rc;

    //Television 객체를 생성하고 인터페이스 변수에 대입
    rc = new Television();
    rc.turnOn();
    rc.setVolume(5);

    //디폴트 메소드 호출
    rc.setMute(true);
    rc.setMute(false);

    System.out.println();

    //Audio 객체를 생성하고 인터페이스 변수에 대입
    rc = new Audio();
    rc.turnOn();
    rc.setVolume(5);

    //디폴트 메소드 호출
    rc.setMute(true);
    rc.setMute(false);
```

```
        System.out.println();

        //정적 메소드 호출
        RemoteControl.changeBattery();
    }
}
```

실행 결과

```
...
리모콘 건전지를 교환합니다.
```

정적 메소드의 실행부(중괄호 {})를 작성할 때 주의할 점은 상수 필드를 제외한 추상 메소드, 디폴트 메소드, private 메소드 등을 호출할 수 없다는 것이다. 이 메소드는 구현 객체가 필요한 인스턴스 메소드이기 때문이다.

8.7 private 메소드

인터페이스의 상수 필드, 추상 메소드, 디폴트 메소드, 정적 메소드는 모두 public 접근 제한을 갖는다. 이 멤버들을 선언할 때에는 public을 생략하더라도 컴파일 과정에서 public 접근 제한자가 붙어 항상 외부에서 접근이 가능하다. 또한 인터페이스에 외부에서 접근할 수 없는 private 메소드 선언도 가능하다.

구분	설명
private 메소드	구현 객체가 필요한 메소드
private 정적 메소드	구현 객체가 필요 없는 메소드

private 메소드는 디폴트 메소드 안에서만 호출이 가능한 반면, private 정적 메소드는 디폴트 메소드뿐만 아니라 정적 메소드 안에서도 호출이 가능하다. private 메소드의 용도는 디폴트와 정적 메소드들의 중복 코드를 줄이기 위함이다.

다음 예제는 Service 인터페이스에서 2개의 디폴트 메소드와 2개의 정적 메소드 중 중복 코드 부분을 각각 private 메소드와 private 정적 메소드로 선언하고 호출하는 방법을 보여 준다.

>>> **Service.java**

```java
package ch08.sec07;

public interface Service {
  //디폴트 메소드
  default void defaultMethod1() {
    System.out.println("defaultMethod1 종속 코드");
    defaultCommon();
  }

  default void defaultMethod2() {
    System.out.println("defaultMethod2 종속 코드");
    defaultCommon();
  }

  //private 메소드
  private void defaultCommon() {
    System.out.println("defaultMethod 중복 코드A");
    System.out.println("defaultMethod 중복 코드B");
  }

  //정적 메소드
  static void staticMethod1() {
    System.out.println("staticMethod1 종속 코드");
    staticCommon();
  }

  static void staticMethod2() {
    System.out.println("staticMethod2 종속 코드");
    staticCommon();
  }

  //private 정적 메소드
  private static void staticCommon() {
    System.out.println("staticMethod 중복 코드C");
    System.out.println("staticMethod 중복 코드D");
  }
}
```

>>> **ServiceImpl.java**

```java
package ch08.sec07;

public class ServiceImpl implements Service {
}
```

>>> **ServiceExample.java**

```java
package ch08.sec07;

public class ServiceExample {
  public static void main(String[] args) {
    //인터페이스 변수 선언과 구현 객체 대입
    Service service = new ServiceImpl();

    //디폴트 메소드 호출
    service.defaultMethod1();
    System.out.println();
    service.defaultMethod2();
    System.out.println();

    //정적 메소드 호출
    Service.staticMethod1();
    System.out.println();
    Service.staticMethod2();
    System.out.println();
  }
}
```

실행 결과

```
defaultMethod1 종속 코드
defaultMethod 중복 코드A
defaultMethod 중복 코드B

defaultMethod2 종속 코드
defaultMethod 중복 코드A
defaultMethod 중복 코드B
```

```
staticMethod1 종속 코드
staticMethod 중복 코드C
staticMethod 중복 코드D

staticMethod2 종속 코드
staticMethod 중복 코드C
staticMethod 중복 코드D
```

8.8 다중 인터페이스 구현

구현 객체는 여러 개의 인터페이스를 implements할 수 있다. 구현 객체가 인터페이스 A와 인터페이스 B를 구현하고 있다면, 각각의 인터페이스를 통해 구현 객체를 사용할 수 있다.

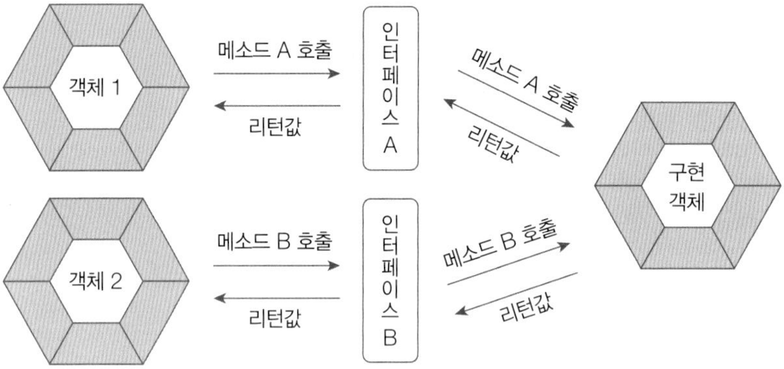

구현 클래스는 다음과 같이 인터페이스 A와 인터페이스 B를 implements 뒤에 쉼표로 구분해서 작성해, 모든 인터페이스가 가진 추상 메소드를 재정의해야 한다.

```
public class 구현클래스명 implements 인터페이스A, 인터페이스B {
  //모든 추상 메소드 재정의
}
```

인터페이스 A와 인터페이스 B를 구현한 객체는 다음과 같이 두 인터페이스 타입의 변수에 각각 대입될 수 있다.

```
인터페이스A 변수 = new 구현클래스명(…);
인터페이스B 변수 = new 구현클래스명(…);
```

구현 객체가 어떤 인터페이스 변수에 대입되느냐에 따라 변수를 통해 호출할 수 있는 추상 메소드가 결정된다. 다음과 같이 RemoteControl 인터페이스와 Searchable 인터페이스를 모두 구현한 SmartTelevision 클래스를 작성해 보자.

>>> RemoteControl.java

```java
package ch08.sec08;

public interface RemoteControl {
  //추상 메소드
  void turnOn();
  void turnOff();
}
```

>>> Searchable.java

```java
package ch08.sec08;

public interface Searchable {
  //추상 메소드
  void search(String url);
}
```

>>> SmartTelevision.java

```java
package ch08.sec08;

public class SmartTelevision implements RemoteControl, Searchable {
  //turnOn() 추상 메소드 오버라이딩
  @Override
  public void turnOn() {
```

```
      System.out.println("TV를 켭니다.");
    }

    //turnoff() 추상 메소드 오버라이딩
    @Override
    public void turnOff() {
      System.out.println("TV를 끕니다.");
    }

    //search() 추상 메소드 오버라이딩
    @Override
    public void search(String url) {
      System.out.println(url + "을 검색합니다.");
    }
}
```

>>> MultiInterfaceImplExample.java

```
package ch08.sec08;

public class MultiInterfaceImplExample {
  public static void main(String[] args) {
    //RemoteControl 인터페이스 변수 선언 및 구현 객체 대입
    RemoteControl rc = new SmartTelevision();
    //RemoteControl 인터페이스에 선언된 추상 메소드만 호출 가능
    rc.turnOn();
    rc.turnOff();
    //Searchable 인터페이스 변수 선언 및 구현 객체 대입
    Searchable searchable = new SmartTelevision();
    //Searchable 인터페이스에 선언된 추상 메소드만 호출 가능
    searchable.search("https://www.youtube.com");
  }
}
```

실행 결과

```
TV를 켭니다.
TV를 끕니다.
https://www.youtube.com을 검색합니다.
```

8.9 인터페이스 상속

인터페이스도 다른 인터페이스를 상속할 수 있으며, 클래스와는 달리 다중 상속을 허용한다. 다음과 같이 extends 키워드 뒤에 상속할 인터페이스들을 나열하면 된다.

```
public interface 자식인터페이스 extends 부모인터페이스1, 부모인터페이스2 { … }
```

자식 인터페이스의 구현 클래스는 자식 인터페이스의 메소드뿐만 아니라 부모 인터페이스의 모든 추상 메소드를 재정의해야 한다. 그리고 구현 객체는 다음과 같이 자식 및 부모 인터페이스 변수에 대입될 수 있다.

```
자식인터페이스 변수 = new 구현클래스(…);
부모인터페이스1 변수 = new 구현클래스(…);
부모인터페이스2 변수 = new 구현클래스(…);
```

구현 객체가 자식 인터페이스 변수에 대입되면 자식 및 부모 인터페이스의 추상 메소드를 모두 호출할 수 있으나, 부모 인터페이스 변수에 대입되면 부모 인터페이스에 선언된 추상 메소드만 호출 가능하다. 다음 예제를 통해 확인해 보자.

>>> **InterfaceA.java**

```java
package ch08.sec09;

public interface InterfaceA {
  //추상 메소드
  void methodA();
}
```

>>> **InterfaceB.java**

```java
package ch08.sec09;

public interface InterfaceB {
```

```java
    //추상 메소드
    void methodB();
}
```

>>> InterfaceC.java

```java
package ch08.sec09;

public interface InterfaceC extends InterfaceA, InterfaceB {
    //추상 메소드
    void methodC();
}
```

>>> InterfaceCImpl.java

```java
package ch08.sec09;

public class InterfaceCImpl implements InterfaceC {
    public void methodA() {
        System.out.println("InterfaceCImpl-methodA() 실행");
    }

    public void methodB() {
        System.out.println("InterfaceCImpl-methodB() 실행");
    }

    public void methodC() {
        System.out.println("InterfaceCImpl-methodC() 실행");
    }
}
```

>>> ExtendsExample.java

```java
package ch08.sec09;

public class ExtendsExample {
  public static void main(String[] args) {
    InterfaceCImpl impl = new InterfaceCImpl();

    InterfaceA ia = impl;
    ia.methodA();
    ia.methodB();
    System.out.println();

    InterfaceB ib = impl;
    ib.methodA();
    ib.methodB();
    System.out.println();

    InterfaceC ic = impl;
    ic.methodA();
    ic.methodB();
    ic.methodC();
  }
}
```

실행 결과

```
InterfaceCImpl-methodA() 실행

InterfaceCImpl-methodB() 실행

InterfaceCImpl-methodA() 실행
InterfaceCImpl-methodB() 실행
InterfaceCImpl-methodC() 실행
```

8.10 타입 변환

인터페이스의 타입 변환은 인터페이스와 구현 클래스 간에 발생한다. 인터페이스 변수에 구현 객체를 대입하면 구현 객체는 인터페이스 타입으로 자동 타입 변환된다. 반대로 인터페이스 타입을 구현 클래스 타입으로 변환시킬 수 있는데, 이때는 강제 타입 변환이 필요하다.

자동 타입 변환

자동 타입 변환promotion은 의미 그대로 자동으로 타입 변환이 일어나는 것을 말한다. 자동 타입 변환은 다음과 같은 조건에서 일어난다.

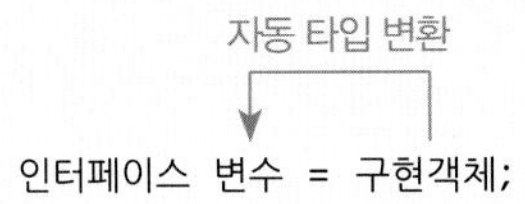

부모 클래스가 인터페이스를 구현하고 있다면 자식 클래스도 인터페이스 타입으로 자동 타입 변환될 수 있다. 다음 그림을 보면서 이해해 보자. 인터페이스 A를 구현한 B, C 클래스가 있고, B를 상속한 D 클래스, C를 상속한 E 클래스가 있다.

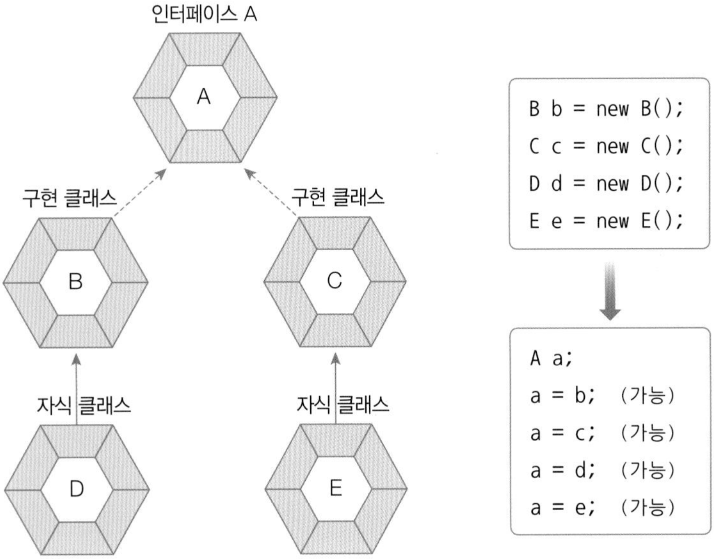

B, C, D, E로부터 생성된 객체는 모두 인터페이스 A로 자동 타입 변환될 수 있다. 모두 인터페이스 A를 직 · 간접적으로 구현하고 있기 때문이다.

>>> **A.java**

```
package ch08.sec10.exam01;

public interface A {
}
```

>>> **B.java**

```
package ch08.sec10.exam01;

public class B implements A {
}
```

>>> **C.java**

```
package ch08.sec10.exam01;

public class C implements A {
}
```

>>> **D.java**

```
package ch08.sec10.exam01;

public class D extends B {
}
```

>>> E.java

```java
package ch08.sec10.exam01;

public class E extends C {
}
```

>>> PromotionExample.java

```java
package ch08.sec10.exam01;

public class PromotionExample {
  public static void main(String[] args) {
    //구현 객체 생성
    B b = new B();
    C c = new C();
    D d = new D();
    E e = new E();

    //인터페이스 변수 선언
    A a;

    //변수에 구현 객체 대입
    a = b;   //A ← B (자동 타입 변환)
    a = c;   //A ← C (자동 타입 변환)
    a = d;   //A ← D (자동 타입 변환)
    a = e;   //A ← E (자동 타입 변환)
  }
}
```

강제 타입 변환

강제 타입 변환은 캐스팅casting 기호를 사용해서 인터페이스 타입을 구현 클래스 타입으로 변환시키는 것을 말한다.

강제 타입 변환

```
구현클래스 변수 = (구현클래스) 인터페이스변수;
```

구현 객체가 인터페이스 타입으로 자동 변환되면, 인터페이스에 선언된 메소드만 사용 가능하다. RemoteControl 인터페이스에는 3개의 메소드, Television 클래스에는 5개의 메소드가 선언되어 있다면 RemoteControl 인터페이스로 호출 가능한 메소드는 3개뿐이다.

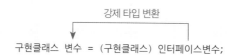

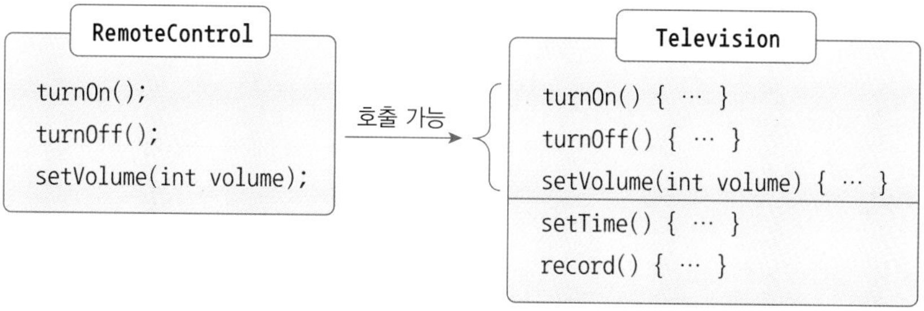

자동 타입 변환 후에 Television의 setTime()과 record() 메소드를 호출하고 싶다면 다음과 같이 캐스팅 기호를 사용해서 원래 Television으로 강제 타입 변환해야 한다.

```
RemoteControl rc = new Television();
rc.turnOn();
rc.turnOff();
rc.setVolume(5);
```

```
Television tv = (Television) rc;
tv.turnOn();
tv.turnOff();
tv.setVolume(5);
tv.setTime();
tv.record();
```

또 다른 예를 보자. Vehicle 인터페이스를 구현한 Bus를 Vehicle로 자동 타입 변환하면 checkFare() 메소드를 호출할 수 없지만, 강제 타입 변환해서 Bus로 변환하면 호출이 가능해진다.

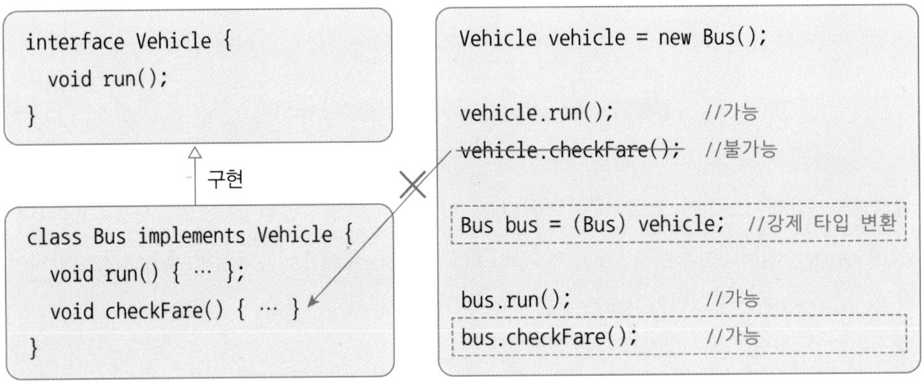
interface Vehicle {
void run();
}
구현
class Bus implements Vehicle {
void run() { … };
void checkFare() { … }
}
Vehicle vehicle = new Bus();
vehicle.run(); //가능
vehicle.checkFare(); //불가능
Bus bus = (Bus) vehicle; //강제 타입 변환
bus.run(); //가능
bus.checkFare(); //가능

>>> **Vehicle.java**

```java
package ch08.sec10.exam02;

public interface Vehicle {
  //추상 메소드
  void run();
}
```

>>> **Bus.java**

```java
package ch08.sec10.exam02;

public class Bus implements Vehicle {
  //추상 메소드 재정의
  @Override
  public void run() {
    System.out.println("버스가 달립니다.");
  }

  //추가 메소드
  public void checkFare() {
    System.out.println("승차요금을 체크합니다.");
  }
}
```

>>> CastingExample.java

```java
package ch08.sec10.exam02;

public class CastingExample {
  public static void main(String[] args) {
    //인터페이스 변수 선언과 구현 객체 대입
    Vehicle vehicle = new Bus();

    //인터페이스를 통해서 호출
    vehicle.run();
    //vehicle.checkFare();  (x)

    //강제 타입 변환 후 호출
    Bus bus = (Bus) vehicle;
    bus.run();
    bus.checkFare();
  }
}
```

실행 결과

```
버스가 달립니다.
버스가 달립니다.
승차요금을 체크합니다.
```

8.11 다형성

우리는 7장 상속에서 다형성에 대해 살펴보았다. 인터페이스 또한 다형성을 구현하는 주된 기술로 사용된다. 현업에서는 상속보다는 인터페이스를 통해서 다형성을 구현하는 경우가 더 많다.

다형성多形性이란 사용 방법은 동일하지만 다양한 결과가 나오는 성질을 말한다. 다음 그림에서 구현 객체 B와 구현 객체 C 둘 중 어느 객체가 인터페이스에 대입되었느냐에 따라서 객체 A의 메소드 호출 결과는 달라질 수 있다.

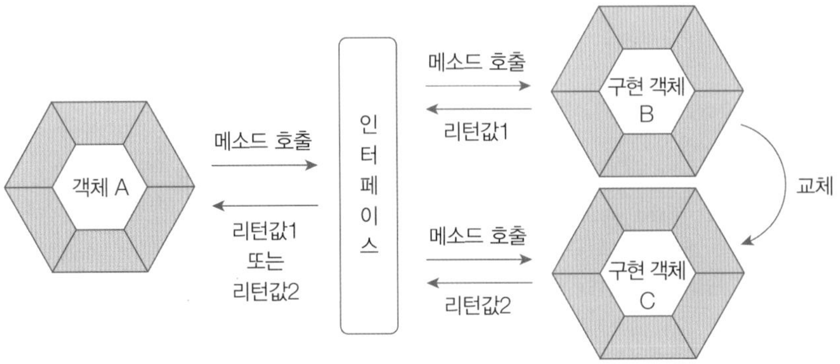

상속의 다형성과 마찬가지로 인터페이스 역시 다형성을 구현하기 위해 재정의와 자동 타입 변환 기능을 이용한다.

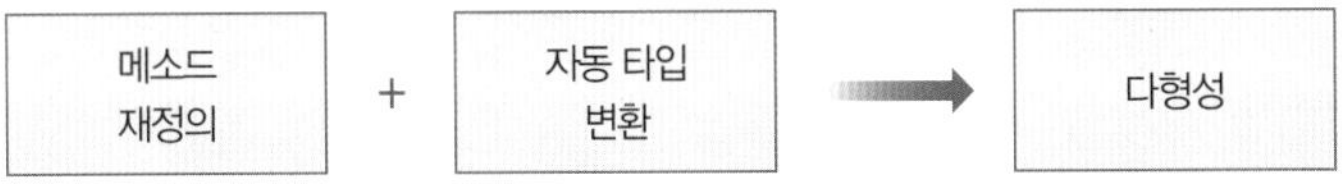

인터페이스의 추상 메소드는 구현 클래스에서 재정의를 해야 하며, 재정의되는 내용은 구현 클래스마다 다르다. 구현 객체는 인터페이스 타입으로 자동 타입 변환이 되고, 인터페이스 메소드 호출 시 구현 객체의 재정의된 메소드가 호출되어 다양한 실행 결과를 얻을 수 있다.

필드의 다형성

다음 그림은 7장 상속에서 다형성을 설명할 때 보여준 그림과 유사하다. 상속에서는 부모 타이어 클래스 타입에 자식 객체인 한국 타이어 또는 금호 타이어를 대입해서 다형성을 보여주었지만, 이번에는 부모 타입이 클래스 타입이 아니고 인터페이스라는 점이 다르다.

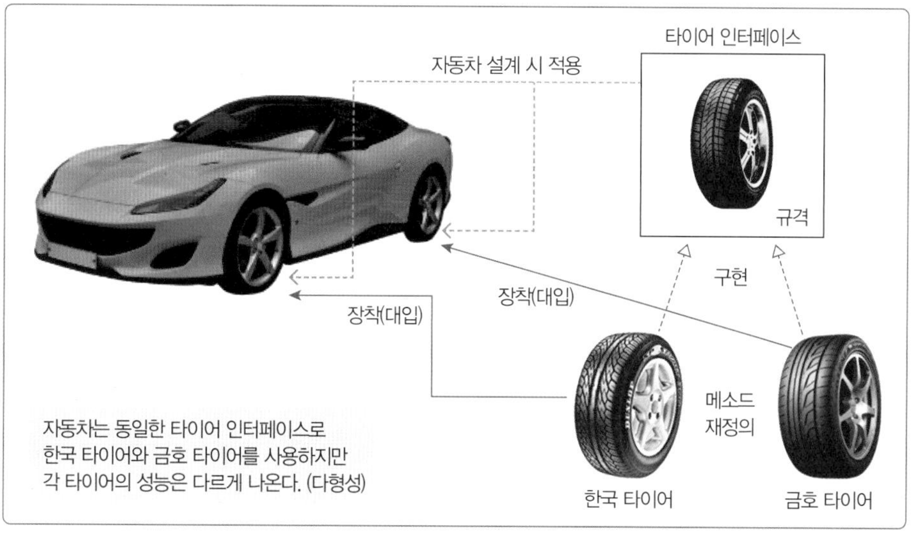

자동차를 설계할 때 다음과 같이 필드 타입으로 타이어 인터페이스를 선언하면 필드값으로 한국 타이어 또는 금호 타이어 객체를 대입할 수 있다. 자동 타입 변환 때문이다.

```
public class Car {
  Tire tire1 = new HankookTire();
  Tire tire2 = new KumhoTire();
}
```

Car 객체를 생성한 후 다른 구현 객체를 대입할 수도 있다. 이것이 타이어 교체에 해당된다.

```
Car myCar = new Car();
myCar.tire1 = new KumhoTire();
```

tire1과 tire2 필드에 어떠한 타이어 구현 객체가 대입되어도 Car 객체는 타이어 인터페이스에 선언된 메소드만 사용하므로 전혀 문제가 되지 않는다.

>>> **Tire.java**

```java
package ch08.sec11.exam01;

public interface Tire {
  //추상 메소드
  void roll();
}
```

>>> **HankookTire.java**

```java
package ch08.sec11.exam01;

public class HankookTire implements Tire {
  //추상 메소드 재정의
  @Override
  public void roll() {
    System.out.println("한국 타이어가 굴러갑니다.");
  }
}
```

>>> **KumhoTire.java**

```java
package ch08.sec11.exam01;

public class KumhoTire implements Tire {
  //추상 메소드 재정의
  @Override
  public void roll() {
    System.out.println("금호 타이어가 굴러갑니다.");
  }
}
```

>>> **Car.java**

```java
package ch08.sec11.exam01;

public class Car {
  //필드
  Tire tire1 = new HankookTire();
  Tire tire2 = new HankookTire();

  //메소드
  void run() {
    tire1.roll();
    tire2.roll();
  }
}
```

인터페이스에 선언된 추상 메소드 호출
→ 구현 객체의 roll() 메소드 실행

>>> **CarExample.java**

```java
package ch08.sec11.exam01;

public class CarExample {
  public static void main(String[] args) {
    //자동차 객체 생성
    Car myCar = new Car();

    //run() 메소드 실행
    myCar.run();

    //타이어 객체 교체
    myCar.tire1 = new KumhoTire();
    myCar.tire2 = new KumhoTire();

    //run() 메소드 실행(다형성: 실행 결과가 다름)
    myCar.run();
  }
}
```

실행 결과

```
한국 타이어가 굴러갑니다.
한국 타이어가 굴러갑니다.
금호 타이어가 굴러갑니다.
금호 타이어가 굴러갑니다.
```

매개변수의 다형성

메소드 호출 시 매개값을 다양화하기 위해 상속에서는 매개변수 타입을 부모 타입으로 선언하고 호출할 때에는 다양한 자식 객체를 대입했다. 이것은 자동 타입 변환 때문인데, 비슷한 원리로 매개변수 타입을 인터페이스로 선언하면 메소드 호출 시 다양한 구현 객체를 대입할 수 있다.

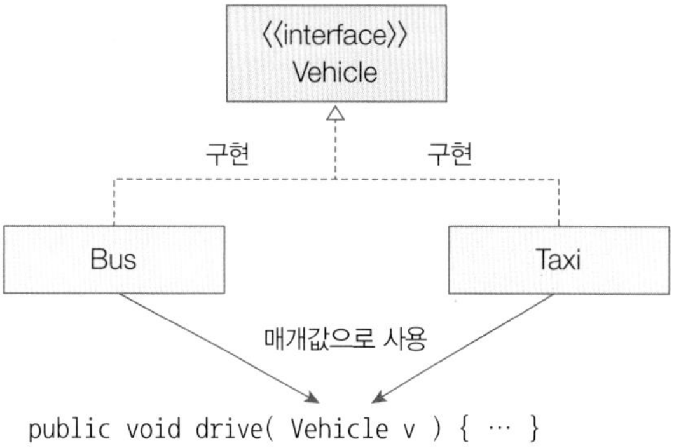

Vehicle 인터페이스가 다음과 같이 선언되었다고 가정해 보자.

```
public interface Vehicle {
  void run();
}
```

운전자 클래스인 Driver는 다양한 Vehicle 구현 객체를 운전하기 위해 Vehicle 인터페이스를 매개변수로 가지는 drive() 메소드를 다음과 같이 선언했다.

구현 객체가 대입될 수 있도록 매개변수를 인터페이스 타입으로 선언

```
public class Driver {
  void drive( Vehicle vehicle ) {
    vehicle.run();
  }
}
```

인터페이스의 추상 메소드 호출

Bus가 Vehicle의 구현 클래스라면 다음과 같이 Driver의 drive() 메소드를 호출할 때 Bus 객체를 생성해서 매개값으로 줄 수 있다.

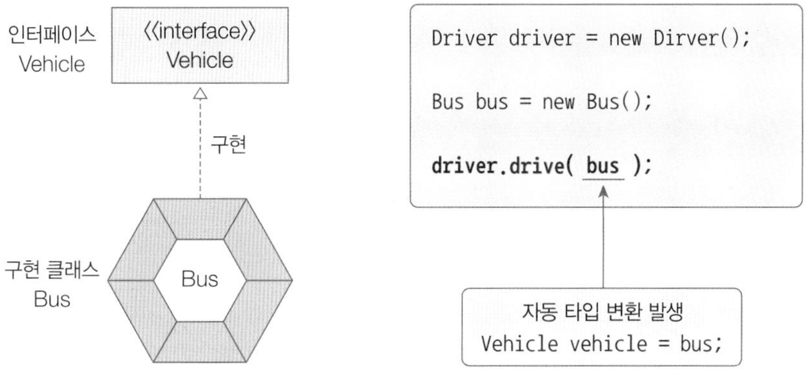

drive() 메소드를 호출할 때 인터페이스 Vehicle을 구현하는 어떠한 객체라도 매개값으로 줄 수 있는데, 어떤 객체를 주느냐에 따라 run() 메소드의 실행 결과는 다르게 나온다. 이유는 구현 객체에서 재정의된 run() 메소드의 실행 내용이 다르기 때문이다. 이것이 매개변수의 다형성이다.

구현 객체

```
void drive(Vehicle vehicle) {
  vehicle.run();
}
```

구현 객체가 재정의한 run() 메소드가 실행

>>> **Vehicle.java**

```java
package ch08.sec11.exam02;

public interface Vehicle {
  //추상 메소드
  void run();
}
```

>>> **Driver.java**

```java
package ch08.sec11.exam02;

public class Driver {
  void drive( Vehicle vehicle ) {
    vehicle.run();
  }
}
```

구현 객체가 대입될 수 있도록 매개변수를 인터페이스 타입으로 선언

인터페이스 메소드 호출

>>> **Bus.java**

```java
package ch08.sec11.exam02;

public class Bus implements Vehicle {
  //추상 메소드 재정의
  @Override
  public void run() {
    System.out.println("버스가 달립니다.");
  }
}
```

>>> Taxi.java

```java
package ch08.sec11.exam02;

public class Taxi implements Vehicle {
  //추상 메소드 재정의
  @Override
  public void run() {
    System.out.println("택시가 달립니다.");
  }
}
```

>>> DriverExample.java

```java
package ch08.sec11.exam02;

public class DriverExample {
  public static void main(String[] args) {
    //Driver 객체 생성
    Driver driver = new Driver();

    //Vehicle 구현 객체 생성
    Bus bus = new Bus();
    Taxi taxi = new Taxi();

    //매개값으로 구현 객체 대입(다형성: 실행 결과가 다름)
    driver.drive(bus);
    driver.drive(taxi);
  }
}
```

driver.drive(bus); → 자동 타입 변환 → 오버라이딩 메소드 호출 → 다형성

driver.drive(taxi); → 자동 타입 변환 → 오버라이딩 메소드 호출 → 다형성

실행 결과

```
버스가 달립니다.
택시가 달립니다.
```

8.12 객체 타입 확인

우리는 상속에서 객체 타입을 확인하기 위해 instanceof 연산자를 사용했는데, 인터페이스에서도 사용할 수 있다. 예를 들어 Vehicle 인터페이스 변수에 대입된 객체가 Bus인지 확인하는 코드는 다음과 같다.

```
if( vehicle instanceof Bus ) {
  //vehicle에 대입된 객체가 Bus일 경우 실행
}
```

메소드의 매개변수가 인터페이스 타입일 경우, 메소드 호출 시 매개값은 해당 인터페이스를 구현하는 모든 객체가 될 수 있다. 만약 매개값이 특정 구현 객체일 경우에만 강제 타입 변환을 하고 싶다면 instanceof 연산자를 사용해서 매개값의 타입을 검사해야 한다.

```
public void method( Vehicle vehicle) {
  if(vehicle instanceof Bus) {
  Bus bus = (Bus) vehicle;
  //bus 변수 사용
  }
}
```

vehicle에 대입된 객체가 Bus일 경우에만 Bus로 강제 타입 변환시킴

Java 12부터는 instanceof 연산의 결과가 true일 경우, 우측 타입 변수를 사용할 수 있기 때문에 강제 타입 변환이 필요 없다.

```
if(vehicle instanceof Bus bus) {
  //bus 변수 사용
}
```

다음은 ride() 메소드의 매개값으로 Bus를 제공했을 경우에만 checkFare() 메소드를 호출하는 예제이다.

>>> **InstanceofExample.java**

```java
package ch08.sec12;

public class InstanceofExample {
  public static void main(String[] args) {
    //구현 객체 생성
    Taxi taxi = new Taxi();
    Bus bus = new Bus();

    //ride() 메소드 호출 시 구현 객체를 매개값으로 전달
    ride(taxi);
    System.out.println();
    ride(bus);
  }

  //인터페이스 매개변수를 갖는 메소드
  public static void ride(Vehicle vehicle) {
    //방법1
    /*if(vehicle instanceof Bus) {
      Bus bus = (Bus) vehicle;
      bus.checkFare();
    }*/

    //방법2
    if(vehicle instanceof Bus bus) {
      bus.checkFare();
    }

    vehicle.run();
  }
}
```

매개값이 Bus인 경우에만 강제 타입 변환해서 checkFare() 메소드를 호출

Java 12부터 사용 가능

>>> **Vehicle.java**

```java
package ch08.sec12;

public interface Vehicle {
  void run();
}
```

>>> **Bus.java**

```java
package ch08.sec12;

public class Bus implements Vehicle {
  @Override
  public void run() {
    System.out.println("버스가 달립니다.");
  }

  public void checkFare() {
    System.out.println("승차요금을 체크합니다.");
  }
}
```

>>> **Taxi.java**

```java
package ch08.sec12;

public class Taxi implements Vehicle {
  @Override
  public void run() {
    System.out.println("택시가 달립니다.");
  }
}
```

실행 결과

```
택시가 달립니다.

승차요금을 체크합니다.
버스가 달립니다.
```

8.13 봉인된 인터페이스

Java 15부터는 무분별한 자식 인터페이스 생성을 방지하기 위해 봉인된(sealed) 인터페이스를 사용할 수 있다. InterfaceA의 자식 인터페이스는 InterfaceB만 가능하고, 그 이외는 자식 인터페이스가 될 수 없도록 다음과 같이 InterfaceA를 봉인된 인터페이스로 선언할 수 있다.

```
public sealed interface InterfaceA permits InterfaceB { … }
```

sealed 키워드를 사용하면 permits 키워드 뒤에 상속 가능한 자식 인터페이스를 지정해야 한다. 봉인된 InterfaceA를 상속하는 InterfaceB는 non-sealed 키워드로 다음과 같이 선언하거나, sealed 키워드를 사용해서 또 다른 봉인 인터페이스로 선언해야 한다.

```
public non-sealed interface InterfaceB extends InterfaceA { … }
```

non-sealed는 봉인을 해제한다는 뜻이다. 따라서 InterfaceB는 다른 자식 인터페이스를 만들 수 있다.

```
public interface InterfaceC extends InterfaceB { … }
```

설명한 내용을 실습으로 확인해 보자.

››› InterfaceA.java

```
package ch08.sec13;

public sealed interface InterfaceA permits InterfaceB {
  void methodA();
}
```

››› InterfaceB.java

```
package ch08.sec13;

public non-sealed interface InterfaceB extends InterfaceA {
  void methodB();
}
```

>>> InterfaceC.java

```java
package ch08.sec13;

public interface InterfaceC extends InterfaceB {
  void methodC();
}
```

>>> ImplClass.java

```java
package ch08.sec13;

public class ImplClass implements InterfaceC {
  public void methodA() {
    System.out.println("methodA() 실행");
  }

  public void methodB() {
    System.out.println("methodB() 실행");
  }

  @Override
  public void methodC() {
    System.out.println("methodC() 실행");
  }
}
```

>>> SealedExample.java

```java
package ch08.sec13;

public class SealedExample {
  public static void main(String[] args) {
    ImplClass impl = new ImplClass();

    InterfaceA ia = impl;
```

```java
        ia.methodA();

        System.out.println();

        InterfaceB ib = impl;
        ib.methodA();
        ib.methodB();

        System.out.println();

        InterfaceC ic = impl;
        ic.methodA();
        ic.methodB();
        ic.methodC();
    }
}
```

실행 결과

```
methodA() 실행

methodA() 실행
methodB() 실행

methodA() 실행
methodB() 실행
methodC() 실행
```

확인문제

1. 인터페이스에 대한 설명으로 틀린 것은 무엇입니까?

❶ 인터페이스로 객체(인스턴스)를 생성할 수 있다.

❷ 인터페이스는 다형성의 주된 기술로 사용된다.

❸ 인터페이스를 구현한 객체는 인터페이스로 동일하게 사용할 수 있다.

❹ 인터페이스를 사용함으로써 객체 교체가 쉬워진다.

2. 인터페이스의 구성 멤버에 대한 설명으로 틀린 것은 무엇입니까?

❶ 인터페이스는 인스턴스 필드가 없고 상수를 멤버로 가진다.

❷ 추상 메소드는 구현 클래스가 재정의해야 하는 멤버이다.

❸ 디폴트 메소드는 구현 클래스에서 재정의할 수 없다.

❹ 정적 멤버는 구현 객체가 없어도 사용할 수 있는 멤버이다.

3. 인터페이스 다형성에 대한 설명으로 틀린 것은 무엇입니까?

❶ 필드가 인터페이스 타입일 경우 다양한 구현 객체를 대입할 수 있다.

❷ 매개변수가 인터페이스 타입일 경우 다양한 구현 객체를 대입할 수 있다.

❸ 배열이 인터페이스 타입일 경우 다양한 구현 객체를 저장할 수 있다.

❹ 구현 객체를 인터페이스 타입으로 변환하려면 강제 타입 변환을 해야 한다.

4. 인터페이스 A를 B와 C가 구현하고 B를 상속해서 D 클래스를, C를 상속해서 E 클래스를 만들었습니다. 다음 빈칸에 들어올 수 있는 것을 모두 선택하세요.

```
//메소드 선언
void method(A a) { … }

//메소드 호출
method(                    );
```

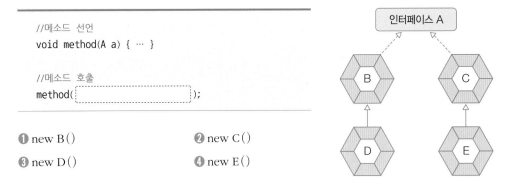

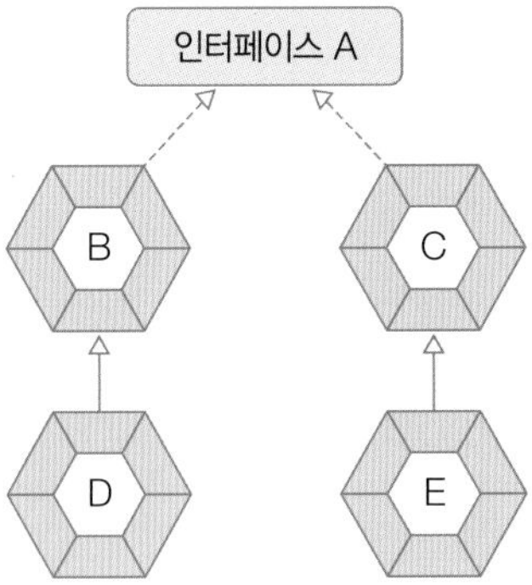

❶ new B()

❷ new C()

❸ new D()

❹ new E()

5. TV 클래스를 실행했을 때 "TV를 켰습니다."라고 출력되도록 밑줄과 박스에 들어갈 코드를 작성해 보세요.

```
public interface Remocon {
  public void powerOn();
}
```

```
public class TV ________________ {
  ┌─────────────────────────────┐
  │                             │
  └─────────────────────────────┘
  public static void main(String[] args) {
    Remocon r = new TV();
    r.powerOn();
  }
}
```

6. Soundable 인터페이스는 다음과 같은 sound() 추상 메소드를 가지고 있습니다. SoundableExample 클래스의 printSound() 메소드는 매개변수 타입으로 Soundable 인터페이스를 가집니다. printSound()를 호출할 때 Cat과 Dog 객체를 주고 실행하면 각각 "야옹"과 "멍멍"이 출력되도록 Cat과 Dog 클래스를 작성해 보세요.

```
public interface Soundable {
  public String sound();
}
```

```
public class SoundableExample {
  public static void printSound(Soundable soundable) {
    System.out.println(soundable.sound());
  }

  public static void main(String[] args) {
    printSound(new Cat());
    printSound(new Dog());
  }
}
```

7. DaoExample 클래스의 main() 메소드에서 dbWork() 메소드를 호출할 때 OracleDao와 MySqlDao 객체를 매개값으로 주고 호출했습니다. dbWork() 메소드는 두 객체를 모두 매개값으로 받기 위해 DataAccessObject 타입의 매개변수를 가지고 있습니다. 실행 결과를 보고 DataAccessObject 인터페이스와 OracleDao, MySqlDao 구현 클래스를 각각 작성해 보세요.

```
public class DaoExample {
  public static void dbWork(DataAccessObject dao) {
    dao.select();
    dao.insert();
    dao.update();
    dao.delete();
  }

  public static void main(String[] args) {
    dbWork(new OracleDao());
    dbWork(new MySqlDao());
  }
}
```

실행 결과

```
Oracle DB에서 검색
Oracle DB에 삽입
Oracle DB를 수정
Oracle DB에서 삭제
MySql DB에서 검색
MySql DB에 삽입
MySql DB를 수정
MySql DB에서 삭제
```

8. 다음과 같이 인터페이스와 클래스가 선언되어 있습니다. action() 메소드를 호출할 때 매개값이 C 객체일 경우에만 method2()가 호출되도록 밑줄에 들어갈 코드를 작성해 보세요.

```
public interface A {
  public void method1();
}
```

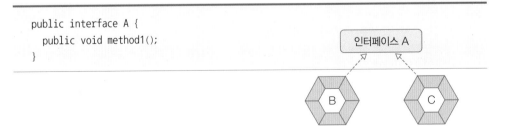

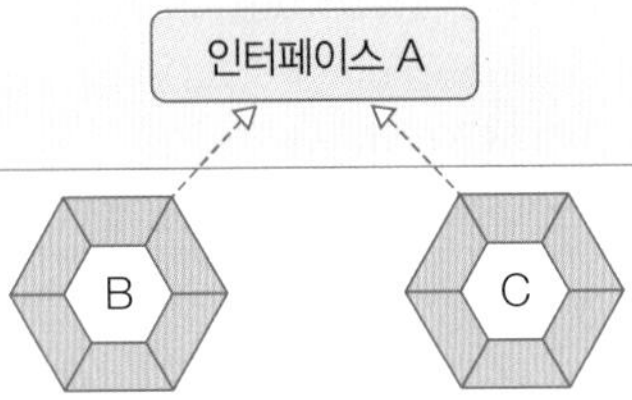

```java
public class B implements A {
  @Override
  public void method1() {
    System.out.println("B - method1()");
  }
}
```

```java
public class C implements A {
  @Override
  public void method1() {
    System.out.println("C - method1()");
  }

  public void method2() {
    System.out.println("C - method2()");
  }
}
```

```java
public class Example {
  public static void action(A a) {
    a.method1();
    if ( _________________________ ) {
      c.method2();
    }
  }

  public static void main(String[] args) {
    action(new B());
    action(new C());
  }
}
```

Chapter 09

중첩 선언과 익명 객체

9.1 중첩 클래스

객체지향 프로그램에서는 클래스 간에 서로 긴밀한 관계를 맺고 상호작용한다. 클래스가 여러 클래스와 관계를 맺는 경우에는 독립적으로 선언하는 것이 좋으나, 특정 클래스만 관계를 맺을 경우에는 중첩 클래스로 선언하는 것이 유지보수에 도움이 되는 경우가 많다.

중첩 클래스Nested Class란 클래스 내부에 선언한 클래스를 말하는데, 중첩 클래스를 사용하면 클래스의 멤버를 쉽게 사용할 수 있고 외부에는 중첩 관계 클래스를 감춤으로써 코드의 복잡성을 줄일 수 있다는 장점이 있다.

중첩 클래스는 선언하는 위치에 따라 두 가지로 분류된다. 클래스의 멤버로서 선언되는 중첩 클래스를 멤버 클래스라고 하고, 메소드 내부에서 선언되는 중첩 클래스를 로컬 클래스라고 한다.

<table>
<tr><th colspan="2">선언 위치에 따른 분류</th><th>선언 위치</th><th>객체 생성 조건</th></tr>
<tr><td rowspan="2">멤버 클래스</td><td>인스턴스
멤버 클래스</td><td><code>class A {
  class B { … }
}</code></td><td>A 객체를 생성해야만
B 객체를 생성할 수 있음</td></tr>
<tr><td>정적
멤버 클래스</td><td><code>class A {
  static class B { … }
}</code></td><td>A 객체를 생성하지 않아도
B 객체를 생성할 수 있음</td></tr>
<tr><td colspan="2">로컬 클래스</td><td><code>class A {
  void method() {
    class B { … }
  }
}</code></td><td>method가 실행할 때만
B 객체를 생성할 수 있음</td></tr>
</table>

중첩 클래스도 하나의 클래스이기 때문에 컴파일하면 바이트코드 파일(.class)이 별도로 생성된다. 멤버 클래스일 경우 바이트코드 파일의 이름은 다음과 같이 결정된다.

```
A $ B .class
```

A: 바깥 클래스, B: 멤버 클래스

로컬 클래스일 경우에는 다음과 같이 $1이 포함된 바이트코드 파일이 생성된다.

```
A $1 B .class
```

A: 바깥 클래스, B: 로컬 클래스

9.2 인스턴스 멤버 클래스

인스턴스 멤버 클래스는 다음과 같이 A 클래스의 멤버로 선언된 B 클래스를 말한다.

```
[public] class A {
  [public | private] class B {
  }
}
```

인스턴스 멤버 클래스

접근 제한자에 따른 인스턴스 멤버 클래스의 접근 범위는 다음과 같다.

구분	접근 범위
public class B { }	다른 패키지에서 B 클래스를 사용할 수 있다.
class B { }	같은 패키지에서만 B 클래스를 사용할 수 있다.
private class B { }	A 클래스 내부에서만 B 클래스를 사용할 수 있다.

인스턴스 멤버 클래스 B는 주로 A 클래스 내부에서 사용되므로 private 접근 제한을 갖는 것이 일반적이다. B 객체는 A 클래스 내부 어디에서나 생성할 수는 없고, 인스턴스 필드값, 생성자, 인스턴스 메소드에서 생성할 수 있다. A 객체가 있어야 B 객체도 생성할 수 있기 때문이다.

>>> A.java

```java
package ch09.sec02.exam01;

public class A {
  //인스턴스 멤버 클래스
  class B {}

  //인스턴스 필드값으로 B 객체 대입
  B field = new B();

  //생성자
  A() {
    B b = new B();
  }

```

```java
    //인스턴스 메소드
    void method() {
      B b = new B();
    }
  }
```

B 객체를 A 클래스 외부에 생성하려면 default 또는 public 접근 제한을 가져야 하고, A 객체를 먼저 생성한 다음 B 객체를 생성해야 한다.

```java
A a = new A();
A.B b = a.new B();
```

>>> **AExample.java**

```java
package ch09.sec02.exam01;

public class AExample {
  public static void main(String[] args) {
    //A 객체 생성
    A a = new A();

    //B 객체 생성
    A.B b = a.new B();
  }
}
```

인스턴스 멤버 클래스 B 내부에는 일반 클래스와 같이 필드, 생성자, 메소드 선언이 올 수 있다. 정적 필드와 정적 메소드는 Java 17부터 선언이 가능하다.

>>> **A.java**

```java
package ch09.sec02.exam02;

public class A {
  //인스턴스 멤버 클래스
  class B {
    //인스턴스 필드
    int field1 = 1;

    //정적 필드(Java 17부터 허용)
    static int field2 = 2;

    //생성자
    B() {
      System.out.println("B-생성자 실행");
    }

    //인스턴스 메소드
    void method1() {
      System.out.println("B-method1 실행");
    }

    //정적 메소드(Java 17부터 허용)
    static void method2() {
      System.out.println("B-method2 실행");
    }
  }

  //인스턴스 메소드
  void useB() {
    //B 객체 생성 및 인스턴스 필드 및 메소드 사용
    B b = new B();
    System.out.println(b.field1);
    b.method1();

    //B 클래스의 정적 필드 및 메소드 사용
    System.out.println(B.field2);
    B.method2();
  }
}
```

>>> AExample.java

```java
package ch09.sec02.exam02;

public class AExample {
  public static void main(String[] args) {
    //A 객체 생성
    A a = new A();

    //A 인스턴스 메소드 호출
    a.useB();
  }
}
```

실행 결과

```
B-생성자 실행
1
B-method1 실행
2
B-method2 실행
```

9.3 정적 멤버 클래스

정적 멤버 클래스는 다음과 같이 static 키워드와 함께 A 클래스의 멤버로 선언된 B 클래스를 말한다.

```
[public] class A {
  [public | private] static class B {
  }
}
```

정적 멤버 클래스

접근 제한자에 따른 정적 멤버 클래스의 접근 범위는 다음과 같다.

구분	접근 범위
public static class B { }	다른 패키지에서 B 클래스를 사용할 수 있다.
static class B { }	같은 패키지에서만 B 클래스를 사용할 수 있다.
private static class B { }	A 클래스 내부에서만 B 클래스를 사용할 수 있다.

정적 멤버 클래스 B는 A 클래스 내부에서 사용되기도 하지만, A 클래스 외부에서 A와 함께 사용되는 경우가 많기 때문에 주로 default 또는 public 접근 제한을 가진다. B 객체는 A 클래스 내부 어디든 객체를 생성할 수 있다.

>>> **A.java**

```
package ch09.sec03.exam01;

public class A {
  //정적 멤버 클래스
  static class B {}

  //인스턴스 필드값으로 B 객체 대입
  B field1 = new B();

  //정적 필드값으로 B 객체 대입
  static B field2 = new B();

  //생성자
  A() {
    B b = new B();
  }

  //인스턴스 메소드
  void method1() {
    B b = new B();
  }

  //정적 메소드
  static void method2() {
    B b = new B();
  }
}
```

A 클래스 외부에서 B 객체를 생성하려면 A 객체 생성 없이 A 클래스로 접근해서 B 객체를 생성할 수 있다.

```
A.B b = new A.B();
```

>>> **AExample.java**

```java
package ch09.sec03.exam01;

public class AExample {
  public static void main(String[] args) {
    //B 객체 생성
    A.B b = new A.B();
  }
}
```

정적 멤버 클래스 B 내부에는 일반 클래스와 같이 필드, 생성자, 메소드 선언이 올 수 있다.

>>> **A.java**

```java
package ch09.sec03.exam02;

public class A {
  //정적 멤버 클래스
  static class B {
    //인스턴스 필드
    int field1 = 1;

    //정적 필드(Java 17부터 허용)
    static int field2 = 2;

    //생성자
    B() {
      System.out.println("B-생성자 실행");
    }

    //인스턴스 메소드
    void method1() {
      System.out.println("B-method1 실행");
    }

    //정적 메소드(Java 17부터 허용)
    static void method2() {
```

```java
            System.out.println("B-method2 실행");
        }
    }
}
```

>>> **AExample.java**

```java
package ch09.sec03.exam02;

public class AExample {
  public static void main(String[] args) {
    //B 객체 생성 및 인스턴스 필드 및 메소드 사용
    A.B b = new A.B();
    System.out.println(b.field1);
    b.method1();

    //B 클래스의 정적 필드 및 메소드 사용
    System.out.println(A.B.field2);
    A.B.method2();
  }
}
```

실행 결과

```
B-생성자 실행
1
B-method1 실행
2
B-method2 실행
```

9.4 로컬 클래스

생성자 또는 메소드 내부에서 다음과 같이 선언된 클래스를 로컬local 클래스라고 한다.

```
[public] class A {
  //생성자
  public A() {
    class B { }
  }

  //메소드
  public void method() {
    class B { }
  }
}
```

로컬 클래스

로컬 클래스는 생성자와 메소드가 실행될 동안에만 객체를 생성할 수 있다.

>>> **A.java**

```java
package ch09.sec04.exam01;

public class A {
  //생성자
  A() {
    //로컬 클래스 선언
    class B { }

    //로컬 객체 생성
    B b = new B();
  }

  //메소드
  void method() {
    //로컬 클래스 선언
    class B { }

    //로컬 객체 생성
    B b = new B();
  }
}
```

로컬 클래스 B 내부에는 일반 클래스와 같이 필드, 생성자, 메소드 선언이 올 수 있다. 정적 필드와 정적 메소드는 Java 17부터 선언이 가능하다.

>>> **A.java**

```
package ch09.sec04.exam02;

public class A {
  //메소드
  void useB() {
    //로컬 클래스
    class B {
      //인스턴스 필드
      int field1 = 1;

      //정적 필드(Java 17부터 허용)
      static int field2 = 2;

      //생성자
      B() {
        System.out.println("B-생성자 실행");
      }

      //인스턴스 메소드
      void method1() {
        System.out.println("B-method1 실행");
      }

      //정적 메소드(Java 17부터 허용)
      static void method2() {
        System.out.println("B-method2 실행");
      }
    }

    //로컬 객체 생성
    B b = new B();

    //로컬 객체의 인스턴스 필드와 메소드 사용
    System.out.println(b.field1);
    b.method1();
```

```java
        //로컬 클래스의 정적 필드와 메소드 사용(Java 17부터 허용)
        System.out.println(B.field2);
        B.method2();
    }
}
```

>>> **AExample.java**

```java
package ch09.sec04.exam02;

public class AExample {
  public static void main(String[] args) {
    //A 객체 생성
    A a = new A();

    //A 메소드 호출
    a.useB();
  }
}
```

실행 결과

```
B-생성자 실행
1
B-method1 실행
2
B-method2 실행
```

로컬 변수(생성자 또는 메소드의 매개변수 또는 내부에서 선언된 변수)를 로컬 클래스에서 사용할 경우 로컬 변수는 final 특성을 갖게 되므로 값을 읽을 수만 있고 수정할 수 없게 된다. 이것은 로컬 클래스 내부에서 값을 변경하지 못하도록 제한하기 때문이다.

Java 8 이후부터는 명시적으로 final 키워드를 붙이지 않아도 되지만, 로컬 변수에 final 키워드를 추가해서 final 변수임을 명확히 할 수도 있다. 참고로 Java 7 이전에는 final 키워드를 반드시 붙여야 했다.

>>> **A.java**

```java
package ch09.sec04.exam03;

public class A {
  //메소드
  public void method1(int arg) {   //final int arg
    //로컬 변수
    int var = 1;                   //final int var = 1;

    //로컬 클래스
    class B {
      //메소드
      void method2() {
        //로컬 변수 읽기
        System.out.println("arg: " + arg);  //(o)
        System.out.println("var: " + var);  //(o)

        //로컬 변수 수정
        //arg = 2;    //(x)
        //var = 2;    //(x)
      }
    }

    //로컬 객체 생성
    B b = new B();
    //로컬 객체 메소드 호출
    b.method2();

    //로컬 변수 수정
    //arg = 3;    //(x)
    //var = 3;    //(x)
  }
}
```

9.5 바깥 멤버 접근

중첩 클래스는 바깥 클래스와 긴밀한 관계를 맺으면서 바깥 클래스의 멤버(필드, 메소드)에 접근할 수 있다. 하지만 중첩 클래스가 어떻게 선언되었느냐에 따라 접근 제한이 있을 수 있다.

바깥 클래스의 멤버 접근 제한

정적 멤버 클래스 내부에서는 바깥 클래스의 필드와 메소드를 사용할 때 제한이 따른다.

구분	바깥 클래스의 사용 가능한 멤버
인스턴스 멤버 클래스	바깥 클래스의 모든 필드와 메소드
정적 멤버 클래스	바깥 클래스의 정적 필드와 정적 메소드

정적 멤버 클래스는 바깥 객체가 없어도 사용 가능해야 하므로 바깥 클래스의 인스턴스 필드와 인스턴스 메소드는 사용하지 못한다.

››› A.java

```java
package ch09.sec05.exam01;

public class A {
  //A의 인스턴스 필드와 메소드
  int field1;
  void method1() { }

  //A의 정적 필드와 메소드
  static int field2;
  static void method2() { }

  //인스턴스 멤버 클래스
  class B {
    void method() {
      //A의 인스턴스 필드와 메소드 사용
      field1 = 10;     //(o)
      method1();       //(o)
      //A의 정적 필드와 메소드 사용
```

```
      field2 = 10;     //(o)
      method2();       //(o)
    }
  }

  //정적 멤버 클래스
  static class C {
    void method() {
      //A의 인스턴스 필드와 메소드 사용
      //field1 = 10;    //(x)
      //method1();      //(x)
      //A의 정적 필드와 메소드 사용
      field2 = 10;     //(o)
      method2();       //(o)
    }
  }
}
```

바깥 클래스의 객체 접근

중첩 클래스 내부에서 this는 해당 중첩 클래스의 객체를 말한다. 만약 중첩 클래스 내부에서 바깥 클래스의 객체를 얻으려면 바깥 클래스 이름에 this를 붙여 주면 된다.

```
바깥클래스이름.this  ➜ 바깥객체
```

다음 예제는 중첩 클래스와 바깥 클래스가 동일한 이름의 인스턴스 필드와 메소드를 가지고 있을 경우, 바깥 객체 소속의 필드와 메소드를 사용하는 방법을 보여 준다.

>>> **A.java**

```
package ch09.sec05.exam02;

public class A {
  //A 인스턴스 필드
```

```java
    String field = "A-field";

    //A 인스턴스 메소드
    void method() {
      System.out.println("A-method");
    }

    //인스턴스 멤버 클래스
    class B {
      //B 인스턴스 필드
      String field = "B-field";

      //B 인스턴스 메소드
      void method() {
        System.out.println("B-method");
      }

      //B 인스턴스 메소드
      void print() {
        //B 객체의 필드와 메소드 사용
        System.out.println(this.field);
        this.method();

        //A 객체의 필드와 메소드 사용
        System.out.println(A.this.field);
        A.this.method();
      }
    }

    //A의 인스턴스 메소드
    void useB() {
      B b = new B();
      b.print();
    }
  }
```

>>> **AExample.java**

```java
package ch09.sec05.exam02;

public class AExample {
  public static void main(String[] args) {
    //A 객체 생성
    A a = new A();

    //A 메소드 호출
    a.useB();
  }
}
```

실행 결과

```
B-field
B-method
A-field
A-method
```

9.6 중첩 인터페이스

중첩 인터페이스는 클래스의 멤버로 선언된 인터페이스를 말한다. 인터페이스를 클래스 내부에 선언하는 이유는 해당 클래스와 긴밀한 관계를 맺는 구현 객체를 만들기 위해서이다. 중첩 인터페이스는 다음과 같이 선언된다.

```java
class A {
  [public | private] [static] interface B {
    //상수 필드
    //추상 메소드
    //디폴트 메소드
    //정적 메소드
  }
}
```

중첩 인터페이스

외부의 접근을 막지 않으려면 public을 붙이고, A 클래스 내부에서만 사용하려면 private을 붙인다. 접근 제한자를 붙이지 않으면 같은 패키지 안에서만 접근이 가능하다. 그리고 중첩 인터페이스는 암시적으로 static이므로 static을 생략해도 항상 A 객체 없이 B 인터페이스를 사용할 수 있다.

중첩 인터페이스는 안드로이드와 같은 UI 프로그램에서 이벤트를 처리할 목적으로 많이 활용된다. 예를 들어 버튼을 클릭했을 때 이벤트를 처리할 객체는 중첩 인터페이스를 구현해서 만든다. 다음 예제를 따라 작성하면서 이해해 보자.

>>> **Button.java**

```java
package ch09.sec06.exam01;

public class Button {
  //정적 중첩 인터페이스
  public static interface ClickListener {
    //추상 메소드
    void onClick();
  }
}
```

중첩 인터페이스 선언

외부에서 접근이 가능하도록 public이면서 Button 객체 없이 사용할 수 있는 static 중첩 인터페이스로 ClickListener를 선언했다. 그리고 추상 메소드인 onClick()을 선언했다. onClick() 메소드는 버튼이 클릭되었을 때 호출될 메소드이다.

Button 클래스에 ClickListener 타입의 필드와 Setter를 추가해서 외부에서 Setter를 통해 ClickListener 구현 객체를 필드에 저장할 수 있도록 하자.

>>> **Button.java**

```java
package ch09.sec06.exam02;

public class Button {
  //정적 멤버 인터페이스
  public static interface ClickListener {
    //추상 메소드
```

```java
    void onClick(); }

  //필드
  private ClickListener clickListener;

  //메소드
  public void setClickListener(ClickListener clickListener) {
    this.clickListener = clickListener;
  }
}
```

ClickListener 구현 객체

중첩 인터페이스 타입으로 필드와 Setter 선언

Button이 클릭되었을 때 실행할 메소드로 click()을 다음과 같이 추가한다. 실행 내용은 ClickListener 인터페이스 필드를 이용해서 onClick() 추상 메소드를 호출한다.

>>> **Button.java**

```java
package ch09.sec06.exam03;

public class Button {
  //정적 멤버 인터페이스
  public static interface ClickListener {
    //추상 메소드
    void onClick();
  }

  //필드
  private ClickListener clickListener;

  //메소드
  public void setClickListener(ClickListener clickListener) {
    this.clickListener = clickListener;
  }

  public void click() {
    this.clickListener.onClick();
  }
}
```

Button이 클릭되었을 때 실행하는 메소드 선언

11라인의 ClickListener 필드는 14라인에서 Setter를 통해 제공된 ClickListener 구현 객체의 참조를 갖고 있다. 따라서 19라인에서 onClick() 메소드를 호출하면 ClickListener 구현 객체의 onClick() 메소드가 실행된다. 이제 버튼을 이용하는 실행 클래스를 작성해 보자.

>>> **ButtonExample.java**

```java
package ch09.sec06.exam03;

public class ButtonExample {
  public static void main(String[] args) {
    //Ok 버튼 객체 생성
    Button btnOk = new Button();

    //Ok 버튼 클릭 이벤트를 처리할 ClickListener 구현 클래스(로컬 클래스)
    class OkListener implements Button.ClickListener {
      @Override
      public void onClick() {
        System.out.println("Ok 버튼을 클릭했습니다.");
      }
    }

    //Ok 버튼 객체에 ClickListener 구현 객체 주입
    btnOk.setClickListener(new OkListener());

    //Ok 버튼 클릭하기
    btnOk.click();

    //-----------------------------------------------------------------

    //Cancel 버튼 객체 생성
    Button btnCancel = new Button();

    //Cancel 버튼 클릭 이벤트를 처리할 ClickListener 구현 클래스(로컬 클래스)
    class CancelListener implements Button.ClickListener {
      @Override
      public void onClick() {
        System.out.println("Cancel 버튼을 클릭했습니다.");
      }
    }
```

```
34
35         //Cancel 버튼 객체에 ClickListener 구현 객체 주입
36         btnCancel.setClickListener(new CancelListener());
37
38         //Cancel 버튼 클릭하기
39         btnCancel.click();
40     }
41 }
```

실행 결과

```
Ok 버튼을 클릭했습니다.
Cancel 버튼을 클릭했습니다.
```

9~14, 28~33라인은 버튼 이벤트를 처리할 ClickListener 구현 클래스로, onClick() 메소드를 재정의해서 버튼이 클릭되었을 때 해야할 일을 코딩한다. 17라인과 36라인은 버튼이 앞으로 클릭되었을 때 처리를 담당할 ClickListener 구현 객체를 설정하는 코드이다.

UI 프로그램에서는 마우스로 버튼을 클릭하지만, 이 예제는 20라인과 39라인에서 click() 메소드를 호출하였다. 이 메소드가 호출되면 버튼에 설정된 ClickListener 구현 객체의 onClick() 메소드가 실행된다. 버튼에 어떤 ClickListener 구현 객체가 설정되었느냐에 따라 실행 결과는 달라진다(다형성).

9.7 익명 객체

익명anonymous 객체는 이름이 없는 객체를 말한다. 명시적으로 클래스를 선언하지 않기 때문에 쉽게 객체를 생성할 수 있다는 장점이 있다. 익명 객체는 필드값, 로컬 변수값, 매개변수값으로 주로 사용된다.

익명 객체는 클래스를 상속하거나 인터페이스를 구현해야만 생성할 수 있다. 클래스를 상속해서 만들 경우 익명 자식 객체라고 하고, 인터페이스를 구현해서 만들 경우 익명 구현 객체라고 한다.

익명 자식 객체

익명 자식 객체는 부모 클래스를 상속받아 다음과 같이 생성된다. 이렇게 생성된 객체는 부모 타입의 필드, 로컬 변수, 매개변수의 값으로 대입할 수 있다.

```
new 부모생성자(매개값, …) {
  //필드
  //메소드
}
```

중괄호 블록 안의 필드와 메소드는 익명 자식 객체가 가져야 할 멤버로, 중괄호 블록 안에서만 사용할 수 있다. 익명 자식 객체는 부모 타입에 대입되므로 부모 타입에 선언된 멤버만 접근할 수 있기 때문이다. 중괄호 블록 안에는 주로 부모 메소드를 재정의하는 코드가 온다.

다음 예제는 Tire 클래스의 익명 자식 객체를 생성해서 필드, 로컬 변수, 매개변수의 값으로 사용하는 방법을 보여 준다. Tire 클래스는 roll() 메소드를 가지고 있지만, 익명 자식 객체는 roll()을 재정의해 실행 내용을 변경한다(다형성).

>>> **Tire.java**

```
package ch09.sec07.exam01;

public class Tire {
  public void roll() {
    System.out.println("일반 타이어가 굴러갑니다.");
  }
}
```

>>> **Car.java**

```
package ch09.sec07.exam01;

public class Car {
  //필드에 Tire 객체 대입
  private Tire tire1 = new Tire();
```

```java
    //필드에 익명 자식 객체 대입
    private Tire tire2 = new Tire() {
      @Override
      public void roll() {
        System.out.println("익명 자식 Tire 객체 1이 굴러갑니다.");
      }
    };

    //메소드(필드 이용)
    public void run1() {
      tire1.roll();
      tire2.roll();
    }

    //메소드(로컬 변수 이용)
    public void run2() {
      //로컬 변수에 익명 자식 객체 대입
      Tire tire = new Tire() {
        @Override
        public void roll() {
          System.out.println("익명 자식 Tire 객체 2가 굴러갑니다.");
        }
      };
      tire.roll();
    }

    //메소드(매개변수 이용)
    public void run3(Tire tire) {
      tire.roll();
    }
  }
```

>>> CarExample.java

```java
  package ch09.sec07.exam01;

  public class CarExample {
```

```
    public static void main(String[] args) {
      //Car 객체 생성
      Car car = new Car();

      //익명 자식 객체가 대입된 필드 사용
      car.run1();

      //익명 자식 객체가 대입된 로컬변수 사용
      car.run2();

      //익명 자식 객체가 대입된 매개변수 사용
      car.run3(new Tire() {
        @Override
        public void roll() {
          System.out.println("익명 자식 Tire 객체 3이 굴러갑니다.");
        }
      });
    }
  }
```

실행 결과

```
일반 타이어가 굴러갑니다.
익명 자식 Tire 객체 1이 굴러갑니다.
익명 자식 Tire 객체 2가 굴러갑니다.
익명 자식 Tire 객체 3이 굴러갑니다.
```

익명 자식 객체가 부모 타입에 대입되면 부모 메소드 roll()을 호출할 경우, 재정의된 익명 자식 객체의 roll() 메소드가 실행되는 것을 볼 수 있다(다형성).

익명 구현 객체

익명 구현 객체는 인터페이스를 구현해서 다음과 같이 생성된다. 이렇게 생성된 객체는 인터페이스 타입의 필드, 로컬변수, 매개변수의 값으로 대입할 수 있다. 익명 구현 객체는 안드로이드와 같은 UI 프로그램에서 이벤트를 처리하는 객체로 많이 사용된다.

```
new 인터페이스() {
  //필드
  //메소드
}
```

중괄호 블록 안의 필드와 메소드는 익명 구현 객체가 가져야 할 멤버로, 중괄호 블록 안에서만 사용할 수 있다. 그 이유는 익명 구현 객체는 인터페이스 타입에 대입되므로 인터페이스 타입에 선언된 멤버만 접근할 수 있기 때문이다. 중괄호 블록 안에는 주로 인터페이스의 추상 메소드를 재정의하는 코드가 온다.

다음 예제는 RemoteControl 인터페이스의 익명 구현 객체를 생성해서 필드, 로컬 변수, 매개변수 값으로 사용하는 방법을 보여 준다. 익명 구현 객체는 roll() 메소드를 재정의해서 실행 내용을 가지고 있다(다형성).

>>> **RemoteControl.java**

```java
package ch09.sec07.exam02;

public interface RemoteControl {
  //추상 메소드
  void turnOn();
  void turnOff();
}
```

>>> **Home.java**

```java
package ch09.sec07.exam02;

public class Home {
  //필드에 익명 구현 객체 대입
  private RemoteControl rc = new RemoteControl() {
    @Override
    public void turnOn() {
      System.out.println("TV를 켭니다.");
    }
```

```java
    @Override
    public void turnOff() {
      System.out.println("TV를 끕니다.");
    }
  };

  //메소드(필드 이용)
  public void use1() {
    rc.turnOn();
    rc.turnOff();
  }

  //메소드(로컬 변수 이용)
  public void use2() {
    //로컬 변수에 익명 구현 객체 대입
    RemoteControl rc = new RemoteControl() {
      @Override
      public void turnOn() {
        System.out.println("에어컨을 켭니다.");
      }
      @Override
      public void turnOff() {
        System.out.println("에어컨을 끕니다.");
      }
    };
    rc.turnOn();
    rc.turnOff();
  }

  //메소드(매개변수 이용)
  public void use3(RemoteControl rc) {
    rc.turnOn();
    rc.turnOff();
  }
}
```

>>> **HomeExample.java**

```java
package ch09.sec07.exam02;

public class HomeExample {
  public static void main(String[] args) {
    //Home 객체 생성
    Home home = new Home();

    //익명 구현 객체가 대입된 필드 사용
    home.use1();

    //익명 구현 객체가 대입된 로컬 변수 사용
    home.use2();

    //익명 구현 객체가 대입된 매개변수 사용
    home.use3(new RemoteControl() {
      @Override
      public void turnOn() {
        System.out.println("난방을 켭니다.");
      }
      @Override
      public void turnOff() {
        System.out.println("난방을 끕니다.");
      }
    });
  }
}
```

실행 결과

```
TV를 켭니다.
TV를 끕니다.
에어컨을 켭니다.
에어컨을 끕니다.
난방을 켭니다.
난방을 끕니다.
```

다음 예제는 9.6 중첩 인터페이스의 예제를 수정한 것으로, 버튼 이벤트 처리 객체를 익명 구현 객체로 대체한 것이다. Setter를 호출할 때 매개값으로 ClickListener 익명 구현 객체를 대입했다. 명시적인 구현 클래스를 생성하지 않기 때문에 코드가 간결해진 것을 볼 수 있다.

>>> **ButtonExample.java**

```java
package ch09.sec07.exam03;

public class ButtonExample {
  public static void main(String[] args) {
    //Ok 버튼 객체 생성
    Button btnOk = new Button();

    //Ok 버튼 객체에 ClickListener 구현 객체 주입
    btnOk.setClickListener(new Button.ClickListener() {
      @Override
      public void onClick() {
        System.out.println("Ok 버튼을 클릭했습니다.");
      }
    });

    //Ok 버튼 클릭하기
    btnOk.click();

    //-----------------------------------------------------------------------

    //Cancel 버튼 객체 생성
    Button btnCancel = new Button();

    //Cancel 버튼 객체에 ClickListener 구현 객체 주입
    btnCancel.setClickListener(new Button.ClickListener() {
      @Override
      public void onClick() {
        System.out.println("Cancel 버튼을 클릭했습니다.");
      }
    });

    //Cancel 버튼 클릭하기
    btnCancel.click();
```

```
        }
    }
```

실행 결과

```
Ok 버튼을 클릭했습니다.
Cancel 버튼을 클릭했습니다.
```

확인문제

1. 중첩 멤버 클래스에 대한 설명으로 틀린 것은 무엇입니까?

❶ 인스턴스 멤버 클래스는 바깥 클래스의 객체가 있어야 사용될 수 있다.

❷ 정적 멤버 클래스는 바깥 클래스의 객체가 없어도 사용될 수 있다.

❸ 인스턴스 멤버 클래스 내부에는 바깥 클래스의 모든 필드와 메소드를 사용할 수 있다.

❹ 정적 멤버 클래스 내부에는 바깥 클래스의 인스턴스 필드를 사용할 수 있다.

2. 로컬 클래스에 대한 설명으로 틀린 것은 무엇입니까?

❶ 로컬 클래스는 메소드 내부에 선언된 클래스를 말한다.

❷ 로컬 클래스는 바깥 클래스의 필드와 메소드를 사용할 수 있다.

❸ 로컬 클래스는 static 키워드를 이용해서 정적 클래스로 만들 수 있다.

❹ final 특성을 가진 매개변수나 로컬 변수만 로컬 클래스 내부에서 사용할 수 있다.

3. 익명 객체에 대한 설명으로 틀린 것은 무엇입니까?

❶ 익명 객체는 클래스를 상속하거나 인터페이스를 구현해야만 생성될 수 있다.

❷ 익명 객체는 필드, 매개변수, 로컬 변수의 초기값으로 주로 사용된다.

❸ 익명 객체에는 생성자를 선언할 수 있다.

❹ 익명 객체는 주로 재정의된 메소드를 멤버로 가진다.

4. 다음과 같이 Car 클래스 내부에 Tire와 Engine 클래스가 멤버로 선언되어 있습니다. CarExample 클래스에서 Tire와 Engine 객체를 생성하는 코드를 작성해 보세요.

```
public class Car {
  class Tire {}
  static class Engine {}
}
```

```
public class CarExample {
  public static void main(String[] args) {
    Car myCar = new Car();
    Car.Tire tire = ________________________;
    Car.Engine engine = ________________________;
  }
}
```

5. Action 인터페이스는 다음과 같이 work() 추상 메소드를 가지고 있습니다. ActionExample 클래스의 main() 메소드에서 Action의 익명 구현 객체를 만들어 실행 결과와 동일하게 나오도록 박스 안에 들어갈 코드를 작성해 보세요.

```
public interface Action {
  public void work();
}
```

```
public class ActionExample {
  public static void main(String[] args) {
    Action action = [                    ]

    action.work();
  }
}
```

실행 결과

```
복사를 합니다.
```

6. AnonymousExample 클래스의 실행 결과를 보고, Vehicle 인터페이스의 익명 구현 객체를 필드와 로컬 변수의 초기값 그리고 메소드의 매개값으로 대입해 보세요.

```
public interface Vehicle {
  public void run();
}
```

```
public class Anonymous {
  Vehicle field = [                    ]

  void method1() {
    Vehicle localVar = [                    ]
```

확인문제

```
    localVar.run();
  }

  void method2(Vehicle v) {
    v.run();
  }
}
```

```
public class AnonymousExample {
  public static void main(String[] args) {
    Anonymous anony = new Anonymous();
    anony.field.run();
    anony.method1();
    anony.method2(



    );
  }
}
```

실행 결과

```
자전거가 달립니다.
승용차가 달립니다.
트럭이 달립니다.
```

7. 다음 Chatting 클래스는 컴파일 에러가 발생합니다. 원인을 설명해 보세요.

```
public class Chatting {
  class Chat {
    void start() {}
    void sendMessage(String message) {}
  }

  void startChat(String chatId) {
    String nickName = null;
    nickName = chatId;

    Chat chat = new Chat() {
      @Override
      public void start() {
        while(true) {
          String inputData = "안녕하세요";
          String message = "[" + nickName + "] " + inputData;
          sendMessage(message);
        }
      }
    };

    chat.start();
  }
}
```

Chapter

10

라이브러리와 모듈

10.1 라이브러리

라이브러리library는 프로그램 개발 시 활용할 수 있는 클래스와 인터페이스들을 모아놓은 것을 말한다. 일반적으로 JARJava ARchive 압축 파일(*.jar) 형태로 존재한다. JAR 파일에는 클래스와 인터페이스의 바이트코드 파일(*.class)들이 압축되어 있다.

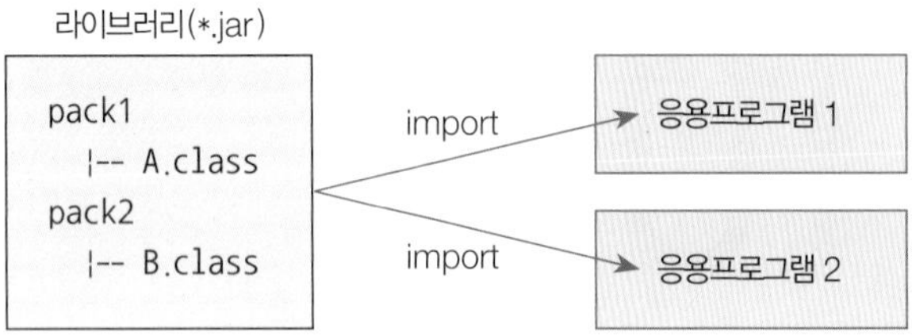

특정 클래스와 인터페이스가 여러 응용프로그램을 개발할 때 공통으로 자주 사용된다면 JAR 파일로 압축해서 라이브러리로 관리하는 것이 좋다. 참고로 이클립스는 Java Project를 생성해서 클래스와 인터페이스를 개발하고 최종 산출물로 JAR 파일을 만드는 기능이 있다.

프로그램 개발 시 라이브러리를 이용하려면 라이브러리 JAR 파일을 ClassPath에 추가해야 한다. ClassPath란 말 그대로 클래스를 찾기 위한 경로이다. ClassPath에 라이브러리를 추가하는 방법은 다음과 같다.

- **콘솔(명령 프롬프트 또는 터미널)에서 프로그램을 실행할 경우**
  - java 명령어를 실행할 때 -classpath로 제공
  - CLASSPATH 환경 변수에 경로를 추가
- **이클립스 프로젝트에서 실행할 경우**
  - 프로젝트의 Build Path에 추가

라이브러리를 생성하고 프로그램에서 이용하는 방법을 실습을 통해 알아보자.

my_lib 라이브러리 프로젝트 생성

01 이클립스 메뉴에서 [File] – [New] – [Java Project]를 선택한다. Create a Java Project 대화상자가 나타나면 다음과 같이 입력하고 [Finish] 버튼을 클릭한다.

```
Project name: my_lib
Module: [체크안함] Create module-info.java file (중요)
```

02 Package Explorer 뷰에서 src 폴더를 선택하고 마우스 오른쪽 버튼을 클릭하여 [New] – [Package]로 pack1과 pack2 패키지를 생성한다. 그리고 그 밑에 각각 A와 B 클래스를 다음과 같이 작성한다.

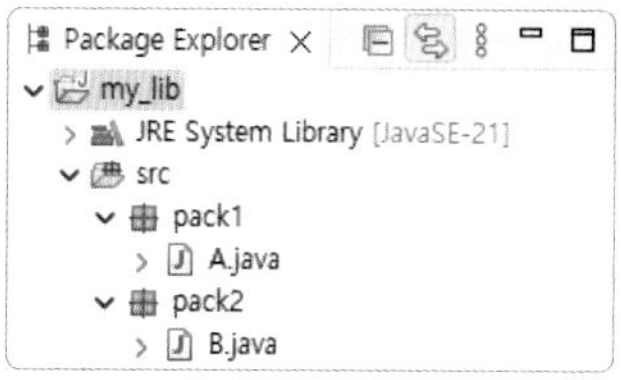

>>> **A.java**

```java
package pack1;

public class A {
  //메소드 선언
  public void method() {
    System.out.println("A-method 실행");
  }
}
```

>>> **B.java**

```java
package pack2;

public class B {
  //메소드 선언
  public void method() {
    System.out.println("B-method 실행");
  }
}
```

03 Package Explorer 뷰에서 my_lib 프로젝트를 선택하고 마우스 오른쪽 버튼으로 클릭하여 [New] – [Folder]를 선택해 이름이 dist인 폴더를 생성한다.

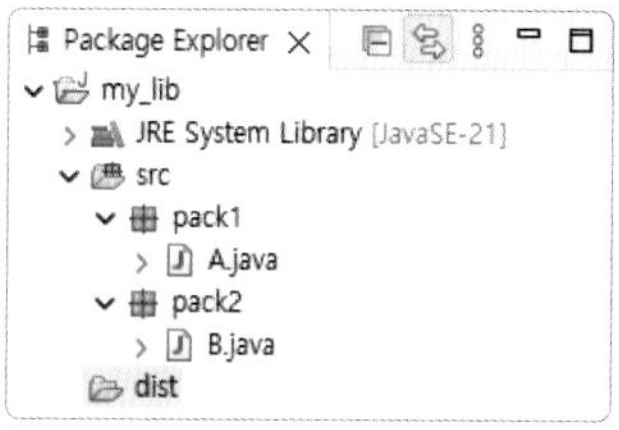

04 my_lib 프로젝트를 선택하고 마우스 오른쪽 버튼으로 클릭해 [Export]를 선택한다. Export 대화상자의 Select an export wizard에서 Java 항목을 확장하면 보이는 JAR file을 선택한 후 [Next] 버튼을 클릭한다.

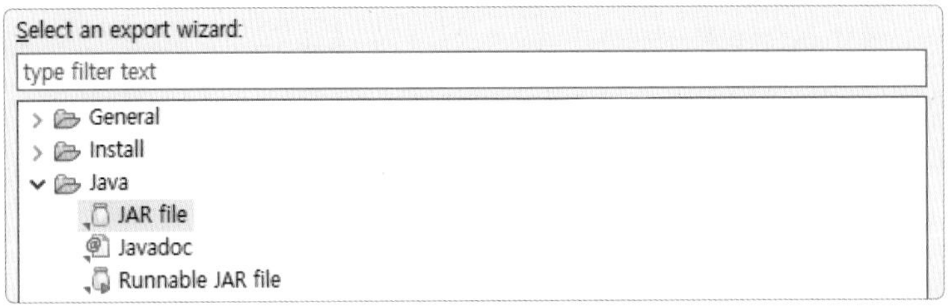

05 Select the resources to export에서 my_lib를 확장한 후 그 안에 있는 src 폴더만 체크하고 나머지는 모두 체크 해제한다.

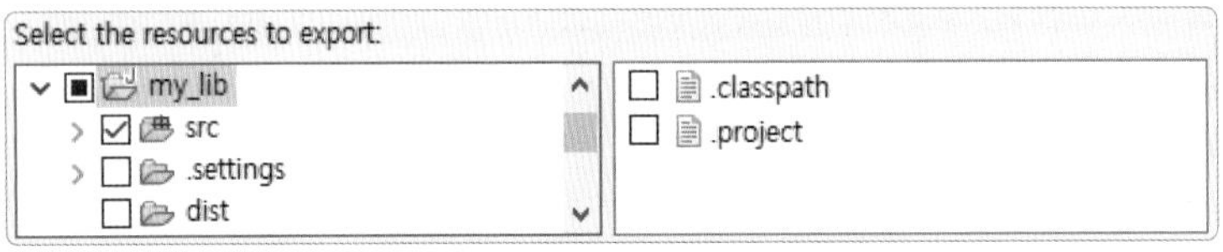

06 Select the export destination에서 [Browse] 버튼을 클릭하고, my_lib 프로젝트의 dist 폴더로 이동한다. 파일 이름은 'my_lib.jar'로 입력하고 [저장]과 [Finish] 버튼을 클릭한다.

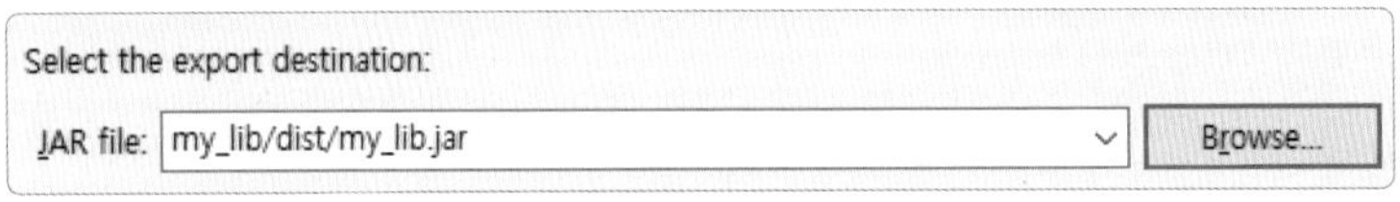

07 Package Explorer 뷰에서 my_lib 프로젝트를 선택하고 마우스 오른쪽 버튼으로 클릭해 [Refresh]를 선택한다. 그리고 다음과 같이 구조가 생성되었는지 확인한다.

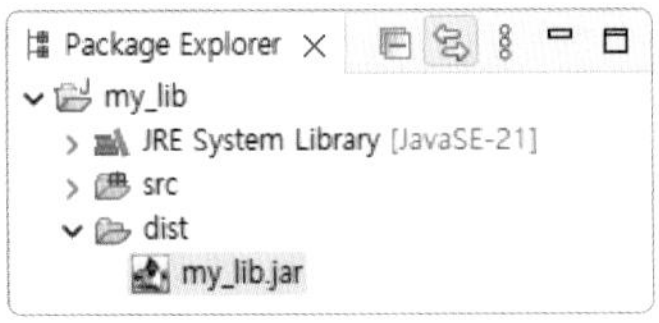

my_application_1 프로젝트 생성

01 이클립스 메뉴에서 [File] – [New] – [Java Project]를 선택한다. Create a Java Project 대화상자가 나타나면 다음과 같이 입력하고 [Finish] 버튼을 클릭한다.

```
Project name: my_application_1
Module: [체크안함] Create module-info.java file (중요)
```

02 my_application_1 프로젝트를 이클립스에서 컴파일할 때와 실행할 때 라이브러리 파일인 my_lib.jar을 사용하기 위해 Build Path에 추가해 보자. Package Explorer 뷰에서 my_application_1 프로젝트를 선택하고 마우스 오른쪽 버튼으로 클릭해 [Build Path] – [Configure Build Path]를 선택한다.

03 [Libraries] 탭에 들어가 JARs and class folders on the build path에서 Classpath 항목을 선택하고 [Add External JARs] 버튼을 클릭한다. my_lib 프로젝트의 dist 폴더에 있는 my_lib.jar 파일을 선택하고 [열기]와 [Apply and Close] 버튼을 클릭한다. 다시 Package Explorer 뷰에서 my_application_1 프로젝트를 선택하고 [Build Path] – [Configure Build Path]를 선택하면 다음과 같이 라이브러리 파일이 등록된 것을 볼 수 있다.

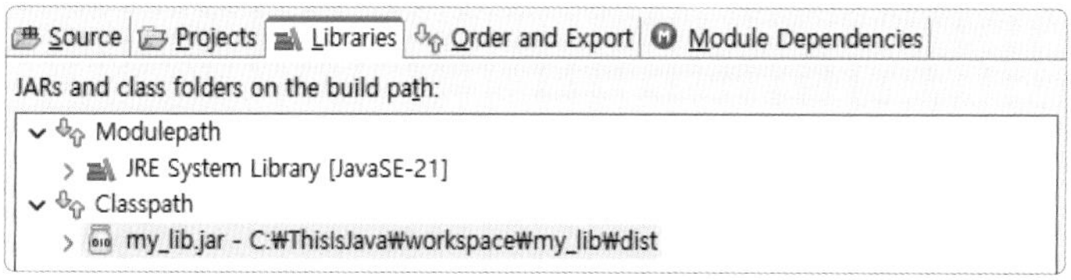

여기서 잠깐

라이브러리 프로젝트를 직접 Build Path에 추가하기

라이브러리와 응용프로그램을 동시에 개발하는 경우 my_lib 프로젝트를 my_application_1 프로젝트에서 바로 Build Path에 추가할 수 있다. 이렇게 하면 my_lib 프로젝트를 수정하는 즉시 my_application_1에서 수정된 내용을 사용할 수 있게 된다.

1. my_application_1 프로젝트를 선택하고 마우스 오른쪽 버튼으로 클릭하여 [Build Path] – [Configure Build Path] 메뉴를 선택한다.
2. [Projects] 탭에 들어가 Required projects on the build path에서 Classpath 항목을 선택하고 [Add] 버튼을 클릭한다.
3. my_lib 프로젝트를 선택한 후 [OK]와 [Apply and Close] 버튼을 차례대로 클릭해 추가한다.

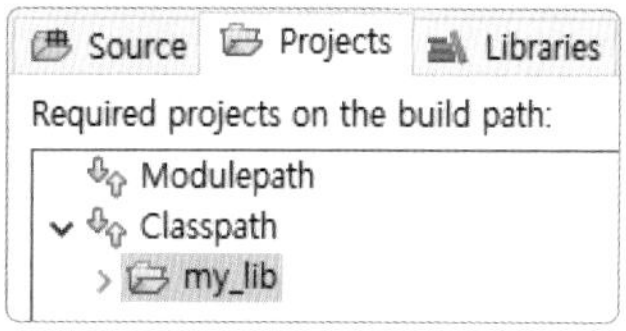

04 my_application_1 프로젝트의 src 폴더 안에 app 패키지를 하나 생성하고 그 안에 Main 클래스를 오른쪽 화면과 같이 생성한다.

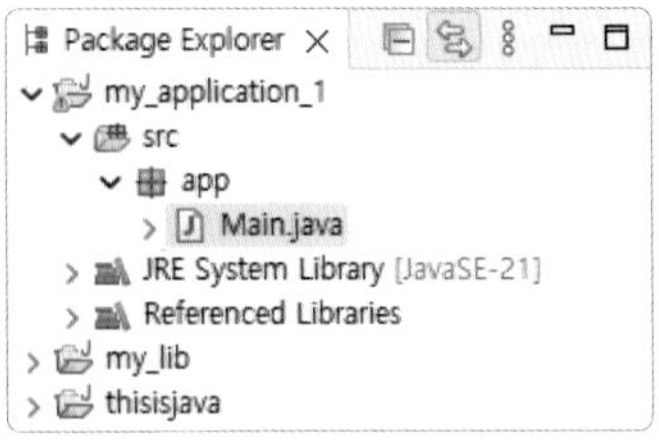

05 Main 클래스에는 다음과 같이 작성하고, 이클립스에서 실행한다.

>>> **Main.java**

```java
package app;

import pack1.A;
import pack2.B;

public class Main {
  public static void main(String[] args) {
    //라이브러리에서 가져온 A 클래스 사용
    A a = new A();
    a.method();

    //라이브러리에서 가져온 B 클래스 사용
    B b = new B();
    b.method();
  }
}
```

실행 결과

```
A-method 실행
B-method 실행
```

콘솔에서 -classpath 옵션 사용

이번에는 윈도우 명령 프롬프트 또는 맥OS 터미널에서 -classpath 옵션을 주고 실행하는 방법을 알아보자.

• 윈도우

명령 프롬프트에서 다음과 같이 현재 경로를 bin 디렉토리로 이동하고 Main 클래스를 실행한다.

```
C:\...>cd C:\ThisIsJava\workspace\my_application_1\bin
C:\...\bin>java app.Main
```

Exception in thread "main" java.lang.NoClassDefFoundError: pack1/A라는 에러가 출력될 것이다. 이것은 my_lib.jar 라이브러리를 인식하지 못했기 때문이다. 이번에는 다음과 같이 -classpath 옵션을 주고 my_lib.jar 파일 경로를 추가해서 실행해 보자.

```
C:\...\bin>java -classpath C:\ThisIsJava\workspace\my_lib\dist\my_lib.jar;. app.Main
```

-classpath 대신 -cp를 사용해도 된다. 경로 뒤에 세미콜론(;)과 함께 마침표(.)를 추가했는데, 이것은 현재 경로에서 app.Main을 찾기 위해서이다. 윈도우에서 classpath 구분자는 세미콜론(;)이므로 주의해야 한다.

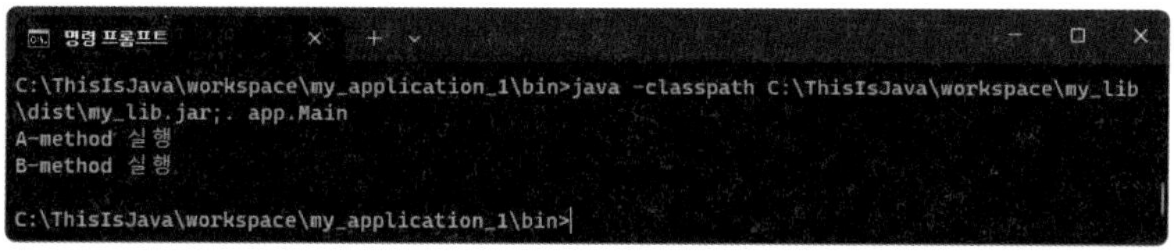

• 맥OS

터미널에서는 다음과 같이 실행한다. 맥OS에서 classpath 구분자는 콜론이므로 콜론(:)과 함께 마침표(.)를 경로 뒤에 추가해야 한다.

```
$ cd ~/ThisIsJava/workspace/my_application_1/bin
$ java -classpath ~/ThisIsJava/workspace/my_lib/dist/my_lib.jar:. app.Main
```

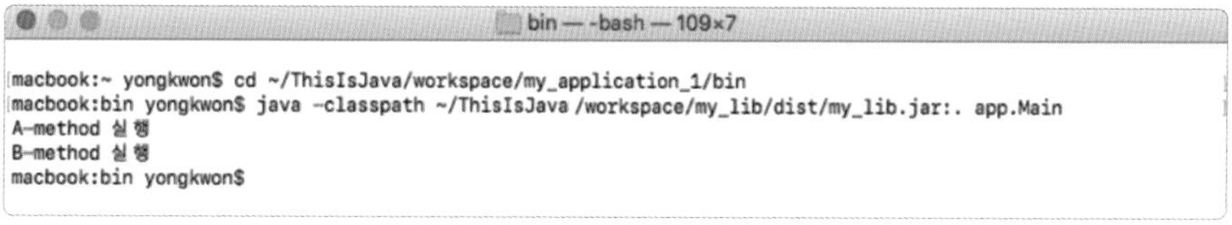

환경 변수 CLASSPATH 사용

–classpath 옵션은 java 명령어를 실행할 때마다 별도로 추가해야 하는 불편함이 있다. 여러 프로그램에서 공통으로 사용하는 라이브러리는 환경 변수 CLASSPATH에 경로를 추가하면 이러한 불편함을 없앨 수 있다.

• **윈도우**

[환경 변수] 대화상자에서 시스템 변수의 [새로 만들기] 버튼을 클릭한다. 변수 이름에는 'CLASSPATH'를, 변수값에는 '.;C:\ThisIsJava\workspace\my_lib\dist\my_lib.jar'을 입력한다. 그리고 [확인] 버튼을 클릭한다.

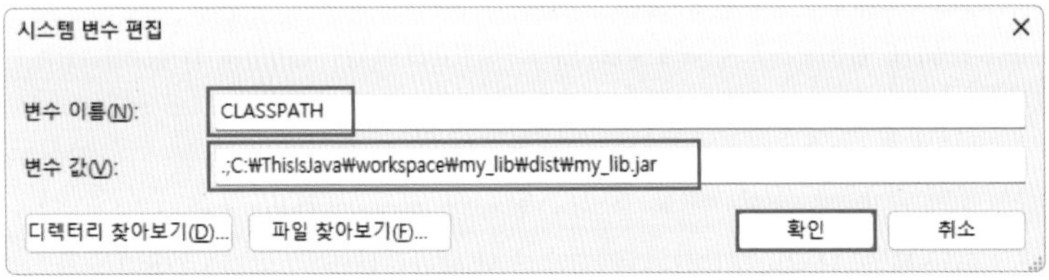

맨 앞에 .;을 추가한 이유는 현재 디렉토리에서 먼저 찾은 후 없으면 뒤의 경로에서 찾도록 하기 위해서이다. 명령 프롬프트를 새로 열고 다음과 같이 실행해 보자.

```
C:\...>cd C:\ThisIsJava\workspace\my_application_1\bin
C:\...\bin>java app.Main
```

• **맥OS**

〈사용자 홈〉 디렉토리에서 ls –all 명령어를 실행해서 .bash_profile을 찾아보고, 없으면 다음과 같이 생성한다.

```
$ touch .bash_profile
```

.bash_profile 파일을 텍스트 에디터로 열고 다음과 같이 작성하고 저장한다. 맨 앞에 .:을 작성할 때 주의할 점은 윈도우와 달리 경로 구분자가 콜론(:)이라는 것이다.

```
export CLASSPATH=.:~/ThisIsJava/workspace/my_lib/dist/my_lib.jar
```

터미널을 열고 ~/.bash_profile 내용을 적용하기 위해 다음 명령어를 실행시킨다.

```
$ source ~/.bash_profile
```

그리고 다음과 같이 실행해 보자.

```
$ cd ~/ThisIsJava/workspace/my_application_1/bin
$ java app.Main
```

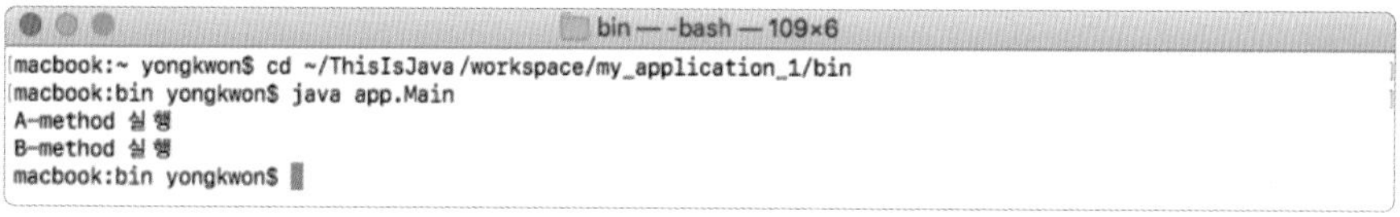

10.2 모듈

Java 9부터 지원하는 모듈module은 패키지 관리 기능까지 포함된 라이브러리이다. 일반 라이브러리는 내부에 포함된 모든 패키지에 외부 프로그램에서의 접근이 가능하지만, 모듈은 다음과 같이 일부 패키지를 은닉하여 접근할 수 없게끔 할 수 있다.

또 다른 차이점은 모듈은 자신이 실행할 때 필요로 하는 의존 모듈을 모듈 기술자(module-info.java)에 기술할 수 있기 때문에 모듈 간의 의존 관계를 쉽게 파악할 수 있다는 것이다. 아래 그림은 A 모듈은 B 모듈이 있어야 실행할 수 있고, B 모듈은 C 모듈이 있어야 실행할 수 있는 의존 관계를 보여 준다.

모듈도 라이브러리이므로 JAR 파일 형태로 배포할 수 있다. 응용프로그램을 개발할 때 원하는 기능의 모듈(JAR) 파일을 다운로드해서 이용하면 된다.

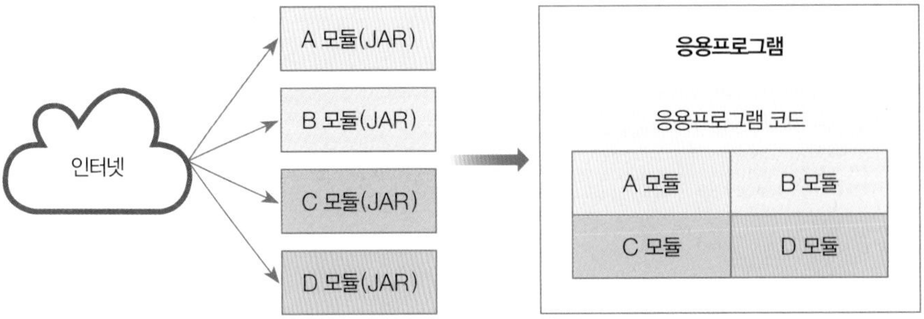

대규모 응용프로그램은 기능별로 모듈화modulization해서 개발할 수도 있다. 모듈별로 개발하고 조립하는 방식을 사용하면 재사용성 및 유지보수에 유리하기 때문이다.

10.3 응용프로그램 모듈화

응용프로그램은 하나의 프로젝트로도 개발이 가능하지만, 이것을 기능별로 서브 프로젝트(모듈)로 쪼갠 다음 조합해서 개발할 수도 있다. 다음 그림처럼 my_application_2 응용프로그램은 2개의 서브 프로젝트(모듈)인 my_module_a와 my_module_b로 쪼개서 개발하고, 이들을 조합해서 완성할 수 있다.

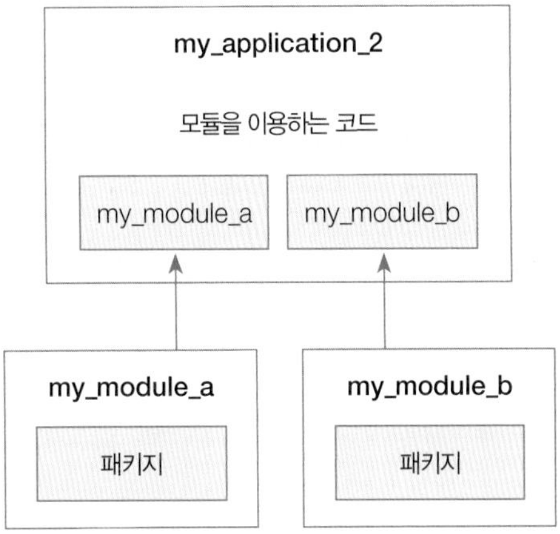

응용프로그램의 규모가 커질수록 협업과 유지보수 측면에서 서브 모듈로 쪼개서 개발하는 것이 유리하며, 이렇게 개발된 모듈들은 다른 응용프로그램서도 재사용이 가능하다. 위 그림과 동일한 환경을 만들어 모듈 생성 및 사용법을 학습해 보자.

my_module_a 모듈 생성

01 이클립스 메뉴에서 [File] – [New] – [Java Project]를 선택한다. [Create a Java Project] 대화상자가 나타나면 다음과 같이 입력하고 [Finish] 버튼을 클릭한다.

```
Project name: my_module_a
Module:
[체크] Create module-info.java file (중요)
Module name: my_module_a
```

02 my_module_a 모듈의 src 폴더에 pack1과 pack2 패키지를 생성한다. 그리고 각 패키지에 A 클래스와 B 클래스를 다음과 같이 생성한다.

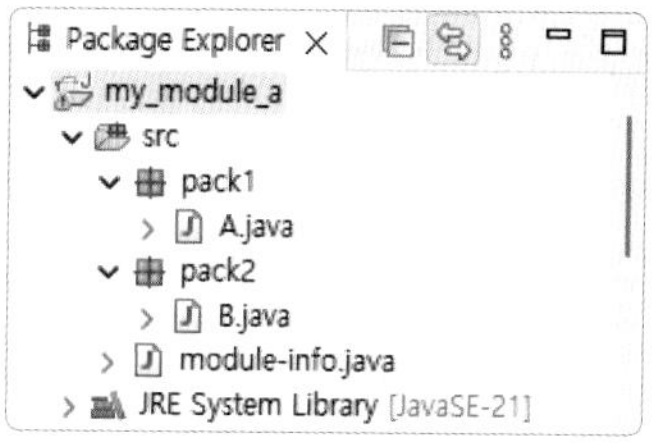

03 A와 B 클래스에는 다음과 같이 각각 하나의 메소드를 선언한다.

>>> **A.java**

```java
package pack1;

public class A {
  //메소드 선언
  public void method() {
    System.out.println("A-method 실행");
  }
}
```

>>> **B.java**

```java
package pack2;

public class B {
  //메소드 선언
  public void method() {
    System.out.println("B-method 실행");
  }
}
```

04 my_module_a 모듈이 포함하고 있는 두 개의 pack1과 pack2를 외부에서 사용할 수 있도록 모듈 기술자(module-info.java)를 다음과 같이 작성한다. exports 키워드는 모듈이 가지고 있는 패키지를 외부에서 사용할 수 있도록 노출시키는 역할을 한다.

>>> **module-info.java**

```java
module my_module_a {
  exports pack1;
  exports pack2;
}
```

my_module_b 모듈 생성

01 이클립스 메뉴에서 [File] – [New] – [Java Project]를 선택한다. [Create a Java Project] 대화상자가 나타나면 다음과 같이 입력하고 [Finish] 버튼을 클릭한다.

```
Project name: my_module_b
Module:
[체크] Create module-info.java file  (중요)
Module name: my_module_b
```

02 my_module_b 모듈의 src 폴더에 pack3과 pack4 패키지를 생성한다. 그리고 각 패키지에 C 클래스와 D 클래스를 다음과 같이 생성한다.

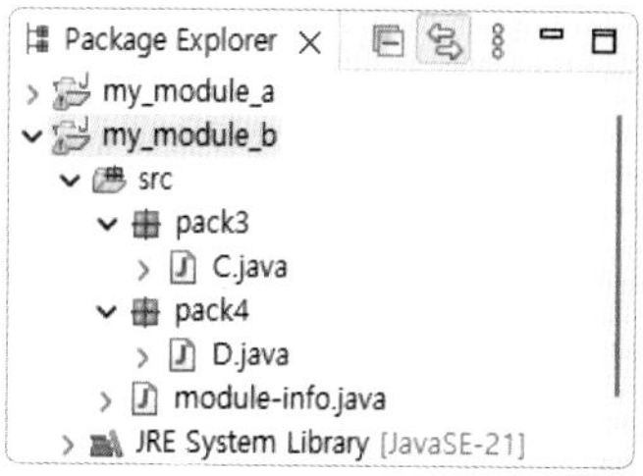

03 C와 D 클래스에는 다음과 같이 각각 하나의 메소드를 선언한다.

››› **C.java**

```java
package pack3;

public class C {
  //메소드 선언
  public void method() {
    System.out.println("C-method 실행");
  }
}
```

››› **D.java**

```java
package pack4;

public class D {
  //메소드 선언
  public void method() {
    System.out.println("D-method 실행");
  }
}
```

04 my_module_b 모듈이 포함하고 있는 두 개의 pack3과 pack4를 외부에서 사용할 수 있도록 모듈 기술자(module-info.java)를 다음과 같이 작성한다.

>>> **module-info.java**

```
module my_module_b {
  exports pack3;
  exports pack4;
}
```

my_application_2 프로젝트 생성

이제 my_module_a와 my_module_b를 조합하는 my_application_2 프로젝트를 생성해 보자.

01 이클립스 메뉴에서 [File] - [New] - [Java Project]를 선택한다. [Create a Java Project] 대화상자가 나타나면 다음과 같이 입력하고 [Finish] 버튼을 클릭한다.

```
Project name: my_application_2
Module:
[체크] Create module-info.java file (중요)
Module name: my_application_2
```

여기서 잠깐

응용프로그램도 하나의 모듈

my_application_2는 모듈로 개발하는 것이 아니라 다른 모듈을 조합하는 응용프로그램을 위한 프로젝트이다. 그럼에도 불구하고 모듈 기술자(module-info.java)가 필요하다. 그 이유는 어떤 모듈을 가져와 사용할 것인지를 기술해야 하기 때문이다.

일반적으로 모듈 기술자(modue-info.java)가 포함된 프로젝트를 모듈이라고 한다. 따라서 my_application_2도 하나의 모듈이다. 따라서 명칭 통일을 위해 my_application_2 프로젝트라는 용어 대신 my_application_2 모듈이라고 부르겠다.

02 my_application_2 모듈은 my_module_a와 my_module_b 모듈에서 제공하는 패키지를 사용해야 하므로 두 모듈에 대한 의존 설정이 필요하다. my_application_2의 모듈 기술자(module-info.java)를 열고 다음과 같이 작성한다.

>>> **module-info.java**

```
module my_application_2 {
  requires my_module_a;
  requires my_module_b;
}
```

requires 키워드는 my_application_2 모듈을 컴파일하거나 실행할 때 필요한 의존 모듈을 지정한다. 실행하면 컴파일 에러가 발생하는데, 아직 my_application_2 모듈은 my_module_a와 my_module_b 모듈이 있는 경로를 모르기 때문이다.

03 Package Explorer 뷰에서 [my_application_2]을 선택하고 마우스 오른쪽 버튼으로 클릭하여 [Build Path] – [Configure Build Path] 버튼을 클릭 후 [Projects] 탭을 선택한다. 그리고 Required projects on the build path에서 Modulepath 항목을 선택하고 [Add] 버튼을 클릭한다.

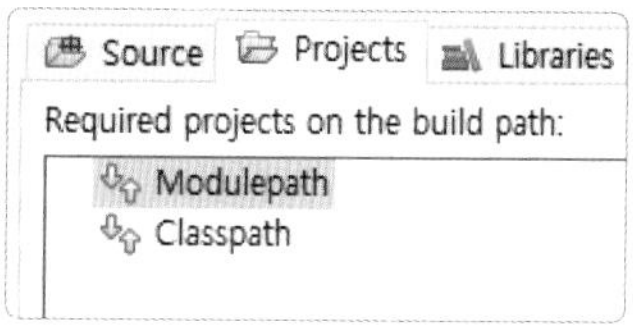

04 [Required Projects Selection] 대화상자가 나타나면 my_module_a와 my_module_b 모듈의 체크박스에 체크하고 [OK] 버튼을 클릭한다.

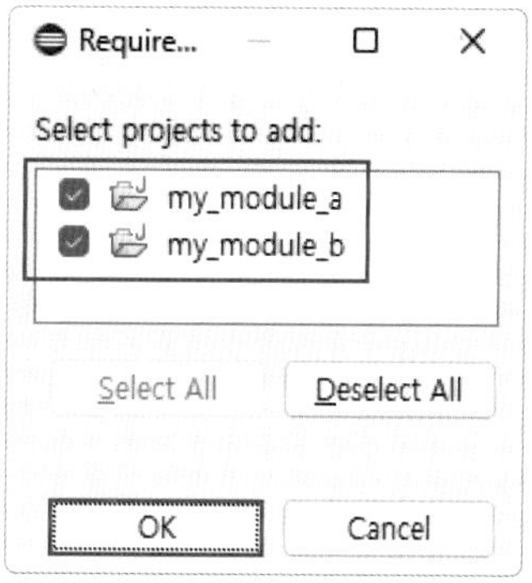

05 [Project] 탭에 두 모듈이 추가된 것을 확인하고 [Apply and Close] 버튼을 클릭한다.

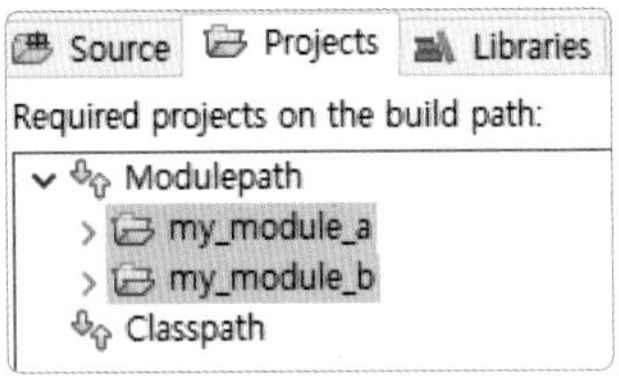

06 my_application_2 모듈의 src 폴더에서 app 패키지를 생성한다. 그리고 Main 클래스를 생성하고 다음과 같이 작성한 후 실행해 보자.

>>> **Main.java**

```java
package app;

import pack1.A;
import pack2.B;
import pack3.C;

public class Main {
  public static void main(String[] args) {
    //my_module_a 패키지에 포함된 A 클래스 이용
    A a = new A();
    a.method();

    //my_module_a 패키지에 포함된 B 클래스 이용
    B b = new B();
    b.method();

    //my_module_b 패키지에 포함된 C 클래스 이용
    C c = new C();
    c.method();
  }
}
```

my_module_a 모듈에서 가져옴

my_module_b 모듈에서 가져옴

my_module_a 모듈의 클래스 이용

my_module_b 모듈의 클래스 이용

실행 결과

```
A-method 실행
B-method 실행
C-method 실행
```

10.4 모듈 배포용 JAR 파일

모듈 개발을 완료했다면 다른 모듈에서 쉽게 사용할 수 있도록 바이트코드 파일(.class)로 구성된 배포용 JAR 파일을 생성해 보자. 이전 예제에서 만든 my_module_a와 my_module_b 모듈의 배포용 JAR 파일을 각각 생성한다.

모듈 배포용 JAR 파일 생성

my_module_a와 my_module_b 모듈에 각각 JAR 파일을 저장할 dist 폴더를 생성하자. 모듈 프로젝트에서 마우스 오른쪽 버튼을 클릭하여 [New] – [Folder]를 선택하고 Folder name에 'dist'를 입력한 후 [Finish] 버튼을 클릭한다.

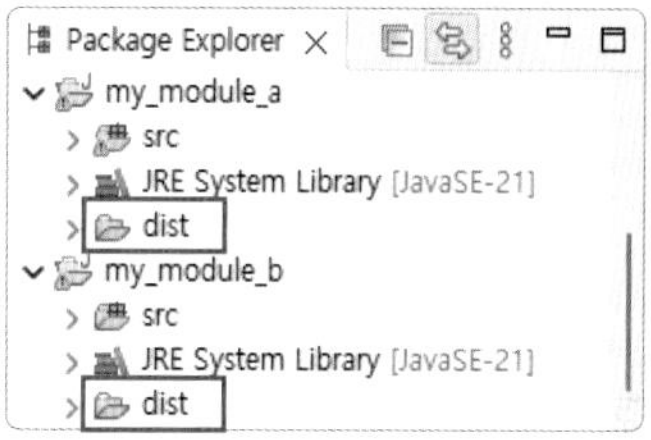

my_module_a 모듈의 배포용 JAR 파일을 생성하는 방법은 다음과 같다.

01 my_module_a 모듈을 선택하고 마우스 오른쪽 버튼으로 클릭하여 [Export]를 선택한다.

02 Java 항목을 확장하고 JAR file을 선택한 후, [Next] 버튼을 클릭한다.

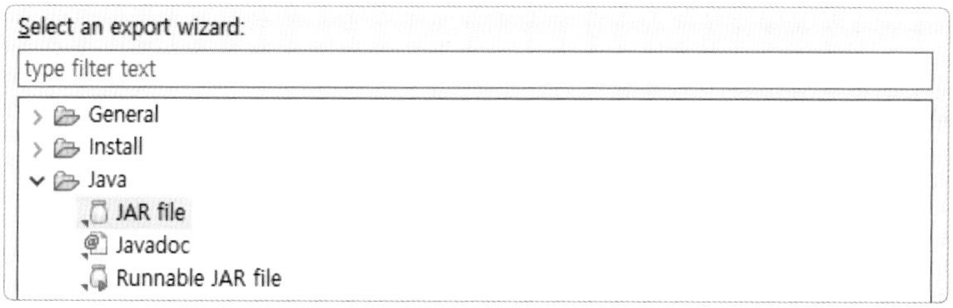

03 my_module_a를 확장하여 src 폴더에만 체크박스에 체크하고 나머지는 모두 체크 해제한다.

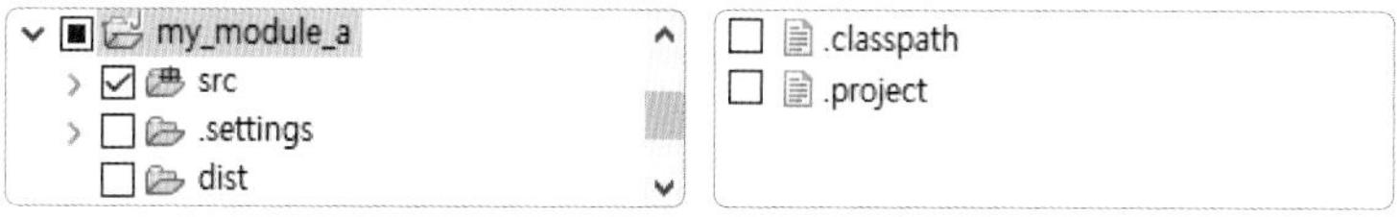

04 Select the export destination에서 [Browse] 버튼을 클릭하고, my_module_a 모듈의 dist 폴더로 이동한다. 파일 이름은 'my_module_a.jar'로 입력하고 [저장], [Finish] 버튼을 클릭한다.

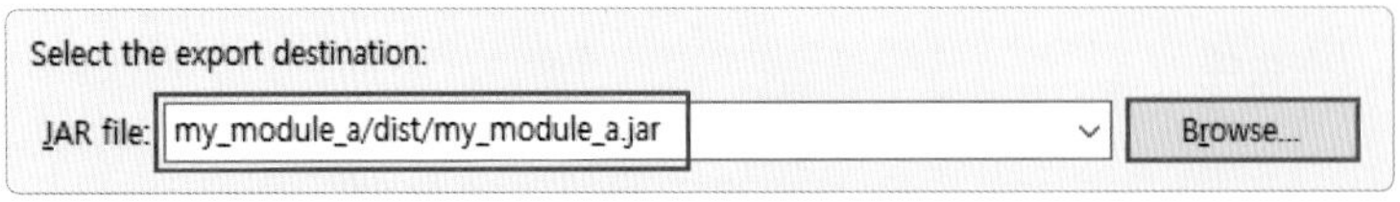

05 Package Explorer 뷰에서 my_module_a 모듈을 선택하고 마우스 오른쪽 버튼으로 클릭하여 [Refresh]를 선택한다. dist 폴더에 JAR 파일이 생성되었는지 확인한다.

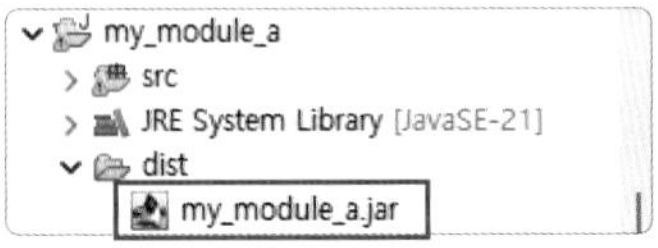

06 my_module_b 모듈의 배포용 JAR 파일도 위와 동일한 방법으로 생성한다.

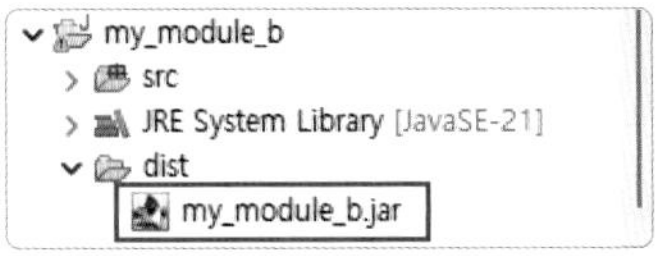

my_application_3 프로젝트 생성

이번엔 새로운 my_application_3 프로젝트를 생성해서 두 개의 모듈 JAR 파일을 가져와 사용해 보자.

01 이클립스 메뉴에서 [File] – [New] – [Java Project]를 선택한다. Create a Java Project 대화상자가 나타나면 다음과 같이 입력하고 [Finish] 버튼을 클릭한다.

```
Project name: my_application_3
Module:
[체크] Create module-info.java file (중요)
Module name: my_application_3
```

02 Package Explorer 뷰에서 my_application_3을 선택하고 마우스 오른쪽 버튼으로 클릭하여 [Build Path] – [Configure Build Path] 메뉴를 선택한다. [Libraries] 탭의 JAR and class folders on the build path에서 Modulepath 항목을 선택한 후, [Add External JARs] 버튼을 클릭한다.

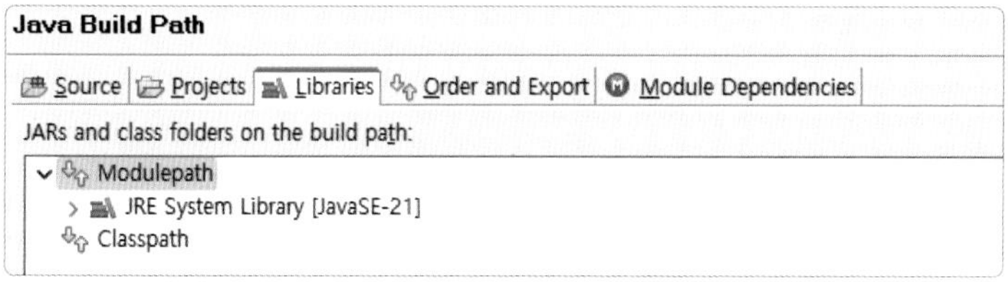

03 my_module_a와 my_moudle_b 모듈의 dist 폴더로 각각 이동해서 my_module_a.jar 파일과 my_module_b.jar 파일을 추가한다. 그리고 [Apply and Close] 버튼을 클릭한다.

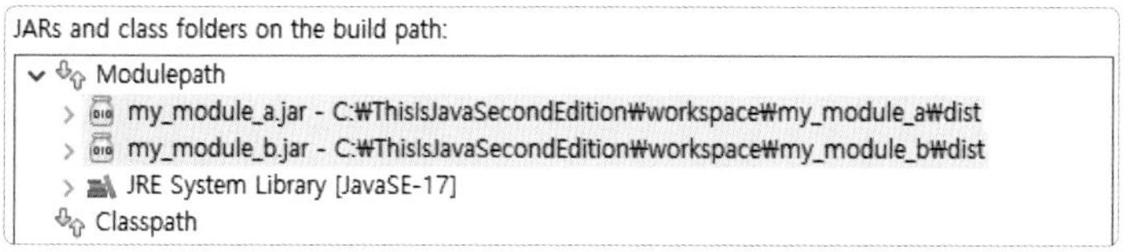

04 my_application_3 프로젝트는 my_module_a 모듈과 my_module_b 모듈을 사용해야 하므로 두 모듈 프로젝트에 대한 의존 설정이 필요하다. 모듈 기술자를 열고 다음과 같이 작성한다.

>>> module-info.java

```
module my_application_3 {
  requires my_module_a;
  requires my_module_b;
}
```

05 my_application_3 모듈의 src 폴더에서 app 패키지를 생성한다. 그리고 Main 클래스를 생성하고 다음과 같이 작성하고 실행한다.

>>> **Main.java**

```java
package app;

import pack1.A;
import pack2.B;
import pack3.C;

public class Main {
  public static void main(String[] args) {
    //my_module_a 패키지에 포함된 A 클래스 이용
    A a = new A();
    a.method();

    //my_module_a 패키지에 포함된 B 클래스 이용
    B b = new B();
    b.method();

    //my_module_b 패키지에 포함된 C 클래스 이용
    C c = new C();
    c.method();
  }
}
```

my_module_a 모듈에서 가져옴

my_module_b 모듈에서 가져옴

my_module_a 모듈의 클래스 이용

my_module_b 모듈의 클래스 이용

실행 결과

```
A-method 실행
B-method 실행
C-method 실행
```

10.5 패키지 은닉

모듈은 모듈 기술자(module-infro.java)에서 exports 키워드를 사용해 내부 패키지 중 외부에서 사용할 패키지를 지정한다. exports되지 않은 패키지는 자동적으로 은닉된다. 다음 그림을 보면 exports된 pack1만 외부에서 사용할 수 있고, pack2와 pack3은 은닉된다.

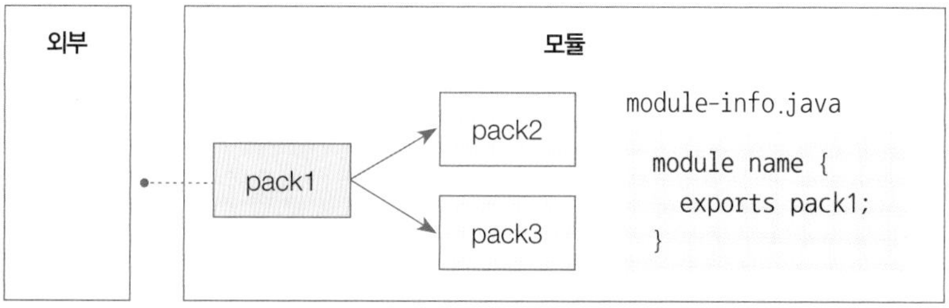

모듈이 일부 패키지를 은닉하는 이유는 다음과 같다.

- **모듈 사용 방법 통일**

  모듈 외부에서 패키지2와 3을 사용하지 못하도록 막고, 패키지1로 사용 방법을 통일한다.

- **쉬운 수정**

  모듈 성능 향상을 위해 패키지2와 3을 수정하더라도 모듈 사용 방법(패키지1)이 달라지지 않기 때문에 외부에 영향을 주지 않는다.

my_module_a의 module-info.java를 수정해서 pack2를 은닉시켜 보자. 그리고 pack1의 A 클래스에서 pack2의 B 클래스를 사용하도록 수정하자.

>>> **module-info.java**

```
1   module my_module_a {
2     exports pack1;
3     //exports pack2;
4   }
```

>>> **A.java**

```
1   package pack1;
2
3   import pack2.B;              ┄┄┄┄┄ 추가된 내용
4
5   public class A {
6     //메소드
7     public void method() {
8       System.out.println("A-method 실행");
```

```
        //B 클래스 사용
        B b = new B();
        b.method();
    }
}
```

추가된 내용

pack2가 은닉되어 외부에서 사용할 수 없으므로 my_application_2의 Main.java도 다음과 같이 수정한다.

>>> **Main.java**

```
package app;

import pack1.A;
//import pack2.B;
import pack3.C;

public class Main {
  public static void main(String[] args) {
    //my_module_a 패키지에 포함된 A 클래스 이용
    A a = new A();
    a.method();

    //my_module_a 패키지에 포함된 B 클래스 이용
    //B b = new B();
    //b.method();

    //my_module_b 패키지에 포함된 C 클래스 이용
    C c = new C();
    c.method();
  }
}
```

주석 처리

주석 처리

실행 결과

```
A-method 실행
B-method 실행
C-method 실행
```

10.6 전이 의존

my_application_2 프로젝트와 my_module_a, my_module_b 모듈의 의존 관계는 다음과 같이 표현할 수 있다. my_application_2는 직접적으로 두 모듈을 requires하고 있기 때문이다.

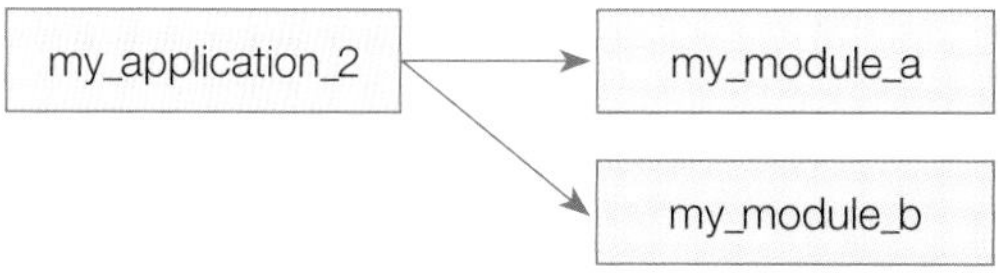

다음과 같이 의존 관계를 변경한다고 가정해 보자.

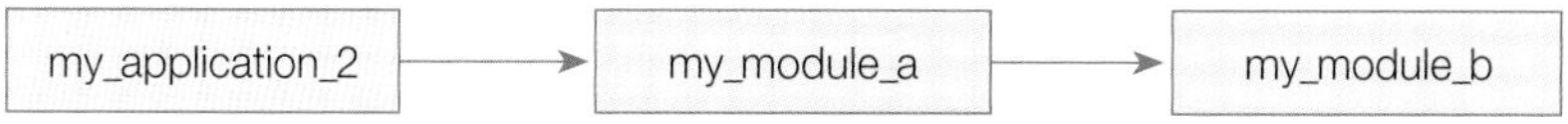

my_application_2는 my_module_a에 의존하고, my_module_a는 my_module_b에 의존한다. 따라서 my_application_2와 my_module_a의 모듈 기술자는 다음과 같이 작성할 수 있을 것이다.

```
module my_application_2 {
  requires my_module_a;
}
```

```
module my_module_a {
  exports pack1;
  requires my_module_b;
}
```

이렇게 작성하면 my_application_2의 Main 클래스는 my_module_b 모듈을 사용할 수 없기 때문에 컴파일 오류가 발생한다. my_application_2의 모듈 기술자에서 requires my_module_b가 빠졌기 때문이다.

Main 클래스에서 my_moudle_b 패키지 코드를 모두 제거하면 되겠지만, 제거할 수 없는 경우도 있다. 다음과 같이 my_module_a 소속의 A 클래스가 my_module_b 소속의 C 타입 객체를 리턴하는 경우이다.

```
A a = new A();
C c = a.method();
```

my_application_2에서 이 코드를 사용해야 한다면 C 타입이 있기 때문에 my_application_2의 모듈 기술자에 requires my_module_b를 반드시 추가해야 한다. my_application_2는 단지 my_module_a만 사용하고 싶었는데도 말이다.

이 문제를 해결할 방법은 my_module_a가 가지고 있다. my_module_a의 모듈 기술자에 transitive 키워드와 함께 my_module_b를 의존 설정하면 된다. 그러면 my_application_2에서도 my_module_b를 사용할 수 있게 된다. 의존 설정이 전이되기 때문이다.

```
module my_application_2 {
  requires my_module_a;
}
```

```
module my_module_a {
  exports pack1;
  requires transitive my_module_b;
}
```

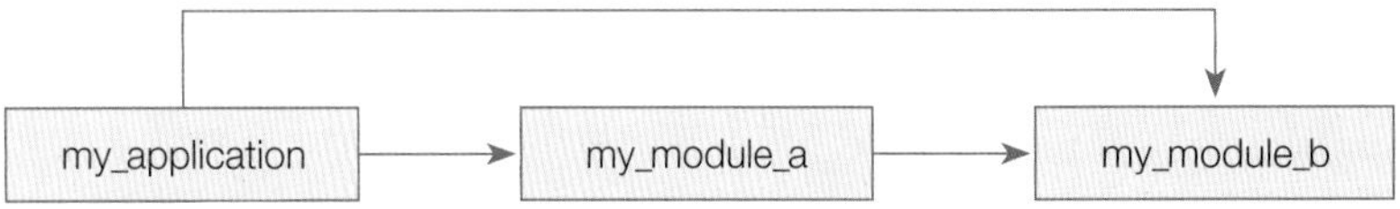

다음 실습을 통해 전이 의존을 확인해 보자.

my_module_a 모듈 수정

01 Package Explorer 뷰에서 my_module_a를 선택하고 마우스 오른쪽 버튼으로 클릭하여 [Build Path] – [Configure Build Path] 메뉴를 클릭한다. [Projects] 탭에서 Modulepath 항목을 선택한 후 [Add] 버튼을 클릭한다. my_module_b 모듈의 체크박스에 체크하고 [OK] 버튼을 클릭한다.

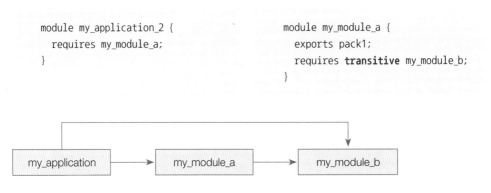

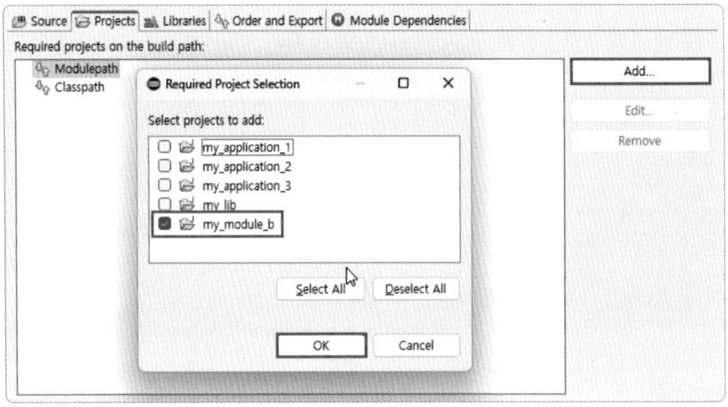

02 다음과 같이 my_module_b 모듈이 추가된 것을 확인하고 [Apply and Close] 버튼을 클릭한다.

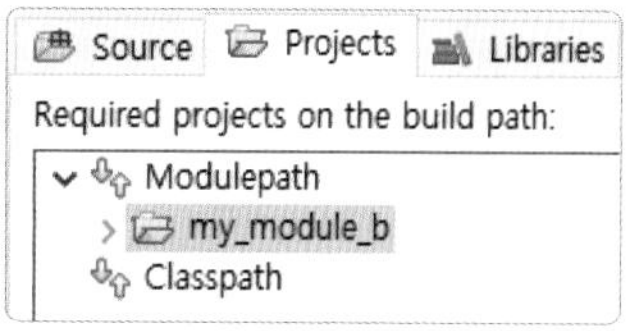

03 my_module_a의 모듈 기술자를 열고 다음과 같이 my_module_b 모듈을 전이적 의존으로 기술한다.

>>> **module-info.java**

```java
module my_module_a {
  exports pack1;
  //exports pack2;
  requires transitive my_module_b;
}
```

my_module_b 모듈 의존 설정

04 my_module_a의 A 클래스에서 getC() 메소드를 선언한 다음, my_module_b 소속의 C 클래스로부터 객체를 생성하고 리턴하도록 다음과 같이 작성한다.

>>> **A.java**

```java
package pack1;

import pack2.B;
import pack3.C;

public class A {
  //메소드
  public void method() {
    System.out.println("A-method 실행");

    //B 클래스 사용
    B b = new B();
    b.method();
  }

```

추가된 내용

```
    //메소드
    public C getC() {
      C c = new C();
      return c;
    }
}
```

my_module_b 모듈의 pack3.C 타입 리턴

my_application_2 프로젝트 수정

01 Package Explorer 뷰에서 my_application_2 프로젝트의 모듈 기술자를 열고, my_module_b 모듈의 직접적 의존 관계를 주석 처리한다.

>>> **module-info.java**

```
module my_application_2 {
  requires my_module_a;
  //requires my_module_b;
}
```

my_module_b 모듈 의존 해제

02 my_application_2의 Main 클래스에 다음과 같이 21~22라인을 추가한다.

>>> **Main.java**

```
1   package app;
2
3   import pack1.A;
4   //import pack2.B;
5   import pack3.C;
6
7   public class Main {
8     public static void main(String[] args) {
9       //my_module_a 패키지에 포함된 A 클래스 이용
10      A a = new A();
11      a.method();
```

```java

        //my_module_a 패키지에 포함된 B 클래스 이용
        //B b = new B();
        //b.method();

        //my_module_b 패키지에 포함된 C 클래스 이용
        C c = new C();
        c.method();

        C result = a.getC();
        result.method();
    }
}
```

추가된 내용

실행 결과

```
A-method 실행
B-method 실행
C-method 실행
C-method 실행
```

my_application_2 모듈 기술자에서 requires my_module_b를 제거했음에도 불구하고 여전히 Main 클래스에서 my_module_b 소속의 pack3.C 클래스를 사용할 수 있다. 이는 my_module_a 모듈 기술자에서 transitive로 my_module_b를 의존 설정했기 때문이다.

10.7 집합 모듈

집합 모듈은 여러 모듈을 모아놓은 모듈을 말한다. 자주 사용되는 모듈들을 일일이 requires하는 번거로움을 피하고 싶을 때 집합 모듈을 생성하면 편리하다. 집합 모듈은 자체적인 패키지를 가지지 않고, 모듈 기술자에 전이 의존 설정만 한다.

예를 들어 my_module은 my_module_a와 my_module_b을 제공하는 집합 모듈이라고 가정해 보자. my_module의 모듈 기술자는 다음과 같이 작성할 수 있다.

```
module my_module {
  requires transitive my_module_a;
  requires transitive my_module_b;
}
```

이때 다른 프로젝트에서 my_module만 requires하게 되면 my_module_a와 my_module_b 모듈 둘 다 사용할 수 있게 된다. 실습을 통해 확인해 보자.

my_module 모듈 생성

01 이클립스 메뉴에서 [File] – [New] – [Java Project]를 선택한다. [Create a Java Project] 대화상자가 나타나면 다음과 같이 입력하고 [Finish] 버튼을 클릭한다.

```
Project name: my_module
Module:
[체크] Create module-info.java file (중요)
Module name: my_module
```

02 my_module 모듈은 my_module_a와 my_module_b 모듈을 제공할 목적으로 사용하므로 두 모듈에 대한 전이 의존 설정만 필요하다. 모듈 기술자(module–info.java)에 다음과 같이 작성한다.

>>> **module-info.java**

```
module my_module {
  requires transitive my_module_a;
  requires transitive my_module_b;
}
```

03 my_module이 두 모듈을 인식해야 하므로 Build Path에 추가하자. Package Explorer 뷰에서 my_module을 선택하고 마우스 오른쪽 버튼으로 클릭하여 [Build Path] – [Configure Build Path] 메뉴를 클릭한다. [Projects] 탭에서 Moudlepath 항목을 선택하고 [Add] 버튼을 클릭해 연 후 my_module_a와 my_module_b 모듈을 체크하고 [OK] 버튼을 클릭한다.

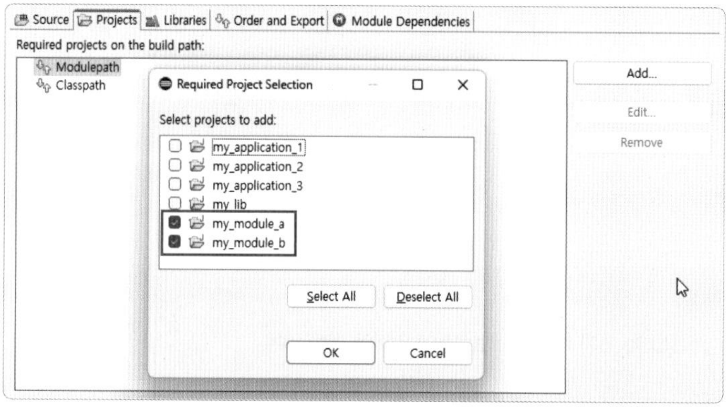

04 Required projects on the build path에 다음과 같이 두 모듈이 추가된 것을 확인하고 [Apply and Close] 버튼을 클릭해 닫는다.

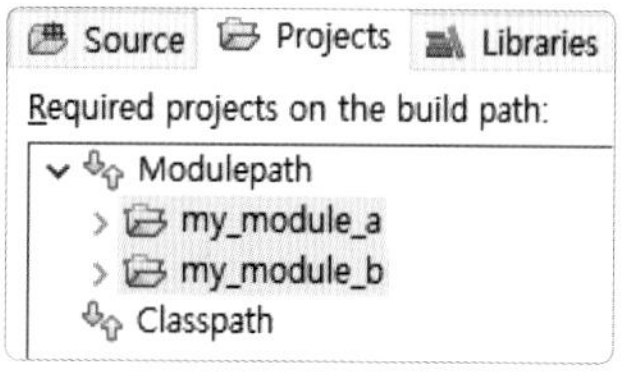

my_application_2 프로젝트 수정

01 이제 my_application_2의 Build Path를 수정하자. Package Explorer 뷰에서 my_application_2를 선택한 다음 마우스 오른쪽 버튼으로 클릭하여 [Build Path] – [Configure Build Path] 메뉴를 클릭한다. [Projects] 탭에서 Modulepath 항목을 선택한 후 [Add] 버튼을 클릭한다. my_module의 체크박스에 체크하고 [OK] 버튼을 클릭한다.

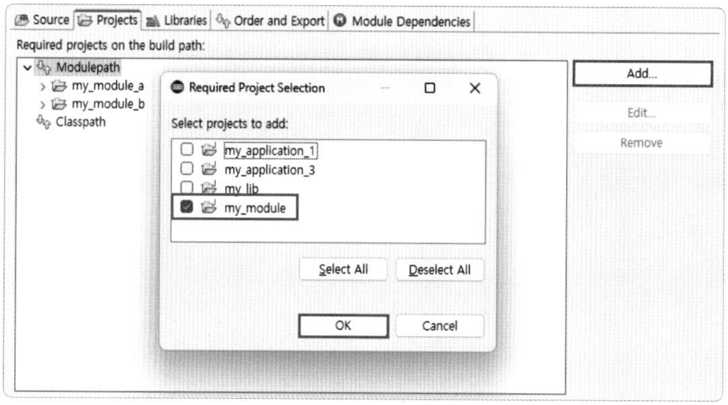

02 Required projects on the build path에 다음과 같이 my_module이 추가된 것을 확인하고 [Apply and Close] 버튼을 클릭한다.

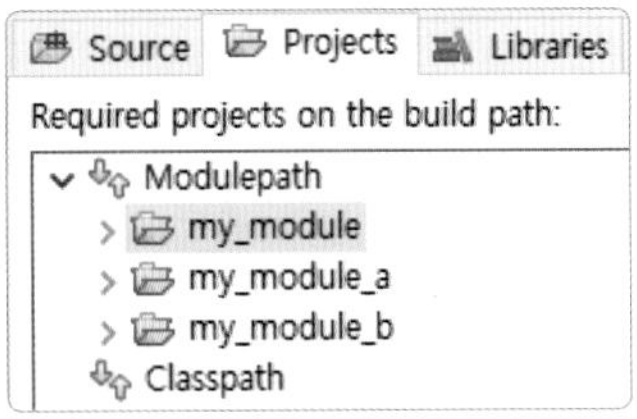

> 여기서 잠깐
>
> **my_module_a와 my_module_b가 Modulepath에 있어야 하는 이유**
>
> my_application_2는 결국 my_module_a와 my_module_b를 사용해야 하므로 이 두 모듈이 전부 ClassPath 위치에 있어야 한다.

03 my_application_2 프로젝트의 모듈 기술자를 다음과 같이 수정한다. my_module_a와 my_module_b의 직접적 의존을 주석 처리하는 대신에 집합 모듈인 my_module을 의존한다.

>>> **module-info.java**

```
module my_application_2 {
  //requires my_module_a;
  //requires my_module_b;
  requires my_module;
}
```

my_module 모듈에만 의존

Main 클래스는 수정할 내용이 없으니 실행만 해보자.

>>> **Main.java**

```
package app;

import pack1.A;
//import pack2.B;
import pack3.C;

public class Main {
```

```java
    public static void main(String[] args) {
      //my_module_a 패키지에 포함된 A 클래스 이용
      A a = new A();
      a.method();

      //my_module_a 패키지에 포함된 B 클래스 이용
      //B b = new B();
      //b.method();

      //my_module_b 패키지에 포함된 C 클래스 이용
      C c = new C();
      c.method();

      C result = a.getC();
      result.method();
    }
}
```

실행 결과

```
A-method 실행
B-method 실행
C-method 실행
C-method 실행
```

집합 모듈인 my_module만 requires하더라도 my_module_a와 my_module_b 소속의 클래스 A와 C를 사용하는 데에는 아무런 문제가 발생하지 않는다.

10.8 리플렉션 허용

은닉된 패키지는 기본적으로 다른 모듈에 의해 리플렉션을 허용하지 않는다. 리플렉션reflection이란 실행 도중에 타입(클래스, 인터페이스 등)을 검사하고 구성 멤버를 조사하는 것을 말한다.

경우에 따라서는 은닉된 패키지도 리플렉션을 허용해야 할 때가 있다. 모듈은 모듈 기술자를 통해 모듈 전체 또는 지정된 패키지에 대해 리플렉션을 허용할 수 있고, 특정 외부 모듈에서만 리플렉션을 허용할 수도 있다.

모듈 전체를 리플렉션 허용

```
open module 모듈명 {
  …
}
```

지정된 패키지에 대해 리플렉션 허용

```
module 모듈명 {
  …
  opens 패키지1;
  opens 패키지2;
}
```

지정된 패키지에 대해 특정 외부 모듈에서만 리플렉션 허용

```
module 모듈명 {
  …
  opens 패키지1 to 외부모듈명, 외부모듈명, …;
  opens 패키지2 to 외부모듈명;
}
```

export된 패키지는 언제든지 리플렉션이 가능하므로 opens로 지정할 필요가 없다. opens는 은닉된 패키지 중에서 특정 패키지에 대한 리플렉션을 허용한다.

리플렉션 프로그래밍 방법은 12.11절에서 자세히 학습하기로 하고, 여기서는 간단히 open, opens 키워드로 리플렉션을 허용할 수 있다는 것만 알고 넘어가자.

10.9 자바 표준 모듈

자바 프로그램이라면 반드시 활용해야 하는 라이브러리가 있다. 바로 JDK가 제공하는 표준 라이브러리이다. 표준 라이브러리는 Java 9부터 모듈화가 되어 다음 그림처럼 Java 21 표준 모듈이 완성되었다. 화살표는 모듈간의 의존 관계를 표시한다.

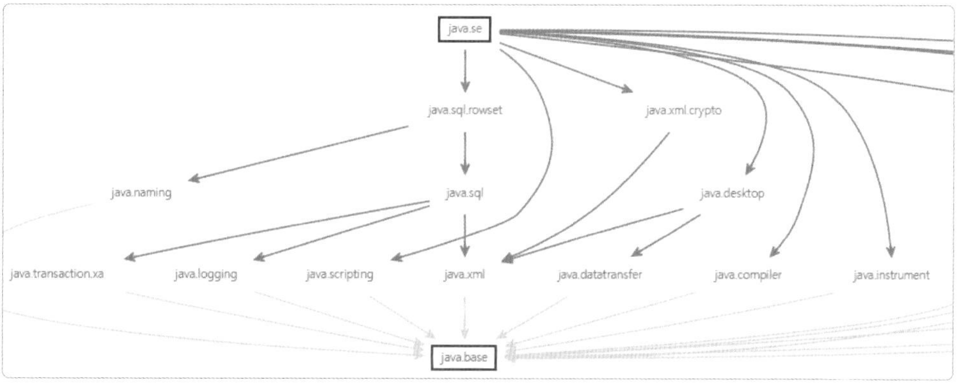

지면상 일부만 담았으며, Java 21의 전체 모듈 그래프는 다음 URL에서 자세히 볼 수 있다.

https://docs.oracle.com/en/java/javase/21/docs/api/java.se/module-summary.html

그림에서 보듯이 java.base는 모든 모듈이 의존하는 기본 모듈이다. java.base 모듈은 requires 하지 않아도 사용할 수 있지만, 다른 모듈들은 모듈 기술자에 requires를 명시하고 사용해야 한다. java.base 모듈에는 java.lang, java.util, java.io 등의 핵심 패키지가 있으며, java.lang을 제외하고 import해서 사용할 수 있다.

java.se는 JDK가 제공하는 모든 모듈을 제공하는 집합 모듈이다. Java 8 이전 버전과 같이 자바 표준 라이브러리를 제한 없이 사용하고 싶을 경우에는 이 java.se를 requires하면 된다.

```
module my_application {
  requires java.se;
}
```

또 다른 방법은 thisisjava 프로젝트처럼 모듈 기술자가 없는 프로젝트를 만드는 것이다. 모듈 기술자가 없으면 모듈로 인식되지 않기 때문에 자바 표준 라이브러리를 제한 없이 사용할 수 있다.

Java 8 이전 버전까지는 응용프로그램이 표준 라이브러리의 5%만 사용하는데도 불구하고 응용프로그램을 실행하려면 전체 표준 라이브러리가 갖추어진 자바 실행 환경(JRE)이 필요했었다.

표준 라이브러리를 모듈화한 이유는 응용프로그램을 실행하는데 필요한 모듈만으로 구성된 작은 사이즈의 자바 실행 환경(JRE)을 만들기 위해서이다. 작은 사이즈의 자바 실행 환경이 필요한 경우는 다음과 같다.

- 독립 실행형(응용프로그램 + 표준 라이브러리)으로 배포할 경우 표준 라이브러리의 크기가 작을수록 배포 사이즈가 줄어든다.
- 제한된 자원만 가지고 있는 소형(임베디드) 기기에는 사이즈가 작은 자바 실행 환경이 필요하다.

다음 그림을 보면 자바 표준 모듈은 모듈 A에서 모듈 D까지 제공하지만, 프로젝트를 실행하는 데는 모듈 A와 모듈 B만 있으면 된다. 따라서 모듈 C와 모듈 D를 제외하고 프로젝트만 실행할 수 있는 작은 실행 환경을 jlink 명령어로 생성할 수 있다.

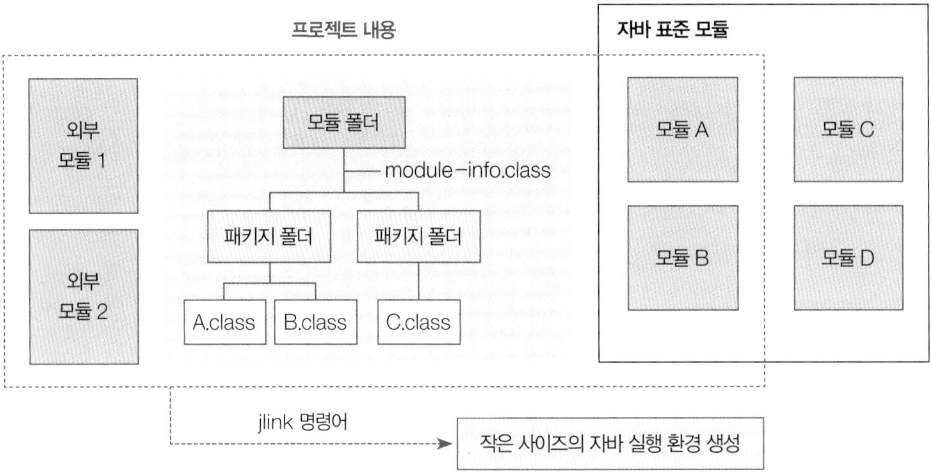

여기서 잠깐

Java 8의 콤팩트 프로파일

Java 8의 콤팩트 프로파일(compact1, compact2, compact3)도 작은 사이즈의 자바 실행 환경을 위해 도입되었다. 그러나 compact2에 소속된 1개의 클래스만 필요한 경우에도 어쩔 수 없이 compact1보다 더 큰 compact2를 배포해야 하는 단점은 있다.

1. 자바 라이브러리에 대한 설명으로 틀린 것은 무엇입니까?

❶ 일반적으로 JAR(*.jar) 파일 형태로 존재한다.

❷ JAR 파일 안에는 클래스 및 인터페이스의 소스 파일이 있다.

❸ 라이브러리에 포함된 모든 패키지는 프로그램에서 접근이 가능하다.

❹ 이클립스 프로젝트에서 사용할 경우 Build Path에 JAR 파일을 추가한다.

2. 모듈에 대한 설명으로 틀린 것은 무엇입니까?

❶ 모듈은 패키지 관리 기능까지 포함된 라이브러리라고 볼 수 있다.

❷ 모듈에 포함된 일부 패키지는 은닉해서 접근할 수 없도록 할 수 있다.

❸ 모듈은 모듈 기술자가 반드시 존재할 필요는 없다.

❹ 모듈도 라이브러리이므로 JAR 파일 형태로 배포될 수 있다.

3. 모듈 기술자(module-info.java)에 기술되는 내용으로 틀린 것은 무엇입니까?

❶ exports는 외부에서 접근할 수 있는 패키지를 기술한다.

❷ requires는 의존 모듈을 기술한다.

❸ requires를 기술할 때에는 exports를 기술할 수 없다.

❹ transitive는 전이 의존 모듈을 기술한다.

4. 집합 모듈에 대한 설명으로 틀린 것은 무엇입니까?

❶ 한 번의 의존 설정으로 여러 모듈을 사용할 수 있도록 해준다.

❷ 집합 모듈 기술자에는 requires transitive로 의존 모듈을 기술한다.

❸ 집합 모듈 기술자에는 requires transitive로 다른 집합 모듈을 기술할 수 있다.

❹ 집합 모듈을 의존 설정할 경우에는 다른 모듈을 의존 설정할 수 없다.

5. 자바 표준 모듈에 대한 설명으로 틀린 것은 무엇입니까?

❶ java.base 모듈은 기본 모듈이므로 requires하지 않아도 사용할 수 있다.

❷ java.base 모듈에 속한 패키지는 import 없이도 사용할 수 있다.

❸ java.se 모듈은 JDK의 전체 모듈을 사용할 수 있도록 구성된 집합 모듈이다.

❹ 자바 표준 모듈은 작은 자바 실행 환경을 만들기 위해 설계되었다.

Chapter

11

예외 처리

11.1 예외와 예외 클래스

컴퓨터 하드웨어의 고장으로 인해 응용프로그램 실행 오류가 발생하는 것을 자바에서는 에러error라고 한다. 프로그램을 아무리 견고하게 만들어도 개발자는 이런 에러에 대처할 방법이 전혀 없다.

자바에서는 에러 이외에 예외exception라고 부르는 오류가 있다. 예외란 잘못된 사용 또는 코딩으로 인한 오류를 말한다. 예외가 발생되면 프로그램은 곧바로 종료된다는 점에서는 에러와 동일하지만, 예외 처리를 통해 계속 실행 상태를 유지할 수 있다. 예외에는 다음 두 가지가 있다.

- **일반 예외(Exception)**
  컴파일러가 예외 처리 코드 여부를 검사하는 예외를 말한다.

- **실행 예외(Runtime Exception)**
  컴파일러가 예외 처리 코드 여부를 검사하지 않는 예외를 말한다.

자바는 예외가 발생하면 예외 클래스로부터 객체를 생성한다. 이 객체는 예외 처리 시 사용된다. 자바의 모든 에러와 예외 클래스는 Throwable을 상속받아 만들어지고, 추가적으로 예외 클래스는 java.lang.Exception 클래스를 상속받는다.

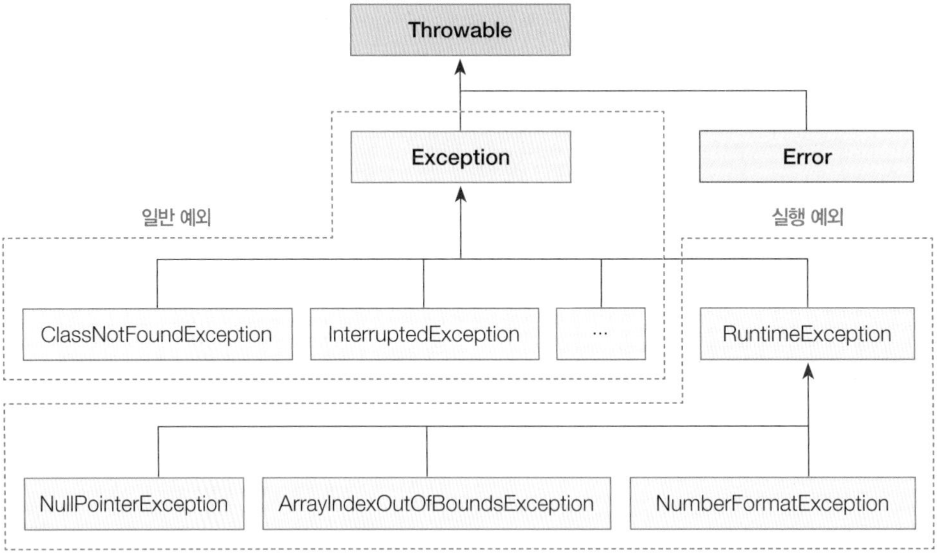

실행 예외는 RuntimeException과 그 자식 클래스에 해당한다. 그 밖의 예외 클래스는 모두 일반 예외이다. 자바는 자주 사용되는 예외 클래스를 표준 라이브러리로 제공한다. 앞의 그림에서 언급한 모든 예외 클래스는 표준 라이브러리에서 제공하는 것들이다.

11.2 예외 처리 코드

예외가 발생했을 때 프로그램의 갑작스러운 종료를 막고 정상 실행을 유지할 수 있도록 처리하는 코드를 예외 처리 코드라고 한다. 예외 처리 코드는 try-catch-finally 블록으로 구성된다. try-catch-finally 블록은 생성자 내부와 메소드 내부에서 작성된다.

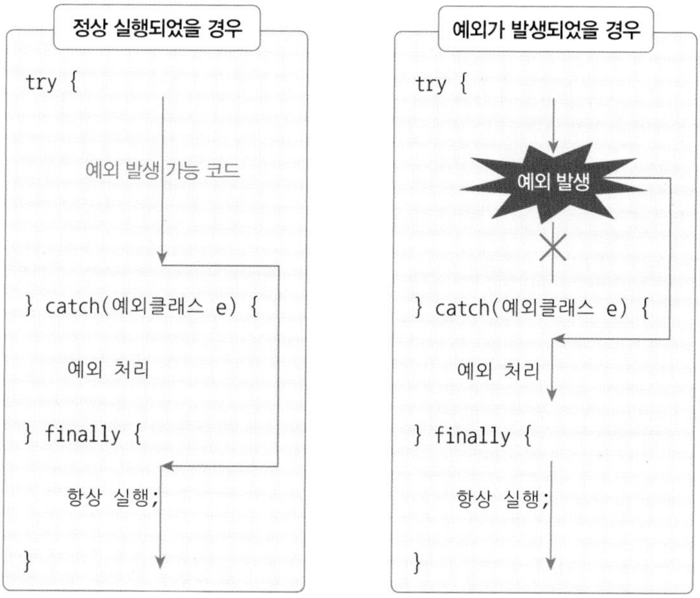

try 블록에서 작성한 코드가 예외 없이 정상 실행되면 catch 블록은 실행되지 않고 finally 블록이 실행된다. 그러나 try 블록에서 예외가 발생하면 catch 블록이 실행되고 연이어 finally 블록이 실행된다.

예외 발생 여부와 상관없이 finally 블록은 항상 실행된다. 심지어 try 블록과 catch 블록에서 return 문(메소드 종료)을 사용하더라도 finally 블록은 항상 실행된다. finally 블록은 옵션으로 생략 가능하다.

다음 예제에서 printLength() 메소드는 문자열의 수를 리턴한다. 12라인에서 문자열 대신 null을 입력하면 5라인에서 NullPointerException이 발생한다. NullPointerException은 참조 변수가 null인 상태에서 필드나 메소드에 접근할 경우 발생한다. NullPointerException은 실행 예외이므로 컴파일할 때 예외 처리 코드가 없어도 되지만, 실행 중에 발생하면 프로그램은 즉시 종료된다.

>>> **ExceptionHandlingExample1.java**

```
1   package ch11.sec02.exam01;
2
3   public class ExceptionHandlingExample1 {
4     public static void printLength(String data) {
5       int result = data.length();
6       System.out.println("문자 수: " + result);
7     }
8
9     public static void main(String[] args) {
10      System.out.println("[프로그램 시작]\n");
11      printLength("ThisIsJava");
12      printLength(null);
13      System.out.println("[프로그램 종료]");
14    }
15  }
```

data가 null일 경우 NullPointerException 발생

매개값으로 null을 대입

실행 결과

```
[프로그램 시작]

문자 수: 10
Exception in thread "main" java.lang.NullPointerException: Cannot invoke "String.
length()" because "data" is null
  at ch11.sec02.exam01.NullPointerExceptionExample1.printLength(NullPointerExcepti
  onExample1.java:5)
  at ch11.sec02.exam01.NullPointerExceptionExample1.main(NullPointerExceptionExamp
  le1.java:12)
```

위 예제에서 예외 처리 코드를 추가해 보자. try 블록에서 NullPointerException이 발생하면 catch 블록을 실행해서 예외를 처리하도록 하고, 예외 발생 여부와 상관없이 finally 블록을 실행하여 마무리 작업을 해보자.

>>> **ExceptionHandlingExample2.java**

```java
package ch11.sec02.exam01;

public class ExceptionHandlingExample2 {
  public static void printLength(String data) {
    try {
      int result = data.length();
      System.out.println("문자 수: " + result);
    } catch(NullPointerException e) {
      System.out.println(e.getMessage());  //①
      //System.out.println(e.toString());  //②
      //e.printStackTrace();               //③
    } finally {
      System.out.println("[마무리 실행]\n");
    }
  }

  public static void main(String[] args) {
    System.out.println("[프로그램 시작]\n");
    printLength("ThisIsJava");
    printLength(null);
    System.out.println("[프로그램 종료]");
  }
}
```

data가 null일 경우 NullPointerException 발생

예외 정보를 얻는 3가지 방법

실행 결과

```
[프로그램 시작]

문자 수: 10
[마무리 실행]

Cannot invoke "String.length()" because "data" is null
[마무리 실행]

[프로그램 종료]
```

9~11라인은 발생된 예외의 정보를 출력하는 3가지 방법을 보여 준다. 예외가 발생하면 예외 객체가 catch 선언부의 예외 클래스 변수에 대입된다. ①의 e.getMessage()는 예외가 발생한 이유만 리턴하지만, ②의 e.toString()은 다음과 같이 예외의 종류도 리턴한다.

```
java.lang.NullPointerException: Cannot invoke "String.length()" because "data" is
null
```

③의 e.printStackTrace()는 예외가 어디서 발생했는지 추적한 내용까지도 출력해 준다.

```
java.lang.NullPointerException: Cannot invoke "String.length()" because "data" is
null
  at ch11.sec02.exam01.ExceptionHandlingExample2.printLength(ExceptionHandlingEx
  ample2.java:6)
  at ch11.sec02.exam01.ExceptionHandlingExample2.main(ExceptionHandlingExample2.
  java:20)
```

다음 예제에서 Class.forName("패키지…클래스")은 ClassPath 위치에서 주어진 클래스를 찾는 코드이다. 찾지 못했을 경우, ClassNotFoundException이라는 일반 예외가 발생한다. 따라서 소스가 컴파일되려면 예외 처리 코드를 반드시 작성해야 한다.

>>> **ExceptionHandlingExample.java**

```
package ch11.sec02.exam02;

public class ExceptionHandlingExample {

  public static void main(String[] args) {
    try {
      Class.forName("java.lang.String");
      System.out.println("java.lang.String 클래스가 존재합니다.");
    } catch(ClassNotFoundException e) {
      e.printStackTrace();
    }

    System.out.println();
```

ClassNotFoundException
발생 가능 코드

```java

    try {
      Class.forName("java.lang.String2");
      System.out.println("java.lang.String2 클래스가 존재합니다.");
    } catch(ClassNotFoundException e) {
      e.printStackTrace();
    }
  }
}
```

ClassNotFoundException 발생 가능 코드

실행 결과

```
java.lang.String 클래스가 존재합니다.

java.lang.ClassNotFoundException: java.lang.String2
  at java.base/jdk.internal.loader.BuiltinClassLoader.loadClass(BuiltinClassLoader.
  java:641)
  at java.base/jdk.internal.loader.ClassLoaders$AppClassLoader.
  loadClass(ClassLoaders.java:188)
  at java.base/java.lang.ClassLoader.loadClass(ClassLoader.java:520)
  at java.base/java.lang.Class.forName0(Native Method)
  at java.base/java.lang.Class.forName(Class.java:375)
  at ch11.sec02.exam02.ExceptionHandlingExample.main(ExceptionHandlingExample.
  java:16)
```

11.3 예외 종류에 따른 처리

try 블록에는 다양한 종류의 예외가 발생할 수 있다. 이 경우, 다중 catch를 사용하면 발생하는 예외에 따라 예외 처리 코드를 다르게 작성할 수 있다. catch 블록의 예외 클래스는 try 블록에서 발생된 예외의 종류를 말하는데, 해당 타입의 예외가 발생하면 catch 블록이 선택되어 실행된다.

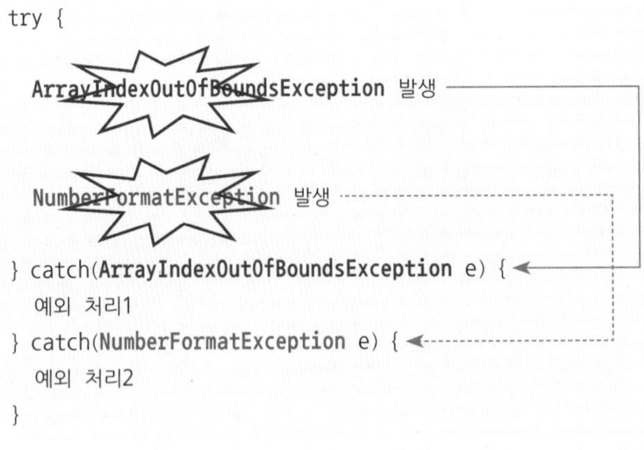
try {
ArrayIndexOutOfBoundsException 발생
NumberFormatException 발생
} catch(ArrayIndexOutOfBoundsException e) {
예외 처리1
} catch(NumberFormatException e) {
예외 처리2
}

catch 블록이 여러 개라 할지라도 catch 블록은 단 하나만 실행된다. 그 이유는 try 블록에서 동시다발적으로 예외가 발생하지 않으며, 하나의 예외가 발생하면 즉시 실행을 멈추고 해당 catch 블록으로 이동하기 때문이다.

다음 예제는 배열의 인덱스가 초과되었을 경우 발생하는 ArrayIndexOutOfBoundsException과 숫자타입이 아닐 때 발생하는 NumberFormatException을 각각 다르게 예외 처리한다.

››› ExceptionHandlingExample.java

```java
package ch11.sec03.exam01;

public class ExceptionHandlingExample {
  public static void main(String[] args) {
    String[] array = {"100", "1oo"};

    for(int i=0; i<=array.length; i++) {
      try {
        int value = Integer.parseInt(array[i]);
        System.out.println("array[" + i + "]: " + value);
      } catch(ArrayIndexOutOfBoundsException e) {
        System.out.println("배열 인덱스가 초과됨: " + e.getMessage());
      } catch(NumberFormatException e) {
        System.out.println("숫자로 변환할 수 없음: " + e.getMessage());
      }
```

```
      }
    }
  }
```

실행 결과

```
array[0]: 100
숫자로 변환할 수 없음: For input string: "1oo"
배열 인덱스가 초과됨: Index 2 out of bounds for length 2
```

처리해야 할 예외 클래스들이 상속 관계에 있을 때는 하위 클래스 catch 블록을 먼저 작성하고 상위 클래스 catch 블록을 나중에 작성해야 한다. 예외가 발생하면 catch 블록은 위에서부터 차례대로 검사 대상이 되는데, 하위 예외도 상위 클래스 타입이므로 상위 클래스 catch 블록이 먼저 검사 대상이 되면 안 된다.

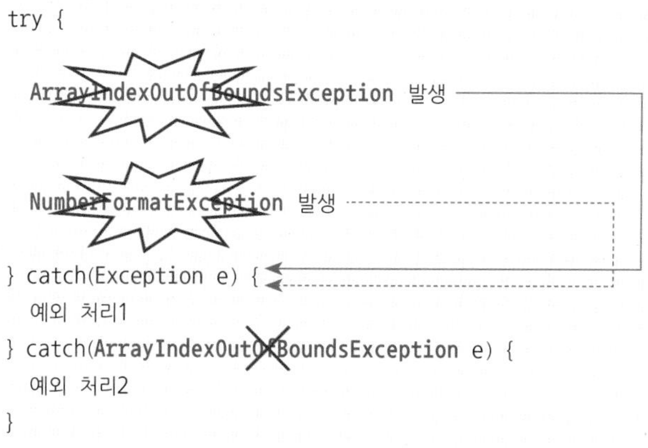
try {
ArrayIndexOutOfBoundsException 발생
NumberFormatException 발생
} catch(Exception e) {
예외 처리1
} catch(ArrayIndexOutOfBoundsException e) {
예외 처리2
}

>>> ExceptionHandlingExample.java

```
package ch11.sec03.exam02;

public class ExceptionHandlingExample {
  public static void main(String[] args) {
    String[] array = {"100", "1oo"};
```

```java

    for(int i=0; i<=array.length; i++) {
      try {
        int value = Integer.parseInt(array[i]);
        System.out.println("array[" + i + "]: " + value);
      } catch(ArrayIndexOutOfBoundsException e) {
        System.out.println("배열 인덱스가 초과됨: " + e.getMessage());
      } catch(Exception e) {
        System.out.println("실행에 문제가 있습니다.");
      }
    }
  }
}
```

상위 예외 클래스는 아래쪽에 작성

실행 결과

```
array[0]: 100
실행에 문제가 있습니다.
배열 인덱스가 초과됨: Index 2 out of bounds for length 2
```

두 개 이상의 예외를 하나의 catch 블록으로 동일하게 예외 처리하고 싶을 때가 있다. 이 경우에는 catch 블록에 예외 클래스를 기호 |로 연결하면 된다.

>>> **ExceptionHandlingExample.java**

```java
package ch11.sec03.exam03;

public class ExceptionHandlingExample {
  public static void main(String[] args) {
    String[] array = {"100", "1oo", null, "200"};

    for(int i=0; i<=array.length; i++) {
      try {
        int value = Integer.parseInt(array[i]);
        System.out.println("array[" + i + "]: " + value);
      } catch(ArrayIndexOutOfBoundsException e) {
        System.out.println("배열 인덱스가 초과됨: " + e.getMessage());
      } catch(NullPointerException | NumberFormatException e) {
```

2가지 예외를 동일하게 처리

```java
                System.out.println("데이터에 문제가 있음: " + e.getMessage());
            }
        }
    }
}
```

실행 결과

```
array[0]: 100
데이터에 문제가 있음: For input string: "1oo"
데이터에 문제가 있음: Cannot parse null string
array[3]: 200
배열 인덱스가 초과됨: Index 4 out of bounds for length 4
```

11.4 리소스 자동 닫기

리소스resource란 데이터를 제공하는 객체를 말한다. 리소스는 사용하기 위해 열어야(open) 하며, 사용이 끝난 다음에는 닫아야(close) 한다. 예를 들어 파일 내용을 읽기 위해서는 파일을 열어야 하며, 다 읽고 난 후에는 파일을 닫아야 다른 프로그램에서 사용할 수 있다.

리소스를 사용하다가 예외가 발생될 경우에도 안전하게 닫는 것이 중요하다. 그렇지 않으면 리소스가 불안정한 상태로 남아있게 된다.

다음 코드는 file.txt 파일의 내용을 읽기 위해 FileInputStream 리소스를 사용하는데, 예외 발생 여부와 상관없이 finally 블록에서 안전하게 close한다.

```java
FileInputStream fis = null;
try {
  fis = new FileInputStream("file.txt");   // 파일 열기
  ...
} catch(IOException e) {
  ...
} finally {
  fis.close();                             // 파일 닫기
}
```

좀 더 쉬운 방법이 있다. try-with-resources 블록을 사용하면 예외 발생 여부와 상관없이 리소스를 자동으로 닫아 준다. try 괄호에 리소스를 여는 코드를 작성하면 try 블록이 정상적으로 실행을 완료했거나 도중에 예외가 발생하면 자동으로 리소스의 close() 메소드가 호출된다.

```
try(FileInputStream fis = new FileInputStream("file.txt")){
  ...
} catch(IOException e) {
  ...
}
```

try-with-resources 블록을 사용하기 위해서는 조건이 하나 있다. 리소스는 java.lang.AutoCloseable 인터페이스를 구현해서 AutoCloseable 인터페이스의 close() 메소드를 재정의해야 한다. 예를 들어 FileInputStream은 다음과 같이 AutoCloseable 인터페이스를 구현하고 있다.

```
public class FileInputStream  implements AutoCloseable {
  ...
  @Override
  public void close() throws Exception { … }
}
```

복수 개의 리소스를 사용해야 한다면 다음과 같이 try() 괄호 안에 세미콜론(;)으로 구분해서 리소스를 여는 코드를 작성하면 된다.

```
try(
  FileInputStream fis1 = new FileInputStream("file1.txt");
  FileInputStream fis2 = new FileInputStream("file2.txt")
) {
  ...
} catch(IOException e) {
  ...
}
```

Java 8 이전 버전은 try 괄호 안에서 리소스 변수를 반드시 선언해야 했지만, Java 9 이후부터는 외부 리소스 변수를 사용할 수 있다. 따라서 위 코드는 다음과 같이 변경할 수 있다.

```
FileInputStream fis1 = new FileInputStream("file1.txt");
FileInputStream fis2 = new FileInputStream("file2.txt");
try(fis1; fis2) {
  ...
} catch(IOException e) {
  ...
}
```

다음 예제는 AutoCloseable 인터페이스를 구현한 MyResource 리소스를 try-with-resources 블록에서 사용한다. try 블록에서 예외 발생 여부와 상관없이 안전하게 close() 메소드가 실행되는 것을 볼 수 있다.

>>> **MyResource.java**

```
package ch11.sec04;

public class MyResource implements AutoCloseable {
  private String name;

  public MyResource(String name) {
    this.name = name;
    System.out.println("[MyResource(" + name + ") 열기]");
  }

  public String read1() {
    System.out.println("[MyResource(" + name + ") 읽기]");
    return "100";
  }

  public String read2() {
    System.out.println("[MyResource(" + name + ") 읽기]");
    return "abc";
  }

  @Override
  public void close() throws Exception {
    System.out.println("[MyResource(" + name + ") 닫기]");
  }
}
```

>>> TryWithResourceExample.java

```java
package ch11.sec04;

public class TryWithResourceExample {
  public static void main(String[] args) {
    try (MyResource res = new MyResource("A")) {
      String data = res.read1();
      int value = Integer.parseInt(data);
    } catch(Exception e) {
      System.out.println("예외 처리: " + e.getMessage());
    }

    System.out.println();

    try (MyResource res = new MyResource("A")) {
      String data = res.read2();
      //NumberFormatException 발생
      int value = Integer.parseInt(data);
    } catch(Exception e) {
      System.out.println("예외 처리: " + e.getMessage());
    }

    System.out.println();

    MyResource res1 = new MyResource("A");
    MyResource res2 = new MyResource("B");
    try (res1; res2) {
      String data1 = res1.read1();
      String data2 = res2.read1();
    } catch(Exception e) {
      System.out.println("예외 처리: " + e.getMessage());
    }
  }
}
```

실행 결과

```
[MyResource(A) 열기]
[MyResource(A) 읽기]
[MyResource(A) 닫기]

[MyResource(A) 열기]
```

```
[MyResource(A) 읽기]
[MyResource(A) 닫기]
예외 처리: For input string: "abc"

[MyResource(A) 열기]
[MyResource(B) 열기]
[MyResource(A) 읽기]
[MyResource(B) 읽기]
[MyResource(B) 닫기]
[MyResource(A) 닫기]
```

11.5 예외 떠넘기기

메소드 내부에서 예외가 발생할 때 try-catch 블록으로 예외를 처리하는 것이 기본이지만, 메소드를 호출한 곳으로 예외를 떠넘길 수도 있다. 이때 사용하는 키워드가 throws이다. throws는 메소드 선언부 끝에 작성하는데, 떠넘길 예외 클래스를 쉼표로 구분해서 나열해 주면 된다.

```
리턴타입 메소드명(매개변수,…) throws 예외클래스1, 예외클래스2, … {
}
```

throws 키워드가 붙어 있는 메소드에서 해당 예외를 처리하지 않고 떠넘겼기 때문에 이 메소드를 호출하는 곳에서 예외를 받아 처리해야 한다. 예를 들어 다음 코드는 ClassNotFoundException을 throws하는 method2()의 예외를 method1()에서 호출할 때 처리하고 있다.

```
public void method1() {
  try {
    method2();  //method2() 호출
  } catch(ClassNotFoundException e) {
    System.out.println("예외 처리: " + e.getMessage());
  }
}

public void method2() throws ClassNotFoundException  {
  Class.forName("java.lang.String2");
}
```

호출한 곳에서 예외 처리

```java
>>> ThrowsExample1.java

package ch11.sec05;

public class ThrowsExample1 {
  public static void main(String[] args) {
    try {
      findClass();
    } catch(ClassNotFoundException e) {
      System.out.println("예외 처리: " + e.toString());
    }
  }

  public static void findClass() throws ClassNotFoundException {
    Class.forName("java.lang.String2");
  }
}
```

호출한 곳에서 예외 처리

실행 결과

```
예외 처리: java.lang.ClassNotFoundException: java.lang.String2
```

나열해야 할 예외 클래스가 많을 경우에는 throws Exception 또는 throws Throwable 만으로 모든 예외를 간단히 떠넘길 수도 있다.

```
리턴타입 메소드명(매개변수,…) throws Exception {
}
```

main() 메소드에서도 throws 키워드를 사용해서 예외를 떠넘길 수 있는데, 결국 JVM이 최종적으로 예외 처리를 하게 된다. JVM은 예외의 내용을 콘솔에 출력하는 것으로 예외 처리를 한다.

```java
public static void main(String[] args) throws Exception {
  …
}
```

>>> ThrowsExample2.java

```java
package ch11.sec05;

public class ThrowsExample2 {
  public static void main(String[] args) throws Exception {
    findClass();
  }

  public static void findClass() throws ClassNotFoundException {
    Class.forName("java.lang.String2");
  }
}
```

실행 결과

```
Exception in thread "main" java.lang.ClassNotFoundException: java.lang.String2
  ...
  at java.base/java.lang.Class.forName(Class.java:375)
  at ch11.sec05.ThrowsExample2.findClass(ThrowsExample2.java:9)
  at ch11.sec05.ThrowsExample2.main(ThrowsExample2.java:5)
```

11.6 사용자 정의 예외

은행의 뱅킹 프로그램에서 잔고보다 더 많은 출금 요청이 들어온 경우에는 잔고 부족 예외를 발생시킬 필요가 있다. 그러나 잔고 부족 예외는 표준 라이브러리에는 존재하지 않기 때문에 직접 예외 클래스를 정의해서 사용해야 한다. 이것을 사용자 정의 예외라고 한다.

사용자 정의 예외

사용자 정의 예외는 컴파일러가 체크하는 일반 예외로 선언할 수도 있고, 컴파일러가 체크하지 않는 실행 예외로 선언할 수도 있다. 통상적으로 일반 예외는 Exception의 자식 클래스로 선언하고, 실행 예외는 RuntimeException의 자식 클래스로 선언한다.

```
public class XXXException extends [ Exception | RuntimeException ] {
  public XXXException() {
  }

  public XXXException(String message) {
    super(message);
  }
}
```

기본 생성자

예외 메시지를 입력받는 생성자

사용자 정의 예외 클래스에는 기본 생성자와 예외 메시지를 입력받는 생성자를 선언해 준다. 예외 메시지는 부모 생성자 매개값으로 넘겨주는데, 그 이유는 예외 객체의 공통 메소드인 getMessage()의 리턴값으로 사용하기 위해서이다.

다음은 잔고 부족 예외를 사용자 정의 예외 클래스로 선언한 것이다.

>>> **InsufficientException.java**

```
package ch11.sec06;

public class InsufficientException extends Exception {
  public InsufficientException() {
  }

  public InsufficientException(String message) {
    super(message);
  }
}
```

일반 예외로 선언

두 개의 생성자 선언

예외 발생 시키기

자바에서 제공하는 표준 예외뿐만 아니라 사용자 정의 예외를 직접 코드에서 발생시키려면 throw 키워드와 함께 예외 객체를 제공하면 된다. 예외의 원인에 해당하는 메시지를 제공하고 싶다면 생성자 매개값으로 전달한다.

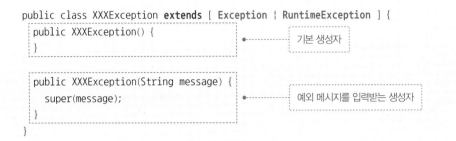

```
throw new Exception()
throw new RuntimeException();
throw new InsufficientException();
```

```
throw new Exception("예외메시지")
throw new RuntimeException("예외메시지);
throw new InsufficientException("예외메
시지");
```

throw된 예외는 직접 try-catch 블록으로 예외를 처리할 수도 있지만(아래 왼쪽), 대부분은 메소드를 호출한 곳에서 예외를 처리하도록 throws 키워드로 예외를 떠넘긴다(아래 오른쪽).

```
void method() {
  try {
    ...
    throw new Exception("예외메시지");
    ...
  } catch(Exception e) {
    String message = e.getMessage();
  }
}
```

```
void method() throws Exception {
  ...
  throw new Exception("예외메시지");
  ...
}
```

다음 예제는 은행 계좌(Account) 클래스의 출금(withdraw) 메소드에서 잔고(balance) 필드와 출금액(매개값)을 비교해 잔고가 부족하면 InsufficientException을 발생시키고 throws한다. 그리고 AccountExample은 withdraw() 메소드를 호출할 때 예외 처리를 한다.

>>> **Account.java**

```
package ch11.sec06;

public class Account {
  private long balance;

  public Account() { }

  public long getBalance() {
    return balance;
  }
```

```java
    public void deposit(int money) {
      balance += money;
    }
    public void withdraw(int money) throws InsufficientException {
      if(balance < money) {
        throw new InsufficientException("잔고 부족: "+(money-balance)+" 모자람");
      }
      balance -= money;
    }
  }
```

호출한 곳으로 예외 떠넘김

예외 발생

>>> AccountExample.java

```java
package ch11.sec06;

public class AccountExample {
  public static void main(String[] args) {
    Account account = new Account();
    //예금하기
    account.deposit(10000);
    System.out.println("예금액: " + account.getBalance());

    //출금하기
    try {
      account.withdraw(30000);
    } catch(InsufficientException e) {
      String message = e.getMessage();
      System.out.println(message);
    }
  }
}
```

예외 처리 코드와 함께 withdraw() 메소드 호출

실행 결과

```
예금액: 10000
잔고 부족: 20000 모자람
```

1. 예외에 대한 설명 중 틀린 것은 무엇입니까?

❶ 예외는 사용자의 잘못된 조작, 개발자의 잘못된 코딩으로 인한 프로그램 오류를 말한다.

❷ RuntimeException의 하위 예외는 컴파일러가 예외 처리 코드를 체크하지 않는다.

❸ 예외는 try-catch 블록을 사용해서 처리된다.

❹ 자바 표준 예외만 프로그램에서 처리할 수 있다.

2. try-catch-finally 블록에 대한 설명 중 틀린 것은 무엇입니까?

❶ try {} 블록에는 예외가 발생할 수 있는 코드를 작성한다.

❷ catch {} 블록은 try {} 블록에서 발생한 예외를 처리하는 블록이다.

❸ try {} 블록에서 return 문을 사용하면 finally {} 블록은 실행되지 않는다.

❹ catch {} 블록은 예외의 종류별로 여러 개를 작성할 수 있다.

3. throws에 대한 설명으로 틀린 것은 무엇입니까?

❶ 생성자나 메소드의 선언 끝 부분에 사용되어 내부에서 발생된 예외를 떠넘긴다.

❷ throws 뒤에는 떠넘겨야 할 예외를 쉼표(,)로 구분해서 기술한다.

❸ 모든 예외를 떠넘기기 위해 간단하게 throws Exception으로 작성할 수 있다.

❹ 새로운 예외를 발생시키기 위해 사용된다.

4. throw에 대한 설명으로 틀린 것은 무엇입니까?

❶ 예외를 최초로 발생시키는 코드이다.

❷ 예외를 호출한 곳으로 떠넘기기 위해 메소드 선언부에 작성된다.

❸ throw로 발생된 예외는 일반적으로 생성자나 메소드 선언부에 throws로 떠넘겨진다.

❹ throw 키워드 뒤에는 예외 객체 생성 코드가 온다.

확인문제

5. 메소드가 다음과 같이 선언되어 있습니다. 잘못된 예외 처리를 선택하세요.

```
public void method1() throws NumberFormatException, ClassNotFoundException { … }
```

❶ try { method1(); } catch (Exception e) {}

❷ void method2() throws Exception { method1(); }

❸ try { method1(); }
catch (Exception e) {}
catch (ClassNotFoundException e) {}

❹ try { method1(); }
catch (ClassNotFoundException e) {}
catch (NumberFormatException e) {}

6. 다음 코드가 실행되었을 때 출력 결과를 작성해 보세요.

```
String[] strArray = { "10", "2a" };
int value = 0;
for(int i=0; i<=2; i++) {
  try {
    value = Integer.parseInt(strArray[i]);
  } catch(ArrayIndexOutOfBoundsException e) {
    System.out.println("인덱스를 초과했음");
  } catch(NumberFormatException e) {
    System.out.println("숫자로 변환할 수 없음");
  } finally {
    System.out.println(value);
  }
}
```

7. login() 메소드에서 존재하지 않는 ID를 입력하면 NotExistIDException을 발생시키고, 잘못된 패스워드를 입력하면 WrongPasswordException을 발생시키려고 합니다. 다음 LoginExample의 실행 결과를 보고 빈칸을 채워 보세요.

```
public class NotExistIDException extends Exception {
  public NotExistIDException() {}
  public NotExistIDException(String message) {
    [                                        ]
  }
}
```

```
public class WrongPasswordException extends Exception {
  public WrongPasswordException() {}
  public WrongPasswordException(String message) {
    [                                        ]
  }
}
```

```
public class LoginExample {
  public static void main(String[] args) {
    try {
      login("white", "12345");
    } catch(Exception e) {
      System.out.println(e.getMessage());
    }

    try {
      login("blue", "54321");
    } catch(Exception e) {
      System.out.println(e.getMessage());
    }
  }

  public static void login(String id, String password) [                ] {
    //id가 blue가 아니라면 NotExistIDException을 발생시킴
    if(!id.equals("blue")) {
      [                                        ]
    }
```

```
    //password가 12345가 아니라면 WrongPasswordException을 발생시킴
    if(!password.equals("12345")) {
      
    }
  }
}
```

실행 결과

```
아이디가 존재하지 않습니다.
```

실행 결과

```
패스워드가 틀립니다.
```

8. FileWriter는 파일을 열고 데이터를 저장하는 클래스입니다. 예외 발생 여부와 상관 없이 마지막에는 close() 메소드를 실행해서 파일을 닫아 주려고 합니다. 왼쪽 코드는 try-catch-finally를 이용해서 작성한 코드로, 리소스 자동 닫기를 이용하도록 수정하고 싶습니다. 수정한 코드를 오른쪽에 작성해 보세요.

```
import java.io.IOException;

public class FileWriter implements AutoCloseable {
  public FileWriter(String filePath) throws IOException {
    System.out.println(filePath + " 파일을 엽니다.");
  }

  public void write(String data) throws IOException {
    System.out.println(data + "를 파일에 저장합니다.");
  }

  @Override
  public void close() throws IOException {
    System.out.println("파일을 닫습니다.");
  }
}
```

```
import java.io.IOException;

public class FileWriterExample {
  public static void main(String[]
      args) {
    FileWriter fw = null;
    try {
      fw = new FileWriter("file.txt");
      fw.write("Java");
    } catch (IOException e) {
      e.printStackTrace();
    } finally {
      try { fw.close(); } catch
        (IOException e) {}
    }
  }
}
```

```
import java.io.IOException;

public class FileWriterExample {
  public static void main(String[]
      args) {



  }
}
```

찾아보기

G~H

I

J~L

M~N

O

T

U~Y

ㅁ

ㅂ

ㅈ

ㅊ